Frédéric Lefebvre

La photographie de paysage

Publié par les éditions Pearson France

47 bis, rue des Vinaigriers

75010 PARIS

Tél. : 01 72 74 90 00

www.pearson.fr

Réalisation P.A.O. : Léa B.

ISBN : 978-2-7440-9292-3

Table des matières

Partie I • Avant de partir

Chapitre 1 : Choisir la destination et la date de votre voyage

Chapitre 2 : Techniques photographiques

Chapitre 3 : Préparer votre voyage et définir votre itinéraire

Partie II • Sur le terrain : la chasse à l'image est ouverte !

Chapitre 4 : Optimiser votre présence sur le terrain

Chapitre 5 : Utiliser votre matériel sur le terrain

Chapitre 6 : La prise de vue sur le terrain

Partie III • Une fois de retour

Chapitre 7 : Avant de commencer

Chapitre 8 : Postproduction

Chapitre 9 : Imprimer, diffuser et faire connaître vos images

Partie I • Avant de partir

1. Choisir la destination et la date de votre voyage . . 3

Où partir ? 4

Quand partir ? 7

Considérations administratives et pratiques 13

2. Techniques photographiques 15

Connaissances théoriques de base 16

Rappel des principes de base du maniement de l'appareil 32

Choisir et connaître son matériel photographique 41

3. Préparer votre voyage et définir votre itinéraire . . 83

Type de voyage 84

Documentation 85

Définir un itinéraire 87

Le story-board 88

Partie II • Sur le terrain : la chasse à l'image est ouverte !

4 Optimiser votre présence sur le terrain . . 93

Dernières recherches documentaires et prise de notes . 94

Prévisions météo 96

Les heures les plus intéressantes . 100

Profiter des temps morts 105

5. Utiliser votre matériel sur le terrain 107

Utiliser votre boîtier 108

Utiliser vos objectifs 119

Utiliser votre trépied : prévenir tout défaut de stabilité 121

Utiliser vos filtres 126

Le workflow. 131

Le workflow pour un assemblage panoramique 132

Protection du matériel 134

Nettoyage 137

6. La prise de vue sur le terrain 141

Démarche photographique 142

La lumière sur le terrain. 146

Changer de composition : cadrage, focale et point de vue . . 153

Où faire faire la mise au point dans le paysage 159

Workshops terrain 160

Photographier les paysages urbains 180

La photo de nuit et en basse lumière 194

Reportage et portraits 206

Interview 210

Partie III • Une fois de retour

7. Avant de commencer . . . 215

Dès le retour 216

Le matériel informatique 217

La gestion de la couleur 222

8. Postproduction 229

Développement des fichiers Raw . . 231

Corriger et améliorer l'image dans Photoshop : les outils de base. . . 245

Corriger les teintes et les couleurs . .261

Corriger les défauts optiques et la perspective 265

L'accentuation 265

Assemblage panoramique des images prises sur le terrain . . 269

Légender 272

Format d'enregistrement en fonction de la destination . . . 273

La postproduction (ré)créative . . 274

9. Imprimer, diffuser et faire connaître vos images 281

Impression 282

Faire connaître vos images 286

Diffusion de vos images 289

Conclusion 293

Annexe 295

Références bibliographiques . . . 295

Concours photo 296

Sites web 298

Index. 301

INTRODUCTION

Photographier un beau paysage tel que vous le voyez, debout à hauteur d'homme et s'en contenter, c'est un peu comme photographier un tableau de maître et trouver qu'on a du talent. En tant que photographe, vous pouvez certes enregistrer une scène telle que vous la voyez, mais vous devez surtout apporter votre vision personnelle, interpréter la scène, comprendre le paysage, communiquer vos émotions.

La technique, le choix et la qualité du matériel contribuent à la réussite d'une image, mais une excellente maîtrise des aspects techniques ne permet plus au photographe et à ses images de se distinguer tant les automatismes sont devenus performants et omniprésents. Aujourd'hui, il est presque devenu difficile de rater une photo ! Le photographe doit développer et mettre en œuvre bien d'autres compétences et préparer la prise de vue très en amont.

Car les photographes qui comptent le plus sur le hasard sont souvent ceux qui ont le moins de chance ! Contrairement à une idée reçue, la part du hasard dans la réussite de la photographie de paysage ou de voyage n'est pas si importante. Certes, le photographe doit faire avec ce que la nature lui offre mais la préparation, la capacité d'adaptation et d'improvisation comptent plus. Les meilleures images sont fabriquées, conçues, imaginées et pas seulement « prises ».

Passer du temps sur le terrain est le meilleur moyen de progresser mais aussi d'augmenter votre production. Le temps consacré à la prise de vue est parfois la seule chose qui sépare le photographe professionnel de l'amateur expert. Dès lors, optimiser sa présence sur le terrain est important : vous devrez apprendre à lire la lumière, anticiper les changements météo, gérer au mieux votre temps et vos déplacements.

La maîtrise du matériel photo sur le terrain (notamment dans des conditions difficiles de lumière), des environnements inhabituels et des sujets particuliers garantit les meilleurs résultats. D'autant que les automatismes atteignent leurs limites dans de telles conditions. C'est l'occasion de rappeler que c'est le photographe qui prend la photo et pas (seulement) l'appareil…

Le numérique a apporté de nombreux outils et de nouveaux concepts (des logiciels de traitement d'image, l'histogramme, la balance des blancs…) qui permettent désormais au photographe de maîtriser entièrement la chaîne de l'image de la prise de vue à la diffusion des images. Voilà une responsabilité et une complexité technique auxquelles le photographe est rarement préparé. La bonne maîtrise de la postproduction est pourtant indispensable pour « finir le travail », mettre en valeur et diffuser vos images.

Ce livre a été conçu comme un outil pratique pour permettre au photographe de réussir son voyage, ses photos et d'exploiter au mieux ses images. Il résume les notions à maîtriser à chaque étape de la chaîne de l'image : très en amont dès le choix de la destination jusqu'à la diffusion et la commercialisation des images. Il permet de faire les bons choix, d'éviter les erreurs et facilite l'apprentissage et la progression en partageant le fruit de l'expérience de nombreux photographes amateurs passionnés et professionnels.

C'est l'outil pratique que j'aurais aimé posséder quand j'ai débuté la photographie.

Fréderic Lefebvre

Partie I
Avant de partir

1

Choisir la destination et la date de votre voyage

Choisir sa destination, c'est choisir le sujet des photographies que l'on va réaliser. Si la variété des sujets pour une destination donnée peut être grande, vous ne ferez pas les mêmes clichés dans un pays tropical et dans un pays du Nord, à la mer ou à la montagne, ou bien seulement à quelques kilomètres de chez vous.

Si la saison touristique, la « haute » saison, correspond généralement à la période la plus ensoleillée, le photographe paysagiste recherche souvent les ciels perturbés qui vont l'amener à sillonner des paysages désertés par le voyageur non photographe. Il n'y a pas de « bonne saison » mais seulement des saisons qui vous permettent de réaliser les images que vous avez en tête... et bien d'autres.

Cette partie, loin d'exposer un panorama exhaustif et impossible de destinations, a pour ambition de vous donner quelques repères, conseils pratiques et exemples qui, nous l'espérons, vous donneront envie d'explorer les richesses qui nous entourent.

OÙ PARTIR ?

Connaître sa planète

On photographie d'autant mieux un sujet qu'on le connaît bien : les meilleurs photographes animaliers ont souvent une formation en zoologie, ce qui leur permet de comprendre les comportements des animaux. On peut raisonnablement penser qu'il en va de même pour le photographe paysagiste, d'autant qu'au-delà des connaissances acquises, c'est parfois une véritable passion qui naît de la connaissance de son sujet.

Atlas, encyclopédie illustrée : la connaissance, une invitation au voyage

Si la plupart d'entre nous se souviennent d'avoir suivi des cours de géographie, une remise à niveau n'est pas inutile. D'autant que c'est maintenant avec un œil de photographe que vous allez parcourir les atlas et encyclopédies illustrées. Chaque page, chaque carte est une opportunité photo à saisir.

Les climats

Aristote est à l'origine d'une des premières classifications des climats. Sa classification ne proposait que trois grands types de climat (chaud, froid et tempéré). De nos jours, les systèmes de classification prennent en compte la latitude, l'altitude, la température, la proximité de l'océan ou encore le niveau des précipitations.

Toutes les régions ne connaissent pas les quatre saisons des pays tempérés. On parle par exemple de saison sèche/saison des pluies dans les régions tropicales. D'autres phénomènes sont plus localisés et moins dépendants de la latitude, comme la mousson, dont les pluies torrentielles ne touchent que l'Asie, de l'Inde du Nord à l'Indonésie, et le nord de l'Australie.

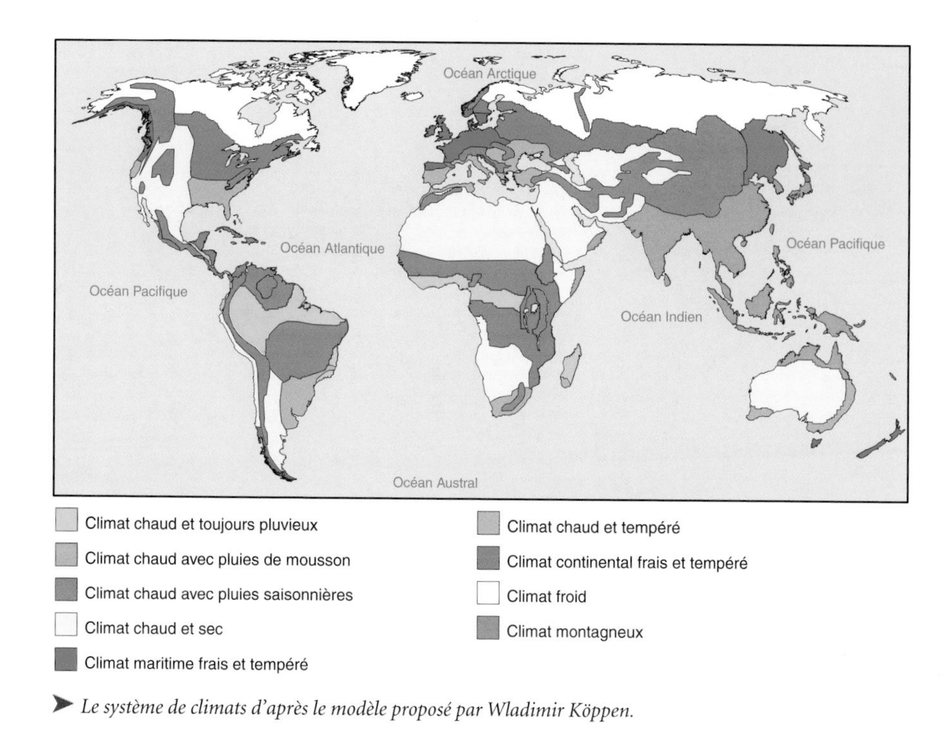

➤ *Le système de climats d'après le modèle proposé par Wladimir Köppen.*

Les biomes

Les biomes sont des milieux naturels, à l'échelle d'une région ou d'un continent entier, dans lesquels on trouve des assemblages comparables de plantes et animaux. Les principaux biomes sont les forêts (tropicales, tempérées, de conifères), les prairies tropicales et tempérées, la toundra, les marécages, les déserts, la montagne et les régions polaires. Ces biomes sont parfois perturbés, sinon remplacés, par l'activité humaine et ses zones agricoles et urbaines.

Des lieux d'exception déjà répertoriés

Si vous ne savez pas où emmener votre appareil photo cette année, sachez qu'une multitude de sites ont été répertoriés par différents organismes pour leur caractère exceptionnel. Chaque site, que vous pouvez choisir en fonction de vos goûts et de vos envies, est une invitation au voyage et fournira des opportunités photo uniques. La question que vous devez réellement vous poser n'est pas tant où aller mais par quoi commencer…

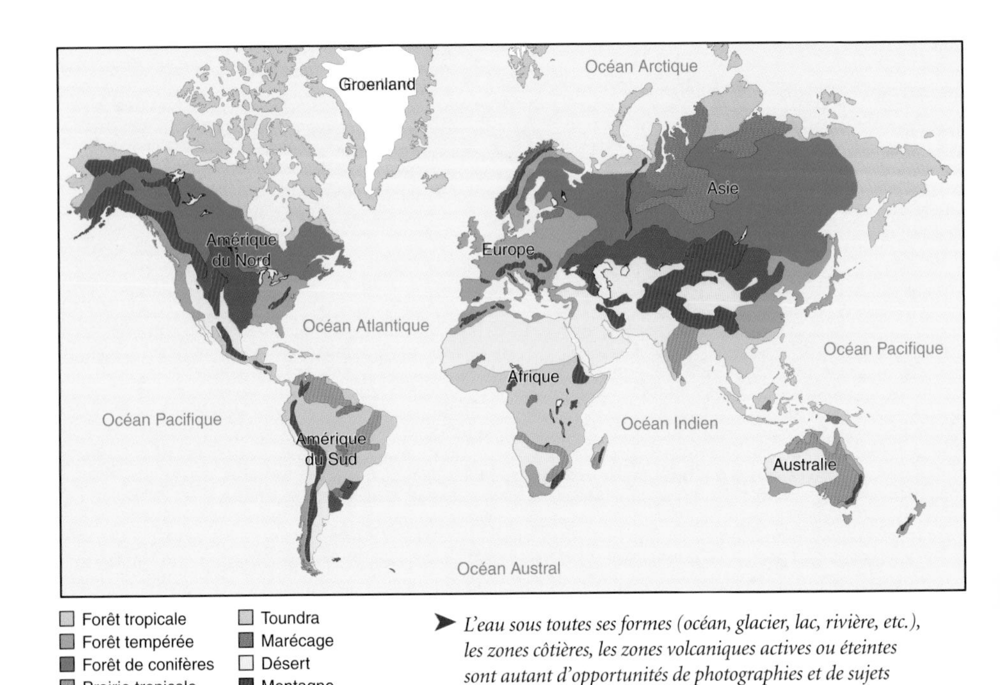

➤ *L'eau sous toutes ses formes (océan, glacier, lac, rivière, etc.), les zones côtières, les zones volcaniques actives ou éteintes sont autant d'opportunités de photographies et de sujets à approfondir.*

Les sites classés patrimoine mondial par l'Unesco

À travers le monde et à ce jour, 890 sites sont classés « patrimoine mondial ». L'Unesco reconnaît ainsi la valeur universelle exceptionnelle de ces sites et entreprend de les protéger pour que les générations à venir puissent en profiter. On compte 689 sites culturels parmi lesquels le site archéologique d'Angkor au Cambodge, le Taj Mahal en Inde, la Grande Muraille de Chine ou encore la médina de Marrakech.

176 sites naturels et 25 mixtes sont également répertoriés : la baie d'Along au Vietnam, la Chaussée des Géants en Irlande, les îles Galapagos, Météores en Grèce et le célèbre parc national de Yosemite aux États-Unis.

En France, le Mont-Saint-Michel et sa baie, les rives de la Seine à Paris, le canal du Midi et les chemins de Saint-Jacques-de-Compostelle comptent parmi les 33 sites classés, mais seulement 2 sites naturels (le golfe de Porto avec la réserve de Scandola et les lagons de Nouvelle-Calédonie).

Les parcs nationaux

Il existe près de 4 000 parcs nationaux à travers le monde, dont 300 en Europe. S'ils ne sont pas tous aussi connus que le parc de Yellowstone (le premier parc au monde, créé en 1872) ou du Grand Canyon et qu'ils ne feront peut-être pas l'objet de votre voyage à lui seul, ils méritent certainement le détour pour leur nature préservée.

En France, 10 parcs nationaux (y compris le projet du parc des Calanques, bien avancé) sont représentatifs d'une grande partie des écosystèmes présents sur le territoire français : les parcs nationaux des Cévennes, des Écrins, du Mercantour, de Port-Cros, de la Vanoise et des Pyrénées sont bien connus des Français. Pensez aussi aux parcs nationaux d'outre-mer (Guyane, Guadeloupe et Réunion) et aux 46 parcs naturels régionaux : parc de la Brenne, du Verdon, de la Camargue, des volcans d'Auvergne...

Où faire des photos de paysage en France ?

Contrairement à une idée reçue, il n'est pas nécessaire de voyager loin pour faire de bonnes photos. Les images que vous rapporterez de destinations lointaines vous sembleront peut-être exotiques mais ne seront pas nécessairement meilleures. Les opportunités sont nombreuses et insoupçonnées parfois à seulement quelques kilomètres de chez soi.

La France est l'une des premières destinations touristiques au monde et accueille plus de 60 millions de touristes venus des quatre coins du globe. Ces visiteurs ne s'y trompent pas : la France est riche de 33 sites classés patrimoine mondial, 10 parcs nationaux et 46 parcs régionaux, une grande diversité d'écosystèmes et de paysages.

Le Mont-Saint-Michel, la vallée de la Loire, le golfe de Porto, les volcans d'Auvergne, la réserve de Scandola, Paris et les territoires d'outre-mer sont des destinations de choix. Il en existe beaucoup d'autres.

QUAND PARTIR ?

La saison

Le choix de la saison dépend du type d'image que vous voulez réaliser. Familiarisez-vous avec le type de climat de votre destination et demandez-vous s'il est favorable à votre projet en ce qui concerne la lumière, l'état de la végétation, les conditions atmosphériques probables à cette saison. À moins de faire de la mousson le sujet de votre voyage, il vaut mieux éviter l'Inde aux mois de juin et juillet.

D'autant que le climat a aussi une influence sur votre capacité à vous déplacer dans le pays que vous visitez car les précipitations violentes de la saison des pluies détériorent les routes au point de les rendre totalement impraticables, surtout dans les pays les moins développés.

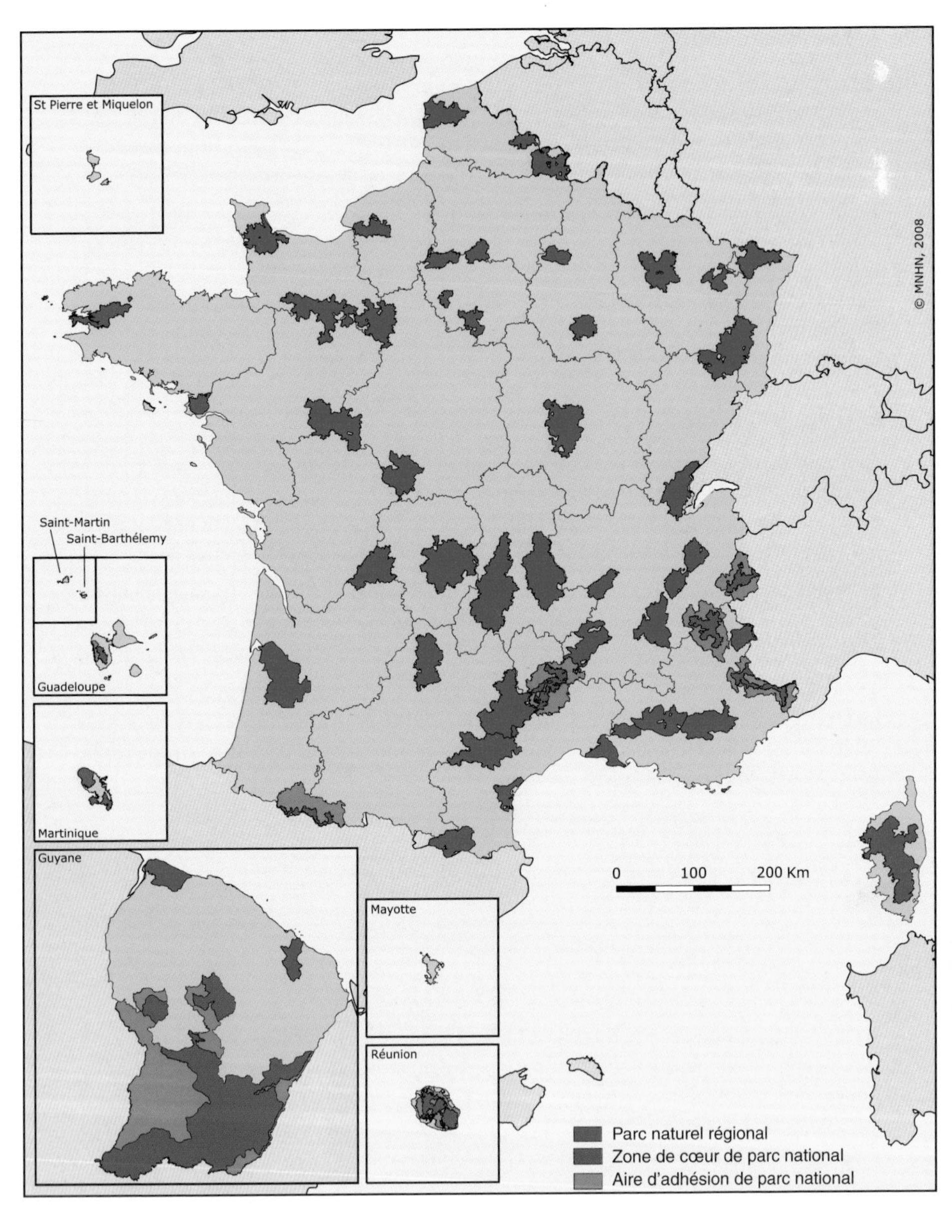

➤ *Les parcs nationaux et régionaux en France (d'après le Muséum national d'Histoire naturelle).*

L'influence de la saison sur le paysage naturel et urbain

Prenez également conscience de l'influence qu'a le climat sur le paysage et n'hésitez pas à revenir au même endroit à une autre saison : la lumière, la végétation, les conditions atmosphériques, l'enneigement, les activités humaines ou encore l'illumination des villes vous permettront de réaliser des images parfois très différentes.

➤ *Le bouleau au grès des saisons (Photo © Franck Renard).*

Statistiques pays (ensoleillement, pluviométrie, températures...)

L'ensoleillement et la pluviométrie sont les deux données météorologiques les plus importantes pour le photographe paysagiste. Elles donnent une idée de la nature de la lumière que vous trouverez sur place : grand ciel bleu ou ciel couvert ? Ne recherchez pas nécessairement les périodes les plus ensoleillées et les moins pluvieuses : les photographies de paysage les plus spectaculaires sont souvent le fruit d'un jeu de lumière entre nuages et éclaircies. Si c'est le type de clichés que vous cherchez à réaliser, choisissez un mois où les précipitations et l'ensoleillement sont répartis équitablement, comme souvent au printemps ou en automne.

Si les températures influencent peu la lumière, elles rentrent en compte si vous cherchez à photographier l'hiver par exemple et pour des raisons de confort personnel. À lumière égale, vous aurez tout intérêt à partir dans le désert quand les températures sont moins chaudes. Les conditions de travail seront ainsi plus agréables et vous permettront de vous concentrer sur la qualité de vos photos.

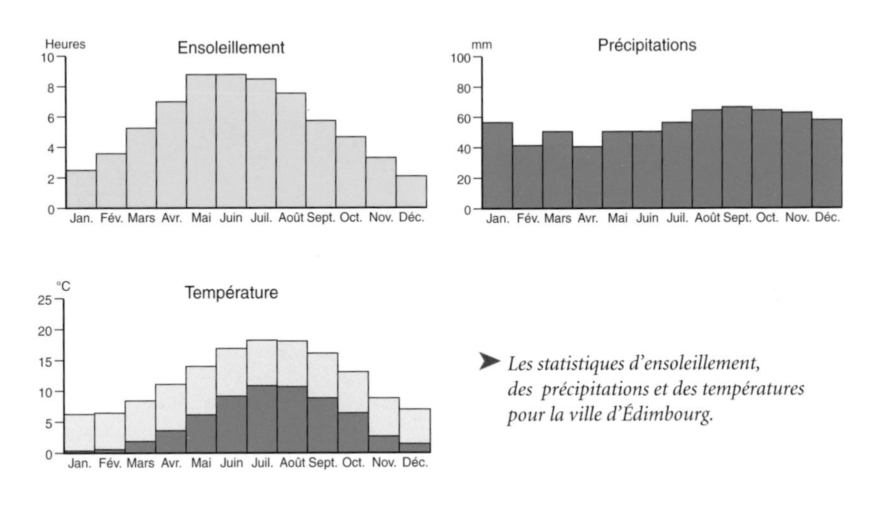

Les statistiques d'ensoleillement, des précipitations et des températures pour la ville d'Édimbourg.

La durée du jour

La durée du jour, c'est-à-dire le temps qui s'écoule entre le lever et le coucher du soleil, varie en fonction de la latitude et des saisons. Dans l'hémisphère nord, en hiver, la durée du jour décroît au fur et à mesure qu'on se rapproche du pôle Nord ; en été, c'est le contraire, les jours s'allongent en allant vers le nord. Et inversement pour l'hémisphère sud.

Le jour dure 12 heures toute l'année à l'équateur alors qu'il dure 24 heures au solstice d'été au-delà du cercle polaire (soleil de minuit) et qu'il est inexistant en hiver (on parle de nuit polaire).

Prenez en compte la durée du jour pour choisir votre destination. Si vous souhaitez profiter de la lumière du jour, évitez les pays du Nord en décembre ! Au contraire, si vous voulez faire vos premières photos d'aurores boréales, vous augmenterez vos chances d'en rencontrer en partant en hiver (voir aussi la section « Aurores boréales », au Chapitre 6).

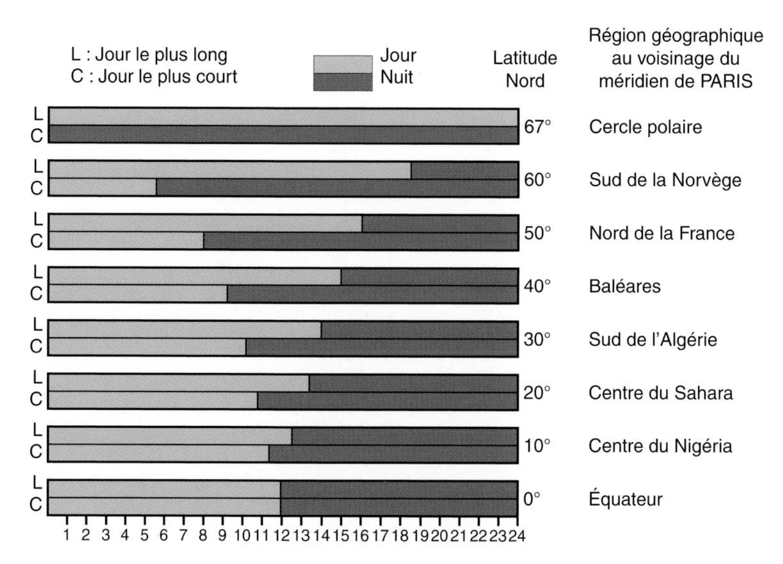

➤ *Tenez compte de la durée du jour pour choisir votre destination. À la même date, elle varie considérablement en fonction de la latitude.*

Partir hors saison

Voyager hors saison offre de nombreux avantages. Non seulement les billets d'avion, les hôtels et autres locations de voiture seront meilleur marché, mais en plus vous n'aurez pas besoin de réserver longtemps à l'avance (voire pas du tout), ce qui vous apportera la flexibilité nécessaire à la pratique de la photographie de paysage.

Vous rencontrerez également moins de touristes autour des monuments et aux abords des paysages connus et serez d'autant plus libre d'évoluer et de choisir le cadrage idéal.

La date

Vous trouverez dans les bons guides touristiques des calendriers listant les dates d'événements intéressants. Si vous en avez la possibilité, choisissez la date de votre voyage en fonction de ces dates-clés : il serait dommage de manquer les célébrations du Nouvel An chinois de quelques jours si vous allez en Chine... ou à New York.

La plupart des événements sont à date fixe et vous permettent donc de vous organiser à l'avance (les fêtes nationales ou religieuses), alors que d'autres comme l'apparition des couleurs d'automne dans les forêts canadiennes ou la fonte des neiges peuvent varier de quelques jours ou quelques semaines d'une année sur l'autre.

Info

La floraison des cerisiers au Japon est l'objet d'une attention particulière de la part de l'agence météorologique du Japon, qui rend compte quotidiennement de la progression de la « ligne de floraison » des cerisiers. Elle démarre dès janvier à Okinawa et atteint Tokyo fin mars ou début avril.

Si certains événements sont incontournables, vous préférerez peut-être en éviter d'autres si vous n'aimez pas la foule ou si vous n'avez pas réservé longtemps à l'avance. C'est le cas du plus grand marché aux chameaux du monde à Pushkar en Inde qui a lieu tous les ans début novembre : les hôtels sont réservés près d'un an à l'avance et le village visité par quelque 200 000 personnes... et 50 000 chameaux et autre bétail !

Calendrier lunaire

Prenez en compte le calendrier lunaire si vous souhaitez faire des photos de nuit : soit pour bénéficier d'une pleine lune et capturer des ambiances nocturnes, soit pour privilégier la nouvelle lune et réaliser des filés d'étoiles par exemple (voir aussi la section « Le ciel étoilé », au Chapitre 6).

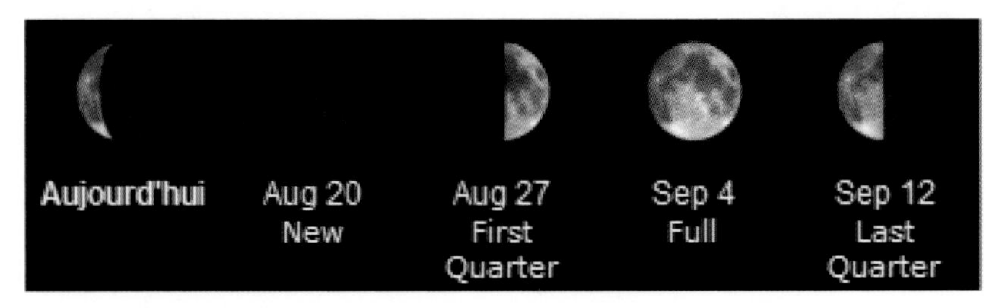

➤ *Le calendrier lunaire du site météo Weather Underground.*

CONSIDÉRATIONS ADMINISTRATIVES ET PRATIQUES

Passeport, visa, moyens de paiement, GSM...

Le passeport n'est pas exigé pour voyager entre les pays européens membres de l'espace Schengen, mais une pièce d'identité sera demandée si vous prenez l'avion. En dehors de cette zone, le passeport est obligatoire. Plus d'une centaine de pays ont des conventions avec la France, ce qui permet de voyager sans visa si vous restez moins de trois ou six mois. Notez que ce n'est pas le cas de l'Inde, de la Chine, de la Russie et dans une certaine mesure des États-Unis. Votre passeport doit être valide six mois après le retour dans le pays d'origine. Consultez les fiches pays du ministère des Affaires étrangères pour connaître les conditions d'entrée... et de sortie de chaque pays.

Passeport électronique ou biométrique ?

Le passeport électronique est muni d'une chaîne de caractères lisibles par un scanner et qui reprend les informations essentielles du passeport. Il est obligatoire pour rentrer aux États-Unis.

Le passeport biométrique est muni d'une puce électronique qui stocke les informations du passeport et les empreintes digitales de son propriétaire. Ce passeport est depuis juin 2009 le seul à être délivré dans l'Union européenne.

Votre carte bancaire internationale (Visa ou Mastercard) sera votre moyen de paiement privilégié dans la quasi-totalité des pays même si le nombre de distributeurs et de commerçants acceptant ce moyen de paiement est parfois limité en dehors des zones urbaines.

Pensez à vérifier le système de prise électrique de votre destination et achetez un adaptateur universel avant le départ, il couvrira une bonne partie des treize types de prise existant dans le monde.

Si votre GSM (bibande) est compatible dans toute l'Europe et dans une grande partie des pays du monde, il vaut faudra la plupart du temps un téléphone tribande en Amérique du Nord et du Sud. Vérifiez la compatibilité et la couverture du réseau sur les cartes pays par pays de GSMWorld : **http://gsmworld.com/roaming/gsminfo/index.shtml**.

Santé (vaccination, hygiène)

Veillez avant tout à partir en bonne santé, ne remettez pas ce rendez-vous chez le dentiste à plus tard. Si vous suivez un traitement, emportez avec vous suffisamment de médicaments ainsi que l'ordonnance correspondante.

Seul le vaccin contre la fièvre jaune est réellement obligatoire pour entrer dans certains pays (Afrique, Amérique du Sud) mais d'autres sont fortement conseillés et vous protégeront contre l'hépatite A et B, la diphtérie, le tétanos et la poliomyélite. Le centre de vaccination consignera votre vaccin dans un carnet de vaccination international. La plupart des vaccins sont efficaces pendant cinq ou dix ans.

Il n'existe pas encore de vaccin contre le paludisme, vous devrez prendre un traitement avant le départ ou tous les jours sur place dans les pays tropicaux affectés en plus d'un produit anti-moustique à base de DEET, d'IR3535, d'icaridine ou de perméthrine... et oubliez la citronnelle. Certains produits permettent d'imprégner les vêtements et les moustiquaires et sont efficaces plusieurs mois, même après plusieurs lavages. Attention, certains de ces produits peuvent endommager les plastiques de votre matériel photo.

Une bonne hygiène vous évitera la plupart des désagréments à commencer par la turista. Ne buvez que de l'eau en bouteille (vérifiez qu'elle est bien scellée) ou traitée, y compris pour vous brosser les dents, et méfiez-vous de l'eau que vous pourriez absorber en prenant votre douche. Lavez-vous les mains régulièrement et ne les portez pas à la bouche, lavez les fruits et légumes sans coque ou peau et épluchez les autres, évitez les glaces.

Le risque le plus fréquent auquel est soumis le voyageur est le vol : argent liquide, papiers d'identité et équipement photographique font l'objet de convoitises. Ne laissez jamais vos affaires sans surveillance, ni dans votre véhicule même à l'abri des regards. Verrouillez vos bagages si vous prenez l'avion et si vous les laissez à l'hôtel.

Consultez les fiches pays de la section « Conseils aux voyageurs » du site du Ministère des affaires étrangères sur **http://www.diplomatie.gouv.fr/fr/conseils-aux-voyageurs_909/index.html**.

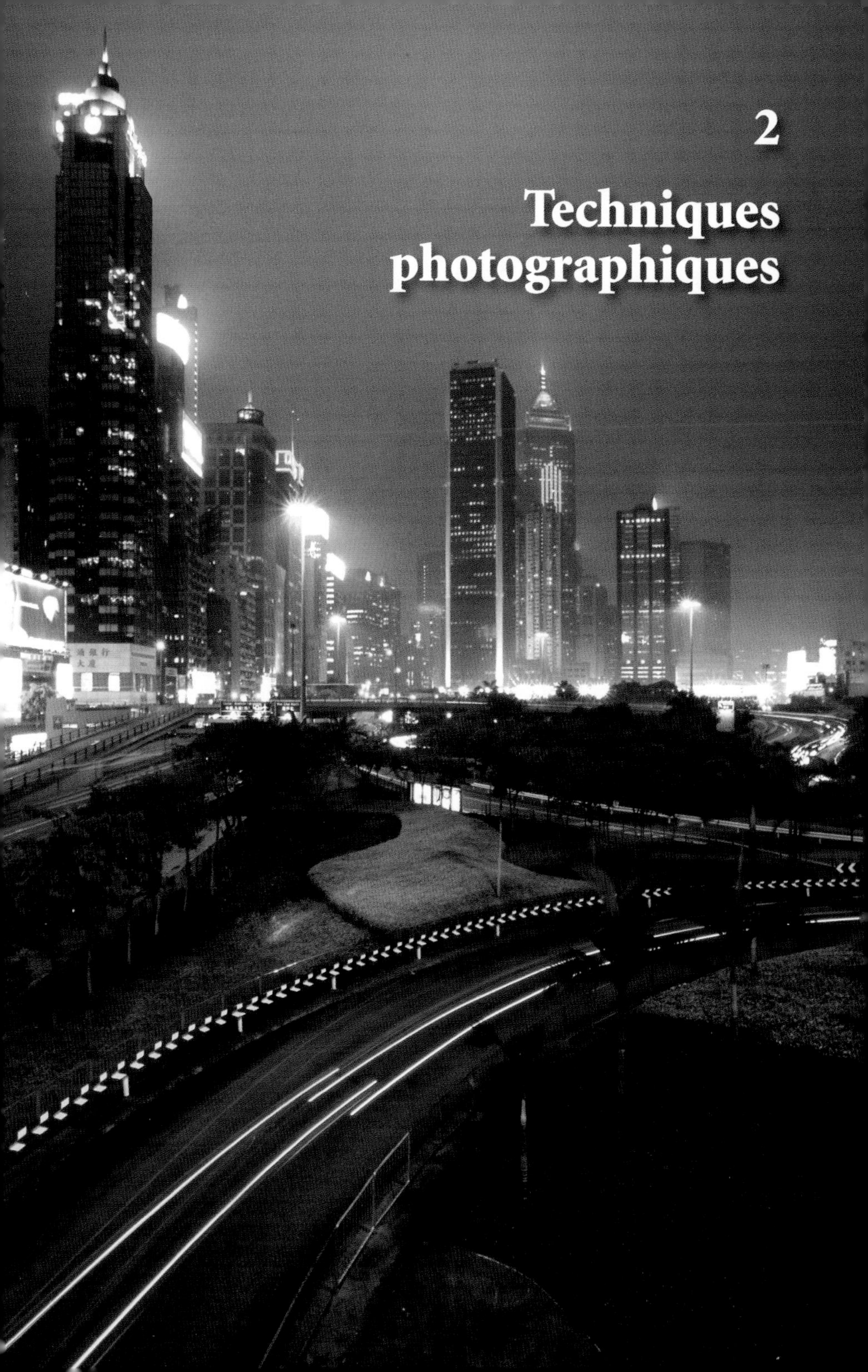

2
Techniques photographiques

Il est tentant de se jeter dans le cœur de l'action, mais ne sous-estimez pas l'importance de certaines connaissances et principes fondamentaux, ne laissez pas de côté le manuel livré avec votre boîtier. Apprenez à vous servir de votre matériel avant de l'utiliser.

Ce chapitre rappelle ce qu'il est bon de savoir avant de partir...

CONNAISSANCES THÉORIQUES DE BASE

La lumière

La lumière est la matière première du photographe. Ne dit-on pas « peindre avec la lumière » ? Avec l'expérience, le photographe développe une vraie sensibilité à la lumière. Comme les couleurs de la palette du peintre, la lumière existe sous de multiples formes, provient de multiples sources (naturelles ou artificielles), se compose, se décompose...

Il est important de connaître les notions qui suivent pour bien maîtriser le processus photographique, qu'il s'agisse du maniement du boîtier, de l'utilisation des filtres ou du post-traitement :

- **La lumière.** « La lumière est un rayonnement émis par des corps portés à haute température (incandescence) ou par des substances excitées (luminescence), et qui est perçu par les yeux. » *Petit Larousse illustré.*
- **Le spectre lumineux.** La lumière blanche du soleil est formée d'une gamme de couleurs possédant chacune sa longueur d'onde, l'ensemble formant le spectre lumineux. Les longueurs d'onde visibles sont comprises entre 400 nm (nanomètres) et 670 nm.
- **La diffraction.** La diffraction de la lumière du soleil fait apparaître l'ensemble des couleurs du spectre lumineux : à travers des gouttes de pluie, cela donne un arc-en-ciel... mais à travers la lentille d'un objectif, cela donne du *flare* (voir la section « Les caratéristiques optiques » plus loin dans ce chapitre).
- **La température de la couleur.** La notion de température de couleur fait référence à la teinte plus ou moins chaude que peut prendre la lumière : elle est rouge orangé au lever et au coucher du soleil, plutôt bleue avant ou après, et blanche en milieu de journée quand le soleil est au zénith. La température est exprimée en kelvin (K). Plus la température est élevée, plus la couleur est froide, et inversement.

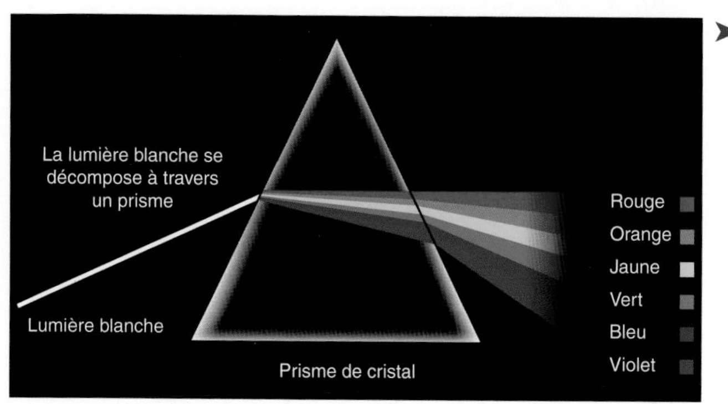

La diffraction de la lumière à travers un prisme.

Échelle de la température de couleur en kelvin

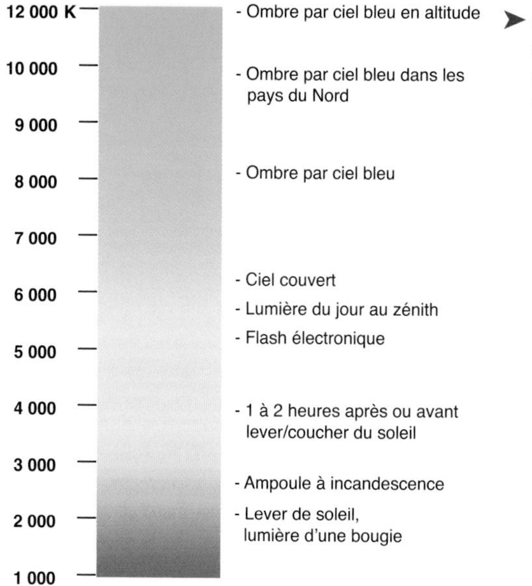

L'échelle de température de couleur en kelvin et les températures de quelques lumières naturelles ou artificielles.

Température élevée... couleur froide ?

La couleur qui correspond à une mesure de température en kelvin (4 200 K par exemple) est la couleur que prend un « corps noir » chauffé à ladite température. Un morceau de charbon de bois à l'état de braise (rouge) devient plus clair (jaune) quand on souffle dessus et au fur et à mesure que sa température augmente.

- **L'intensité de la lumière.** Plusieurs unités de mesure cohabitent et désignent des concepts différents : le candela (intensité lumineuse), le lumen (flux lumineux), le lux (éclairement ou exposition), la luminosité (L) mais aussi le watt (flux énergétique).

  Ces notions ne sont pas utilisées en photographie. On parle plutôt de d'indice de lumination (le fameux IL, ou EV pour *Exposure Value* en anglais). L'IL, basé sur la notion d'exposition (lux), définit l'exposition correcte du sujet pour une sensibilité ISO donnée, et est fonction de l'ouverture du diaphragme et de la vitesse d'obturation. On désigne les écarts d'exposition par +1 IL par exemple pour une surexposition et –1 IL pour une sous-exposition.

Les sources de lumière naturelle

Le soleil est bien évidemment la principale source de lumière naturelle. La couleur de température de la lumière qu'il diffuse est d'environ 5 200 K à midi (au zénith) et varie en fonction de la latitude. La température de l'ombre est plus élevée, donc plus froide : en moyenne 6 000 K.

La couleur de la lumière varie fortement en fonction de l'angle du soleil par rapport à l'horizon : plus le soleil est bas sur l'horizon (lever et coucher) plus la teinte est chaude : entre 2 500 et 4 500 K.

Pourquoi les couchers de soleil sont-ils rouges ?

La lumière blanche émise par le soleil est composée de plusieurs longueurs d'onde. La couleur rouge est provoquée par la diffusion (l'absorption) des couleurs bleue et violette par les particules présentes dans l'atmosphère (poussière, sable...). Seules les longueurs d'onde rouge et jaune parviennent à traverser l'atmosphère. Il en va parfois de même pour la lumière de la lune.

La lune (grise) reflète la lumière du soleil. Sa température de couleur est donc la même. Bien entendu, son intensité est infiniment plus faible : la pleine lune ne reflète, au zénith et par temps clair, qu'environ 1/250 000 de la lumière du soleil (soit 0,25 lux), ce qui représente une différence d'environ 18 IL (2^{18}). En pratique, la luminosité de la lune varie considérablement en fonction des conditions atmosphériques, ce qui ne facilite pas les réglages de l'exposition (voir la section « La photo au clair de lune », au Chapitre 6).

Aurores australes et boréales

Les aurores prennent la forme de nuages ou de rideaux lumineux mobiles évoluant lentement dans le ciel et sont le plus souvent vertes, parfois rouges et plus rarement jaunes, bleues ou violettes. Elles sont observables la nuit et durant le crépuscule pendant plusieurs dizaines de minutes ou plus.

Ce phénomène est causé par l'excitation des atomes d'oxygène et d'azote, elle-même causée par le champ magnétique du vent solaire, un peu comme dans un tube fluorescent.

Les sources de lumière artificielle

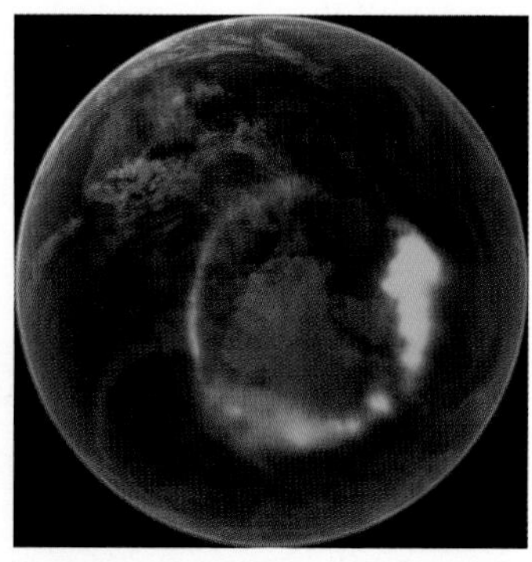

➤ *Une aurore australe photographiée par un satellite de la NASA (photo © NASA).*

Les sources de lumière artificielle sont beaucoup plus nombreuses, mais on compte deux sources principales.

- **Les ampoules et tubes à incandescence.** Ce type de lumière est le plus répandu. Il est basé sur le principe de la combustion maîtrisée d'un filament de métal emprisonné dans une ampoule ou un tube de verre. La lumière émise par ces ampoules est proche de celle du soleil car issue du même principe de combustion. Si la couleur est moins blanche, c'est à cause d'une température de combustion inférieure à celle du soleil. D'ailleurs, la température de couleur augmente un peu en fonction de la puissance en watt (W) : 2 750 K à 40 W et 2 850 K à 100 W.
- **Les tubes et ampoules fluorescents.** Cette lumière est créée par l'excitation du gaz présent dans le tube ou l'ampoule. La couleur de la lumière varie en fonction de la composition chimique du gaz (néon, mercure) et du revêtement du tube. Elle a tendance à être froide (5 000 K) et à posséder une dominante verte. Il existe des tubes « lumière du jour » au spectre proche de la lumière du soleil.

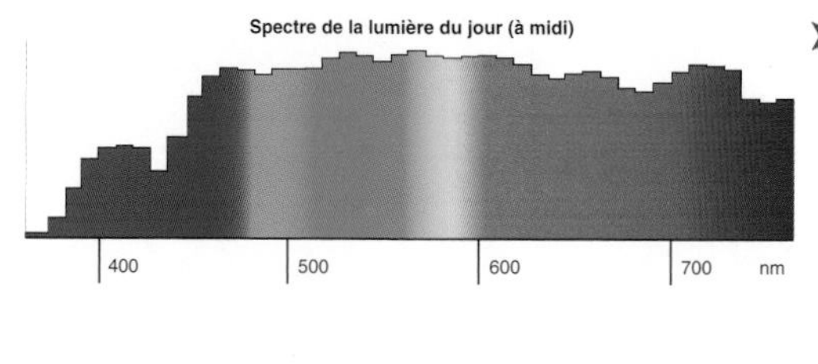

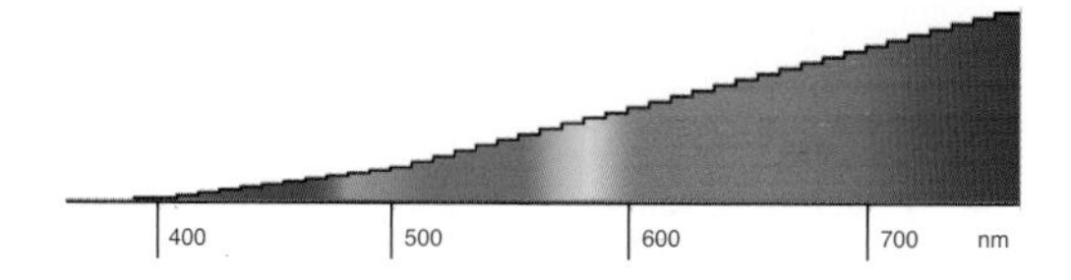

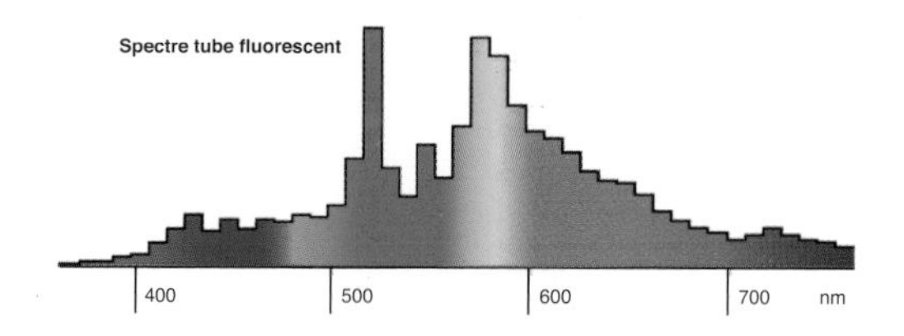

➤ *Le spectre de la lumière du soleil, d'une lampe à incandescence et d'un tube fluorescent. En proportion, la lumière d'une lampe a incandescence contient plus de rouge et de oranger d'où son aspect chaud ; le tube fluorescent contient une point de vert qui explique la dominante verte des images prises sous une telle lumière.*

En photographie, il est important de savoir reconnaître ces types de lumière artificielle pour mieux compenser leur rendu peu naturel avec des filtres de correction et avec la balance des blancs, au moment de la prise de vue ou en postproduction.

En photographie de paysage, on ne rencontre cette lumière artificielle qu'en zone urbaine. Loin d'être un inconvénient, la diversité de ces éclairages est à rechercher.

Canon EOS 30, Velvia 50 ISO, zoom 17-40 mm, env. f/8, 1/4 s

➤ *Les différents types d'éclairage urbains apportent couleurs et variété à la photographie urbaine comme dans cette rue au pied du Sacré Cœur à Paris.*

La composition

L'art de la composition consiste à créer une harmonie à partir du désordre apparent né de la multitude et de la diversité des éléments qui nous entourent pour obtenir une image équilibrée, agréable à regarder et créant parfois un sentiment de confort et de familiarité auprès du spectateur.

À la différence d'un peintre qui part d'une toile blanche, le photographe doit composer avec les éléments qui s'offrent à lui et ne pourra la plupart du temps pas influencer leur agencement et encore moins leur forme ou leur couleur.

La composition d'une photographie consiste donc avant tout à arranger en un ensemble cohérent et au sein d'un cadre défini les lignes, courbes, formes, points et autres couleurs et textures présents dans une scène. Cela consiste aussi à faire le choix d'intégrer certains éléments et d'en exclure d'autres.

Connaître la règle pour mieux l'oublier

Comme un acteur qui doit parfaitement connaître son texte pour mieux l'interpréter, le photographe pourra d'autant mieux composer ses images qu'il aura intégré les règles de composition au point de parfois les utiliser de manière inconsciente. C'est d'autant plus important qu'un respect scrupuleux et mécanique de la règle ne garantit pas le succès. On devine chez certains photographes l'utilisation trop fréquente et peu discrète de la règle des tiers.

Apprenez les règles mais aussi leurs exceptions. Analysez vos images, celles des autres, pratiquez appareil à la main.

Si, en essayant plusieurs options de cadrage ou de composition, une image fait « tilt » sans que vous puissiez l'expliquer sur le moment, c'est que vous maîtrisez l'art de la composition !

Le nombre d'or : la nature est de bonne composition

Le nombre d'or (1,618) est obtenu par le quotient hauteur/largeur du « rectangle d'or » (3 / 1,85). Si l'on demande à un groupe de personnes de dessiner un rectangle, les trois quarts des rectangles obtenus auront une proportion proche du nombre d'or, la fameuse Divine Proportion décrite par le moine mathématicien Pacioli.

On retrouve ce nombre d'or et la Divine Proportion un peu partout dans la nature chez les organismes vivants et en particulier dans le corps humain, comme l'ont démontré Léonard de Vinci (*L'Homme de Vitruve*) et plus tard l'architecte Le Corbusier avec son Modulor.

Ce nombre, associé à l'harmonie et à la beauté, est utilisé par les artistes depuis l'Antiquité.

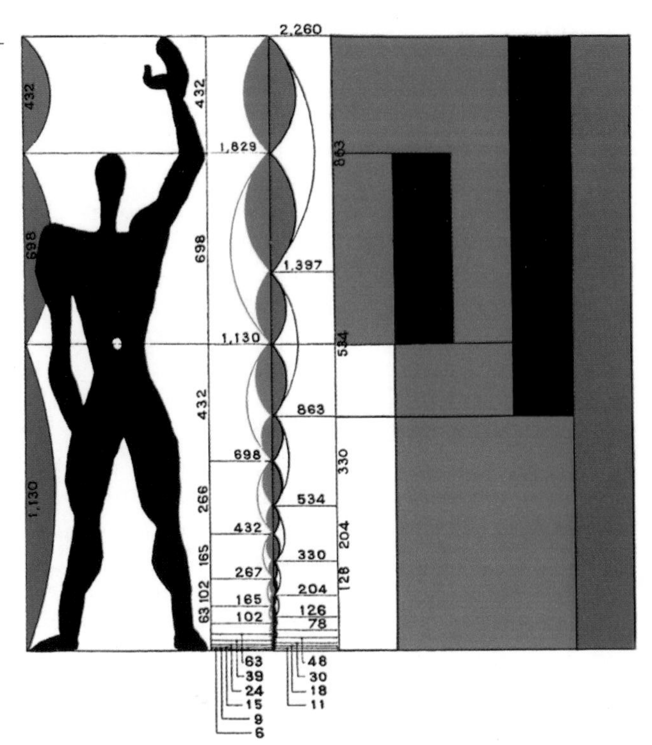

➤ *Le Modulor de Le Corbusier, version moderne de L'Homme de Vitruve de Léonard de Vinci, met en évidence le nombre d'or chez l'être humain.*

Le Corbusier
Le Modulor, 1945
FLC/ADAGP, 2010

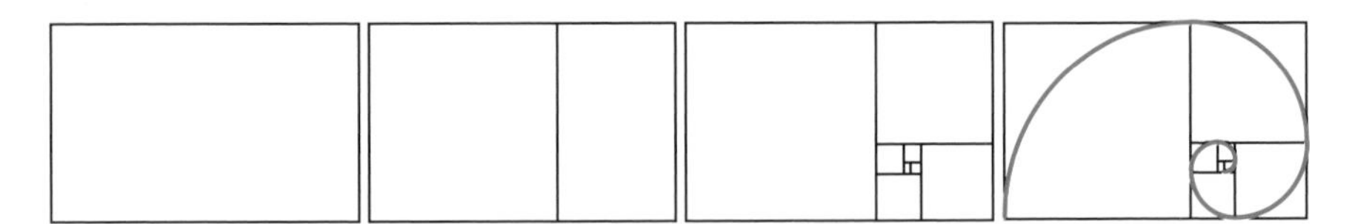

➤ *Il ne s'agit pas de penser au nombre d'or en composant une image mais plutôt d'utiliser les formes qui en découlent : le rectangle d'or (Schéma 1) est divisé selon le nombre d'or et donne un carré et un autre rectangle (Schéma 2). L'opération peut être renouvelée à l'infini (Schéma 3). Relier les points d'intersection par un arc de cercle permet d'obtenir la spirale d'or, dite de Fibonacci. Notez la ressemblance de cette spirale avec la forme de certains coquillages.*

Canon EOS 30, Velvia 50 ISO, zoom 28-135 mm, polarisant, env. f/8, 1/125 s

➤ *Le palmier utilisé dans la composition de cette image d'une plage de l'île Maurice permet de se rapprocher de la configuration du schéma 2 ci-contre.*

Canon EOS 30, Velvia 50 ISO, zoom 17-40 mm, polarisant, dégradé neutre, env. f/16, 6 s

➤ *La forme de la falaise de Neist Point, sur l'île de Skye en Écosse, reproduit la spirale d'or et permet une composition très dynamique.*

Format et proportion ; la dynamique du cadre

Le cadre de la photo est un facteur-clé de la composition car il définit l'espace dans lequel les éléments devront s'organiser. Chaque format possède sa propre dynamique. Prenons par exemple deux cadres classiques de la photographie :

- **Le format 2/3 (24 × 36).** Format le plus courant, il est le plus le naturel car il est proche de nombre d'or et de la vision humaine. Le déséquilibre hauteur/largeur lui confère une dynamique naturelle qui rend la composition plus facile.
- **Le format carré.** Il est parfaitement équilibré, ce qui le rend naturellement plus statique. L'œil est attiré par le centre de l'image. Composer dans un carré incite à créer une image symétrique, mais il est plus difficile, en revanche, d'obtenir une image dynamique.

Tension et dynamique : de quoi s'agit-il ?

La dynamique. *La relation que chaque élément de l'image entretient avec l'autre peut créer une dynamique, c'est-à-dire une impression de mouvement. C'est le cas quand il existe un déséquilibre entre les éléments de l'image. Quand les éléments sont de force égale, l'image est moins dynamique, plus statique.*

La tension. *Chacun des éléments d'une image possède sa propre force, plus ou moins importante. Il y a tension dans une image quand ce rapport crée une rupture d'équilibre, une opposition, un rapport fort entre deux ou plusieurs éléments de l'image. Cela peut être gênant, mais peut aussi conduire à une impression de mouvement. On parle alors de tension dynamique.*

Le cadre dans le cadre

Utilisez les éléments de la scène pour créer un cadre au bord de l'image : cela permet de guider l'œil du spectateur, de le maintenir dans l'image et de concentrer son attention sur le centre de celle-ci. Cela démontre une certaine maîtrise de l'environnement, offre une protection vis-à-vis de l'extérieur et procure un sentiment de confort et de sécurité.

Le cadre peut être de la même forme que le viseur ou d'une forme différente (un carré dans un viseur 24 × 36 par exemple), ce qui accentue la dynamique de l'image. Le vignettage naturel de l'objectif (ou celui qui sera rajouté *a posteriori*) peut jouer le rôle de cadre.

Canon EOS 30, Velvia 50 ISO, zoom 100-400 mm, env. f/4.5, 1/200 s

➤ *Les arbres permettent souvent d'obtenir un « cadre dans le cadre ». (Butte Montmartre, Paris).*

En milieu urbain, les fenêtres, les portes, les arcades ou les porches constituent des cadres très utiles, comme ici dans le lobby de la tour Bank of China à Hong-Kong.

Canon EOS 0, Velvia 50 SO, zoom 17-40 mm, polarisant, env. f/5.6, 1/60 s

La règle des tiers

Le réflexe du photographe débutant consiste à placer le sujet en plein milieu du cadre. Si cela fonctionne correctement avec un format carré, cela crée rarement une composition efficace dans un cadre rectangulaire. Alors où placer le sujet ?

La règle apporte une réponse simple et généralement efficace au positionnement du sujet : tracez une ligne imaginaire à chaque tiers du cadre (en longueur et en hauteur) et placez le sujet sur l'une des quatre intersections. L'intersection en bas à gauche est plus naturelle que les autres et fonctionne généralement bien.

La règle des tiers est à utiliser avec discernement : placez le sujet au tiers dans le viseur et vérifiez que cela fonctionne. Dans tous les cas, essayez d'autres compositions avant de déclencher : par exemple, centrez le sujet, jouez sur les symétries...

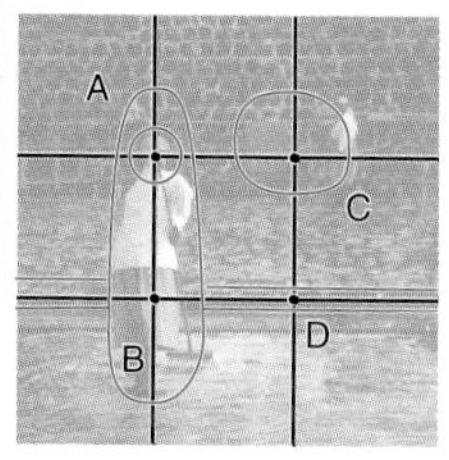

Canon EOS 30, Velvia 50 ISO, zoom 100-400 mm, polarisant, env. f/4.5, 1/125 s

La règle des tiers a été utilisée plusieurs fois dans cette image prise dans une saline de l'île Maurice : la tête du personnage se trouve sur l'intersection de deux lignes de tiers (A), son corps suit la ligne verticale du tiers (B) ; le centre de gravité du personnage au loin et du bout d'étoffe se trouve au tiers (C), de même que la ligne formée par le trottoir au 1er plan (D). La règle des tiers fonctionne bien dans un format carré.

➤ *La position de ce pêcheur inuit au centre et très près du bord de l'image permet de le confronter à l'immensité de son environnement et renforce l'impression de solitude et de vulnérabilité.*

Canon EOS 5D, zoom 70-200 mm, f/2.8, 1/500 s, 100 ISO

Les lignes dans l'image

Les lignes sont des éléments graphiques très puissants : une simple ligne suffit à structurer une image.

Les premières lignes que le photographe doit prendre en compte sont les lignes du cadre (du viseur) : positionnement du sujet par rapport au bord de l'image, juxtaposition d'une forme avec la ligne du cadre, relation entre les lignes du cadre et les autres lignes de l'image...

- **Les lignes horizontales** d'une image apportent une assise, une stabilité et un sentiment de sérénité au spectateur. La première des lignes horizontales est tout simplement la ligne d'horizon. Sauf cas particulier, celle-ci doit être parfaitement horizontale car c'est un repère familier : chacun sait que l'horizon est... horizontal. Le moindre degré de décalage sera immédiatement perçu comme un défaut.
- **Les lignes verticales** sont plus incisives, pointues et procurent une certaine vitalité à l'image surtout dans un format horizontal. Une verticale peut servir de séparateur ou de point d'appui.

Canon EOS 30, Velvia 50 ISO, zoom 100-400 mm, polarisant, env. f/5,6, 1/250 s

➤ *Les lignes formées par ces poteaux dans la baie de Seward, en Alaska, offrent un point d'accroche et du rythme à cette image et rappellent les touches d'un piano.*

Canon EOS 5D, zoom 70-200 mm, f/5.6, 1/100 s, 100 ISO

➤ *Le bâton permet de fermer l'image sur la gauche et d'attirer l'attention du spectateur sur la belle prise de cet inuit – Tasiilaq au Groenland.*

- **Les diagonales** sont les lignes les plus dynamiques : elles donnent une direction, une impression de vitesse et peuvent aider le spectateur à rentrer dans l'image. Utilisez un objectif grand-angle pour renforcer les diagonales, inclinez l'appareil pour transformer une horizontale ou verticale en diagonale.
- **Les lignes fuyantes** (ou lignes de fuite) sont des lignes droites parallèles qui convergent sous l'effet de la perspective et s'apparentent aux diagonales dont elles partagent les propriétés dynamiques : un alignement de bâtiments, une route forment des fuyantes efficaces et très utiles en photographie de paysage pour guider l'œil dans la scène et créer un effet 3D.

- **Les courbes** s'apparentent aux diagonales en raison du dynamisme qu'elles apportent à une image. L'irrégularité de la courbe qui serpente dans un paysage donne du rythme à une image, ce qu'une diagonale ne peut pas faire.

Canon EOS 5D, zoom 70-200 mm, f/5, 1/125 s, 250 ISO

➤ *Cette longue route de Laponie suédoise est un bel exemple de ligne fuyante.*

Canon EOS 30, Velvia 50 ISO, zoom 28-135 mm, polarisant, env. f/5.6, 1/250 s

➤ *Ces arbres inclinés pris en contre-jour sur cette plage de l'île Maurice mettent en valeur le personnage et dynamisent l'image.*

Les formes dans l'image

Inclure des formes dans une image permet de lui conférer assez automatiquement les propriétés de celles-ci (dynamisme, familiarité, rythme) et donne un point de départ pour organiser l'image.

Il ne s'agit pas à proprement parler de chercher des triangles ou des cubes à photographier mais plutôt de les reconnaître dans les lignes, alignements de points et intersections de la scène de manière à faciliter la composition. Les formes sont également d'excellents points d'intérêt et peuvent être le sujet de l'image.

- **Les triangles** sont très dynamiques (ils sont constitués de diagonales) et courants (les lignes fuyantes créent des triangles). Ils sont faciles à utiliser et peuvent être disposés sans règle particulière dans le cadre. Trois éléments d'intérêt présents dans une image sont reliés entre eux par des lignes formant un triangle.
- **Les rectangles** s'apparentent aux lignes horizontales et verticales qui les constituent. Un rectangle dans une image est source de stabilité surtout quand il a les mêmes proportions que le cadre.
- **Les cercles** se rencontrent plus rarement que les triangles ou les rectangles et constituent de ce fait une curiosité qui éveillera l'intérêt du spectateur. S'il est suffisamment grand, le cercle peut servir de cadre et imprimer un certain mouvement à l'image car il est généralement associé à une rotation. Plus petits, les cercles deviennent des points.
- **Un point** (un sujet photographié de loin comme un promeneur sur une plage, un véhicule sur une route, une source lumineuse...) attire l'œil surtout s'il se trouve sur un fond uni et simple. En termes de composition, l'enjeu essentiel est le positionnement du point : la règle des tiers rentre en jeu pour un point unique ; deux points constituent une ligne, trois points un triangle...

La forme ronde et la couleur de ces paraboles contrastent avec les immeubles rectilignes de cette banlieue du Caire.

Canon EOS 30, Velvia 50 ISO, zoom 100-400 mm, polarisant, env. f/8, 1/125 s

Le rôle de la couleur dans la composition

➤ *Chacune de ces combinaisons est équilibrée, bien que les couleurs recouvrent des surfaces parfois différentes.*

L'importance que prend la couleur dans le cadre dépend du pourcentage par rapport à la surface totale de l'image mais aussi de la teinte et de la saturation.

On peut définir trois options possibles de recours à la couleur : « couleurs maximum », « couleurs subtiles et minimalistes » et « monochrome ». La proéminence des couleurs dans une image (première option) complique la tâche du photographe qui devra gérer la couleur en plus des lignes et des formes. La composition est plus facile avec les deux dernières options car les couleurs sont effacées, l'image simplifiée.

Les relations entre les couleurs sont complexes : une couleur seule n'a pas le même rôle, elle ne tient pas la même place si elle juxtaposée à une autre. Les couleurs peuvent cohabiter harmonieusement, se renforcer mutuellement ou au contraire s'effacer l'une par rapport à l'autre. Deux agencements de couleurs fonctionnent particulièrement bien :

- **Le camaïeu** est la juxtaposition de nuances différentes de la même couleur. L'effet produit est subtil.
- **Les couleurs complémentaires** sont diamétralement opposées (au sens propre du terme) sur le cercle chromatique. La juxtaposition de ces couleurs produit un effet très puissant.

Les couleurs ont une force proportionnelle à leur luminosité : l'écrivain allemand Goethe, plus connu pour ses romans et pièces de théâtre, a écrit *La Théorie des couleurs* en 1810, ouvrage dans lequel il donne les valeurs suivantes aux couleurs : jaune (9), orange (8), rouge et vert (6), bleu (4) et le violet (3). Un équilibre est trouvé quand on attribue aux couleurs une surface inversement proportionnelle à leur force comme sur les exemples suivants.

Former son œil

Pour faire soi-même de bonnes photos, il faut avant tout savoir reconnaître une bonne image. Le travail des autres photographes vous permettra de savoir ce qu'il est possible de faire avec un appareil photo, en plus d'être une source d'inspiration.

➤ *L'équilibre de cette photo est dû à la complémentarité des couleurs mais aussi à l'équilibre de leurs forces.*

Canon EOS 30, Velvia 100 ISO, zoom 100-400 mm, polarisant, env. f/5.6, 1/100 s

Qu'est-ce qu'une photo de paysage réussie ?

C'est avant tout une question de goût, une affaire personnelle, c'est subjectif diront certains. Ils ont raison. Une photo peut plaire à certains et déplaire à d'autres.

De nombreuses combinaisons de critères sont possibles en fonction de l'importance que l'on veut donner à certains d'entre eux : le jury d'un concours est par exemple particulièrement sensible à l'originalité d'une image. Proposons les critères suivants : la qualité du sujet, la lumière, la maîtrise technique et la composition.

Plutôt que « est-ce que j'aime cette photo », posez-vous ce type de question : quelle est la force du sujet ? Son originalité ? Quelle est la qualité de la lumière ? L'image contient-elle des défauts techniques ? Est-elle nette ? La profondeur de champ est-elle pertinente ? L'image est-elle équilibrée, les éléments sont-ils bien organisés dans le cadre ?...

Internet, votre club photo

Consultez la rubrique critique des forums de discussion photo sur Internet comme **www.chassimages.com**, le forum de la revue *Chasseur d'images*, vous apprendrez beaucoup. Quand vous vous sentirez prêt, n'hésitez pas à soumettre vos propres images à la critique des internautes. C'est un excellent moyen de progresser. Consultez également les classements des galeries photo sur Internet (comme Photo.net) et même si certaines photos sont très retravaillées, ils vous donneront un aperçu de ce qui se fait de mieux (de l'avis des internautes).

Les grands photographes paysagistes

Voici une liste subjective et personnelle de quelques photographes paysagistes célèbres ou moins connus, professionnels ou amateurs : Ansel Adams (le premier d'entre eux), Charlie Waite, David Noton, Joe Cornish, Lee Frost et Adam Burton (les Britanniques), Jim Brandenburg et Frans Lanting (les photographes animaliers), Michael Kenna (le noir et blanc), les photographes du collectif **www.timecatcher.com**, Gérard Laurenceau, Olivier Grunewald (les Français)...

RAPPEL DES PRINCIPES DE BASE DU MANIEMENT DE L'APPAREIL

Comprendre et maîtriser le fonctionnement de son matériel permet d'obtenir de meilleurs résultats techniques car si les modes automatiques fonctionnent très bien dans les situations courantes, ils échouent dans les situations plus difficiles. De plus cela vous permettra de prendre le contrôle de la situation : en utilisant ses automatismes, vous laissez l'appareil prendre des décisions, arbitrer à votre place. Les images obtenues ont toutes les chances de reproduire fidèlement la scène, mais elles seront par nature peu créatives.

Bien maîtriser le maniement de votre appareil permet de gagner du temps, de capter cette lumière qui vous prend par surprise et vous aidera à travailler à l'aveugle en basse lumière.

Les réglages essentiels

L'ouverture

L'*ouverture* (*f*/x) est la taille du trou formé par le diaphragme de l'objectif. Le diaphragme s'ouvre plus ou moins, ce qui permet de faire rentrer plus ou moins de lumière, exactement comme la pupille de l'œil. Plus *x* est faible (par exemple *f*/2), plus l'ouverture est large et laisse passer de lumière. À l'inverse, plus ce nombre est élevé (*f*/32), plus l'ouverture est étroite et moins le diaphragme laisse passer de lumière. Ceci peut prêter à confusion : pensez à l'ouverture (*f*/16) comme à une fraction : *f* divisé par 16.

Les valeurs d'ouverture sont des multiples de 1,4 :

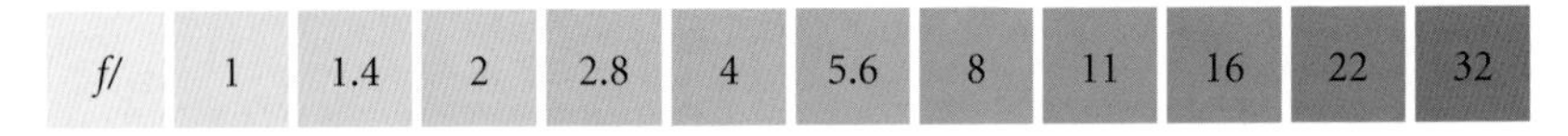

Chaque valeur laisse passer deux fois plus de lumière que la suivante. Ainsi 2.8 laisse passer 32 fois (2^5) plus de lumière que 16. L'écart entre chaque valeur d'ouverture est appelé « stop ».

Attention, il existe des valeurs intermédiaires : 3.6 – 4.5 – 5 – 6.3, et d'autres.

L'ouverture est aussi le paramètre qui permet de gérer la profondeur de champ (voir la section « La profondeur de champ », plus loin dans ce chapitre, et la section « Le choix de la profondeur de champ », au Chapitre 2).

Info

L'ouverture est souvent notée différemment sur les objectifs : f/1.4 devient 1:1.4.

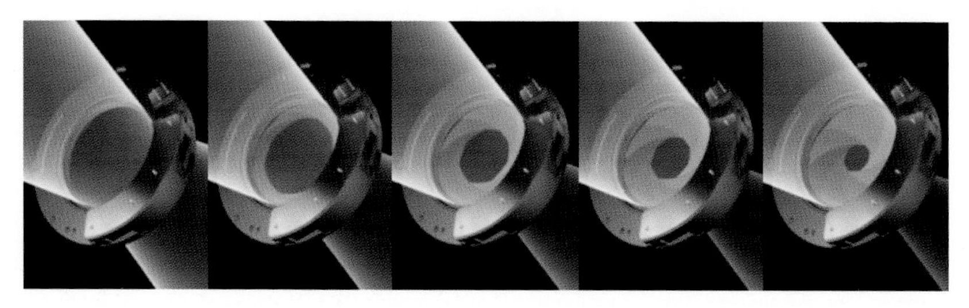

➤ *Le diaphragme d'un objectif Canon EF 70-200 2.8 L représenté à différentes ouvertures (d'après un document Canon).*

La vitesse d'obturation

La *vitesse d'obturation* est le temps pendant lequel le rideau reste ouvert suite au déclenchement, c'est-à-dire le laps de temps pendant lequel la pellicule ou le capteur vont être exposés à la lumière. On parle également, mais à tort, de vitesse d'exposition.

Les valeurs suivantes exprimées en secondes ou fractions de seconde permettent, comme pour l'ouverture, de faire rentrer deux fois plus de lumière entre chaque valeur, soit également un stop. Chaque valeur est le double de la précédente :

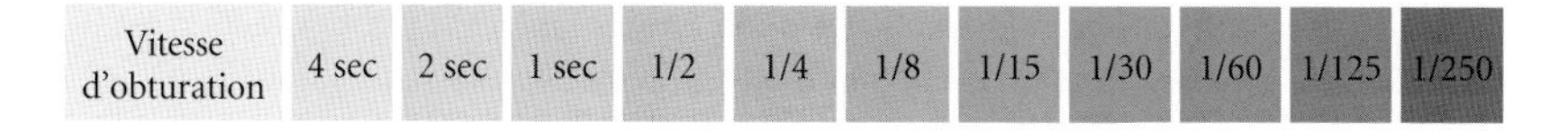

Vitesse d'obturation	4 sec	2 sec	1 sec	1/2	1/4	1/8	1/15	1/30	1/60	1/125	1/250

Il existe là aussi des valeurs intermédiaires : par exemple 1/5 s et 1/6 s peuvent être intercalés entre 1/4 s et 1/8 s, soit deux paliers d'1/3 d'IL.

Affichage de la vitesse d'obturation

Pour des raisons pratiques, la plupart des boîtiers n'affichent pas un 1/200 s comme 1/200, mais plutôt comme 200, c'est-à-dire la valeur inférieure de la fraction. 1/30 s est affiché 30.

Pour ne pas confondre, 30 s est affiché 30" ; un tiers de seconde est parfois affiché 0"3 ou 3.

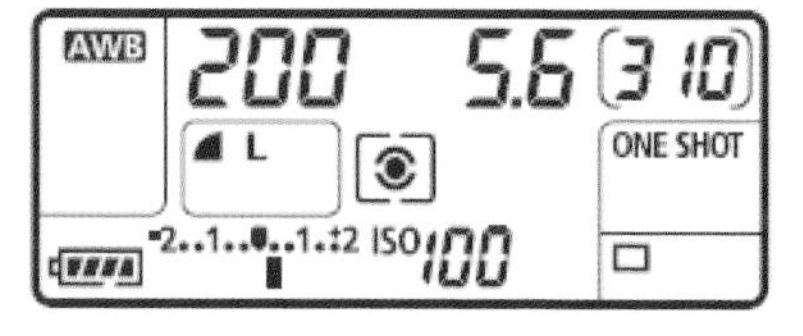

➤ *L'affichage de l'écran LCD du Canon EOS 5DmII.*

La vitesse d'obturation a un effet direct sur la façon dont le mouvement (du sujet ou de l'appareil) est enregistré (voir la section « Les différentes formes de flou », plus loin dans ce chapitre, et la section « Photographier le mouvement », au Chapitre 6).

La sensibilité du capteur ou du film ISO

Autrefois appelés ASA (American Standard Association), les ISO (International Organization for Standardization) désignent l'échelle de sensibilité des pellicules photographiques. Cette notion a été transposée à l'identique à la photographie numérique bien que le capteur ait une sensibilité fixe.

Plus le film ou le réglage ISO du boîtier est élevé (400, 800, 1 600 ISO), plus il est sensible à la lumière. Inversement, plus les ISO sont bas (50, 100 ISO), plus il faudra de temps au film ou au capteur pour enregistrer une même quantité de lumière.

L'échelle des stops est la suivante :

ISO	25	50	100	200	400	800	1600	3200	6400

La sensibilité est doublée entre deux valeurs. Il existe là encore des valeurs intermédiaires : 64 – 320 – 640, etc. Ces valeurs intermédiaires sont différentes d'un boîtier et d'une marque à l'autre.

La mise au point

L'autofocus (AF)

L'autofocus est une des grandes avancées de la photographie. Il permet d'effectuer la mise au point plus précisément et surtout plus rapidement que jamais auparavant.

Il existe deux modes principaux de mise au point autofocus :

- **Le Mode AF pour sujet immobile :** One Shot (Canon), Ponctuel (Nikon) ou encore Unique (Pentax). C'est évidemment celui qu'il faut utiliser en photo de paysage, même si certains éléments de la scène sont mobiles (vagues, branches, nuages).
- **Le Mode pour sujet mobile :** Ai Servo (Canon), Continu (Nikon), Rafale (Pentax). Il doit être utilisé quand le sujet se déplace latéralement et surtout quand il s'approche ou s'éloigne du photographe.

D'autres modes existent : le mode Ai Focus chez Canon par exemple fait basculer l'AF One Shot en mode Ai Focus si le sujet se met à bouger.

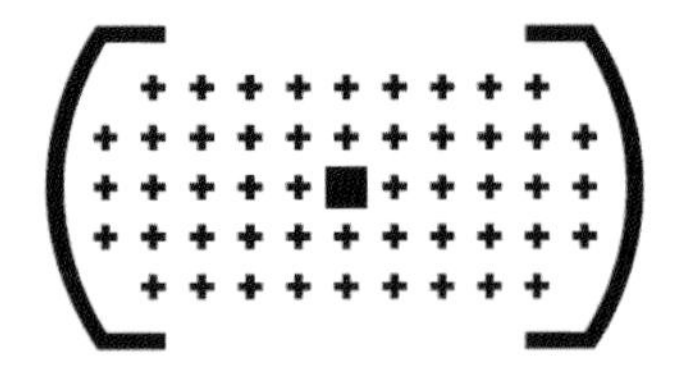

➤ *Le nombre de collimateurs AF varie de 1 (le collimateur central) sur les boîtiers d'entrée de gamme, à plusieurs dizaines sur les boîtiers haut de gamme, comme le Nikon D3X qui en possède 51.*

Le mode Manuel

Le mode manuel laisse l'utilisateur faire la mise au point avec la bague de l'objectif. Ce mode peut manquer de précision surtout quand la mise au point doit être réalisée rapidement.

Il est cependant indispensable dans certaines situations (voir la section « Exposition automatique ou manuelle », au Chapitre 5).

Les différentes formes de flou

Reconnaître les différentes formes de flou et leur cause vous permettra d'améliorer la qualité de vos photos et d'exploiter tout le potentiel de votre matériel. Il existe trois grands types de flou :

- **Le flou de focus** (ou flou de mise au point) est causé par un défaut de mise au point. Il est repérable en analysant la forme d'un point supposé être net (éclairage lointain, reflet du soleil dans une goutte d'eau, reflet métallique). Si ce point apparaît comme un disque, c'est que la mise au point n'est pas bien effectuée.

  La qualité de l'objectif (manque de piqué, déformation dans les angles) peut également induire une impression de flou de focus.

- **Le flou de bougé** est créé par le mouvement de l'appareil et/ou par le déplacement du sujet pendant la prise de vue. Le point qui apparaît comme un disque dans le flou de focus prend ici la forme d'un trait plus ou moins long, uni ou multidirectionnel, rectiligne ou non, en fonction de la durée et de la forme du mouvement. Ce défaut affecte la totalité de l'image pour un flou de bougé du boîtier, mais uniquement le sujet dans le cas d'un flou de bougé du sujet, le reste de l'image étant net.

  Les causes de ce flou : une vitesse d'obturation trop lente et/ou un appareil peu stable, qu'il soit tenu à la main ou installé sur trépied (voir la section « Utiliser son trépied sur le terrain : prévenir tout défaut de stabilité », au Chapitre 5).

- **Le flou combiné** est une combinaison du flou de focus et du flou de bougé.

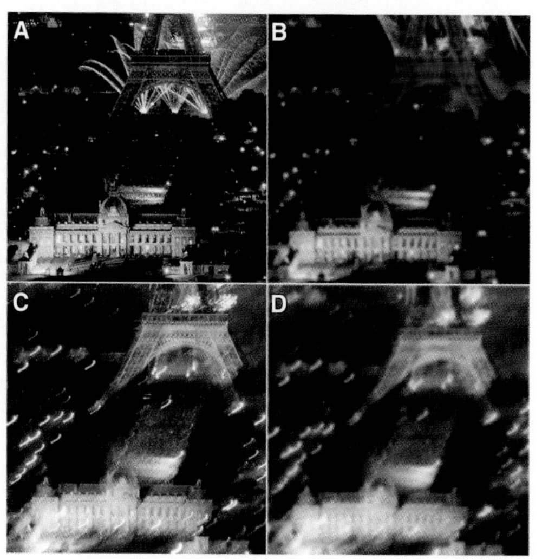

➤ *Le flou peut prendre plusieurs formes :*
(A) image nette ;
(B) flou de focus (de mise au point) ;
(C) flou de bougé ;
(D) flou combiné (flou de bougé et de focus)

Les modes de prise de vue

Votre boîtier vous permet de choisir les réglages de manière plus ou moins automatique en fonction du mode de prise de vue que vous choisissez.

- **Mode Automatique.** Le mode Automatique du boîtier prend en charge les réglages d'exposition (ouverture/vitesse d'obturation) et de mise au point pour permettre au photographe débutant de réussir ses clichés sans aucune intervention « technique » de sa part.

- **Modes Programme.** Les modes Programme sont également « tout automatiques ». Ils permettent à l'utilisateur d'indiquer la nature de la scène à photographier. Le boîtier se charge ensuite des paramètres de l'exposition et choisit les mieux adaptés au sujet : mode Paysage, Portrait, Macro, Portrait de Nuit, etc. Notez que les appareils haut de gamme, s'ils possèdent généralement un mode « tout automatique », s'abstiennent souvent de proposer les modes Programme.
- **Modes Priorité.** Il existe plusieurs modes Priorité : le mode Priorité ouverture permet de choisir la profondeur de champ (typiquement utilisé en photo de paysage) et le mode Priorité vitesse permet de choisir la vitesse d'obturation. La cellule s'occupe de régler les autres paramètres pour obtenir l'exposition adéquate. Les modes Priorité répondent parfaitement aux besoins des amateurs et professionnels les plus exigeants. Ils sont compatibles avec les fonctions Mémoire et Correction d'exposition.
- **Mode Manuel.** Le mode Manuel (autrefois appelé semi-automatique) n'est finalement utile que pour des cas particuliers : prises de vue multiples en vue d'un assemblage panoramique, utilisation d'un posemètre manuel, en studio avec l'utilisation de flashes, quand la lumière est constante et pour éviter que l'exposition ne soit perturbée par le sujet (photo dans un stade, portraits à la chaîne...), ou au contraire quand la lumière est changeante et qu'elle risque d'éblouir la cellule (concert par exemple).

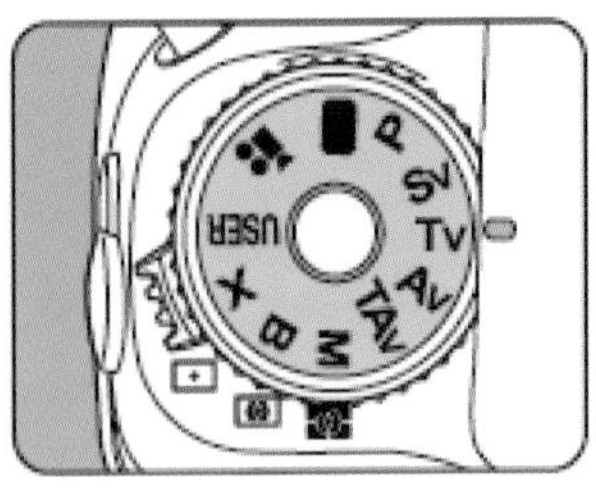

➤ *La molette « Programmes » du reflex Pentax K7.*

- **Mode Bulb ou Exposition longue.** Ce mode vous permet d'utiliser des temps d'exposition de plusieurs minutes ou plusieurs heures, généralement de nuit ou en basse lumière pour les filés d'étoiles, rails lumineux ou feux d'artifice. Le photographe met fin à l'exposition en appuyant sur le déclencheur.

Consultez le manuel de votre boîtier pour plus d'informations. Notez qu'il existe d'autres modes de prise de vue plus ou moins utiles : Priorité sensibilité, mode Créatif auto et ISO auto, pour ne citer qu'eux.

Les autres réglages

Réglage de la qualité d'image

Le format Raw est celui qui vous permettra d'obtenir le meilleur de votre matériel car il conserve toutes les données brutes enregistrées par l'appareil à la prise de vue. Il permet d'ajuster l'exposition *a posteriori* de +/–1 IL, ce que ne permet pas le format JPEG.

Le format JPEG ne conserve qu'une partie de ces données, le reste est définitivement perdu. C'est pour cette raison que les fichiers JPEG les moins compressés sont environ quatre fois plus légers que le Raw et qu'ils offrent peu de latitude de correction. *A fortiori* si vous optez pour le format le plus compressé.

Cela dit, dans des cas exceptionnels, la faible taille des fichiers JPEG peut rendre service : transmission à distance, mode rafale, manque de capacité de stockage.

Gestion de la couleur : espaces de couleur

Ce qui est vrai du format Raw et du format JPEG l'est aussi de l'espace couleur : vous avez le choix entre deux espaces de couleur principaux : l'un enregistre plus d'informations que l'autre.

L'espace Adobe RVB (Rouge, Vert, Bleu) est l'un des espaces de couleur les plus étendus (voir la section « Notions de gestion de la couleur », au Chapitre 7). Il est utilisé dans l'édition et par les professionnels de l'image en général. Il est préférable de l'utiliser car il enregistre plus de couleurs que le format sRVB.

L'espace sRVB est typiquement utilisé pour les images sur écran et pour Internet. La différence n'est perceptible que dans les valeurs extrêmes, en particulier dans les verts.

Balance des blancs

L'œil humain a la particularité de s'adapter de sorte qu'un objet blanc lui apparaîtra blanc malgré la dominante colorée de la lumière naturelle ou artificielle en présence.

La fonction Balance des blancs de votre boîtier numérique permet de définir le type de lumière en présence, ce qui facilite le respect des couleurs du sujet photographié. Le mode de gestion de la balance des blancs propose des réglages correspondant aux situations les plus courantes de lumière du jour ou de lumière artificielle

- **Le mode Automatique.** Le boîtier analyse la lumière, il choisit automatiquement la balance des blancs correspondante et restitue les couleurs telles que l'œil les perçoit.
- **Le mode Manuel.** Vous choisissez la température de couleur de la lumière dans une liste prédéfinie. Si vous connaissez la température, vous pouvez la rentrer dans les paramètres.

La profondeur de champ

La profondeur de champ est la zone de netteté de l'image, en avant et en arrière du plan/du sujet sur lequel la mise au point a été effectuée. En dehors de cette zone, l'image apparaît floue.

La profondeur de champ est déterminée par les facteurs suivants :

- **L'ouverture.** Plus le diaphragme est fermé (*f*/16, *f*/22...), plus la profondeur de champ est élevée.
- **La distance entre l'objectif et le sujet.** Plus vous êtes proche du sujet, moins grande sera la profondeur de champ. Les éléments se trouvant derrière le sujet apparaissent rapidement flous.
- **La distance focale de l'objectif.** Plus la focale est grande (200, 400 mm...), plus la profondeur de champ est réduite.

La profondeur de champ est très réduite si l'on utilise un zoom de longue focale ouvert au maximum (*f*/2.8 ou *f*/4) en étant proche du sujet. À l'inverse, utiliser un objectif grand-angle ouvert à *f*/16 en faisant la mise au point sur un sujet éloigné donne une profondeur de champ maximum.

Débat autour du bouton Test de profondeur de champ

L'image vue à travers le viseur utilise par défaut l'ouverture maximale de l'objectif (ce qui rend le viseur lumineux) et ce quelle que soit l'ouverture choisie pour la prise de vue.

Le bouton Test de profondeur de champ permet de fermer le diaphragme à l'ouverture choisie et de voir le résultat dans le viseur sans avoir à déclencher.

Si vous comptez photographier à pleine ouverture, le bouton Test de profondeur de champ ne sera bien sûr d'aucune utilité car appuyer sur le bouton ne modifie pas l'image du viseur. En revanche, si vous choisissez *f*/16, l'image deviendra instantanément plus sombre, le diaphragme étant plus fermé. Vous constaterez que la zone de netteté est beaucoup plus étendue.

L'utilisation de cette fonction est diversement appréciée et fait l'objet de débats passionnés car à l'usage, elle peut révéler un manque de précision. À petite ouverture, il est difficile en effet de juger de la zone de netteté dans un viseur devenu aussi sombre. En revanche, cette fonction est souvent jugée utile pour contrôler la qualité du flou d'arrière-plan à *f*/5.6, *f*/8.

Maîtriser l'exposition

Les modes de mesure de l'exposition

- **Mesure Matricielle ou Multizone.** Toutes les zones sont prises en compte dans le calcul de l'intensité lumineuse de la scène. La mesure matricielle peut être à « prépondérance centrale » s'il est donné plus d'importance aux zones centrales de la matrice.

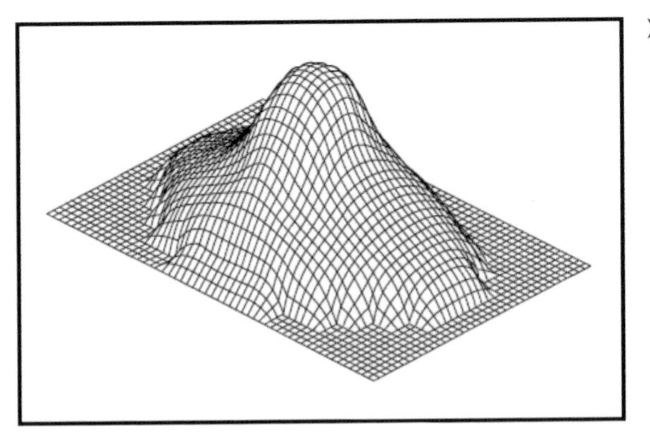

➤ *La mesure matricielle à prépondérance centrale du reflex K7 de Pentax.*

- **Mesure Spot.** La mesure Spot ne prend en compte que la zone centrale du viseur. Cette zone représente entre 1,5 % et 3 % du viseur selon les constructeurs. Ce mode est à utiliser si le sujet est petit et si la différence de luminosité avec l'arrière-plan est importante.

- **Mesure Évaluative.** Le processeur du boîtier utilise les données de la mesure matricielle et compare le résultat avec une bibliothèque d'images types représentatives des situations les plus fréquentes, notamment celles qui peuvent représenter un risque (coucher de soleil, contre-jour, scène enneigée...), pour déterminer le réglage de l'exposition le plus pertinent. Les boîtiers les plus avancés prennent en compte la distance du sujet, la couleur et la composition pour définir l'exposition.

Des variantes de ces trois principaux modes existent : la mesure Sélective de Canon, par exemple, est une mesure Spot prenant en compte 8 % du viseur au lieu de 3 %.

La mesure d'exposition « TTL »

Pour plus de précision, les boîtiers modernes mesurent la lumière qui passe par l'objectif (« Through The Lens ») car c'est cette lumière que va exposer la pellicule ou le capteur. Sur des appareils plus anciens ou non reflex, la cellule se situe généralement au niveau du viseur derrière un verre dépoli et/ou en relief.

La correction d'exposition

Tous les boîtiers proposent la possibilité d'ajuster l'exposition conseillée par la cellule, généralement par paliers de 1/3 d'IL. Vous pouvez alors surexposer ou sous-exposer votre image très simplement, en partant des réglages automatiques. Cette correction peut être effectuée photo par photo ou appliquée systématiquement en verrouillant le paramètre comme pour les scènes enneigées par temps ensoleillé (+1 IL).

-3··2··1··0··1··2··3+

L'affichage de la correction de l'exposition par paliers de 1/3 d'IL dans le viseur du Sony α900.

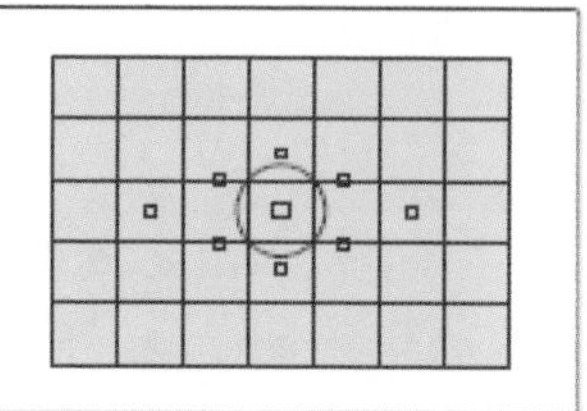

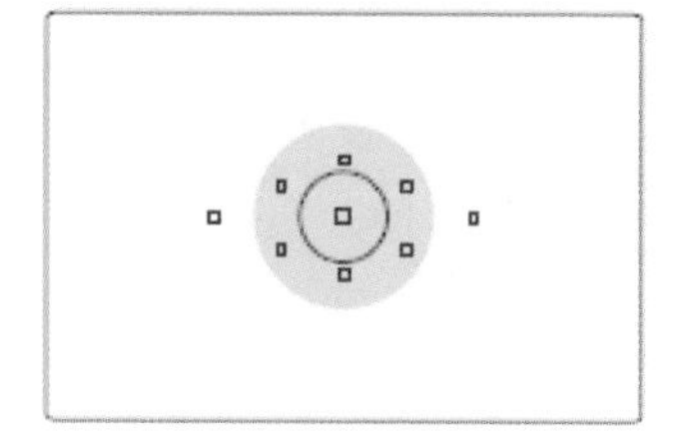

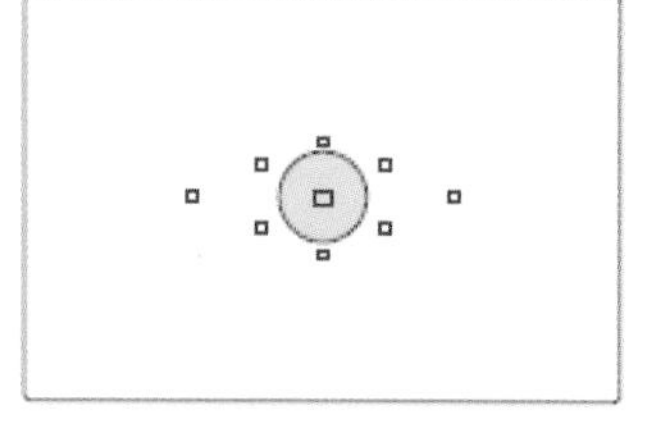

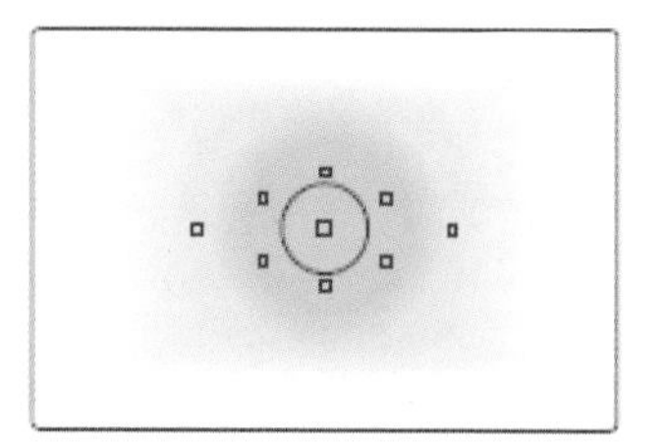

Les différentes zones prises en compte dans la mesure de la lumière en fonction des modes d'exposition du Canon EOS 5D Mark II.

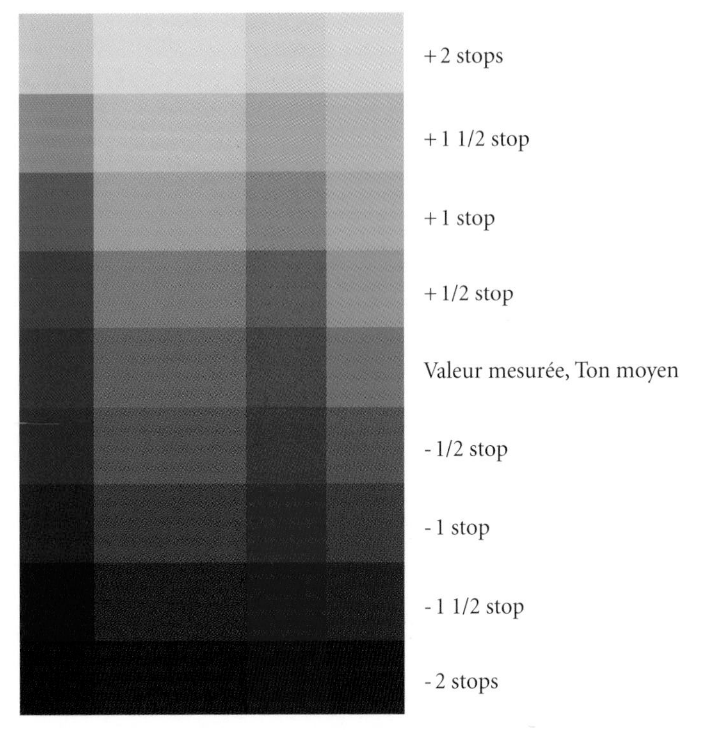

➤ *Il est utile de se représenter mentalement l'effet de la correction d'exposition sur les tons gris et les couleurs.*

La mémoire d'exposition

La mémoire d'exposition permet de faire une mesure spot sur un élément de la scène. Cette fonction vous sera indispensable pour photographier en contre-jour et créer des silhouettes ou pour photographier un sujet beaucoup plus lumineux ou sombre que la moyenne de la scène.

Le bracketing

Cette fonction est parfois très utile puisqu'elle permet de prendre automatiquement la même photo avec plusieurs réglages d'exposition. Vous pouvez régler les écarts d'exposition très librement : uniquement des sous-expositions (–1, –2, –3 IL) ou des surexpositions (+1, +2, +3 IL), ou un mixte, par paliers de 1 IL, de 1/2 ou de 1/3 d'IL.

Certains professionnels utilisent cette fonction avec un écart restreint (+/–1 IL) pour l'essentiel de leurs clichés de manière à garantir une exposition correcte mais aussi pour réduire le temps consacré au post-traitement : seule la meilleure exposition est conservée, ce qui évite de corriger manuellement une image à l'exposition imparfaite.

CHOISIR ET CONNAÎTRE SON MATÉRIEL PHOTOGRAPHIQUE

S'il est tentant de dire que « ce n'est pas l'appareil qui prend la photo mais le photographe », il faut bien reconnaître que le matériel a son importance ! Sans tomber dans l'excès et considérer le matériel comme une fin en soi et passer son temps à débattre des mérites de l'un par rapport à l'autre, il faut s'intéresser un minimum à la qualité et la spécificité de l'équipement car il influence le résultat final. Mais n'oubliez pas que le matériel est un outil au service du photographe et que vous serez jugé par rapport à la qualité de vos images et non à celle de votre matériel.

Le boîtier

Que voulez-vous faire avec votre appareil photo ? Photographier des paysages mais peut-être aussi d'autres sujets ? Voyagez-vous dans des conditions difficiles ? Souhaitez-vous vous investir sérieusement ou bien la photo restera-t-elle un passe-temps ou un hobby parmi d'autres ? Quel usage ferez-vous des images que vous produirez : constituer des albums souvenir, les vendre (presse, édition) et peut-être les exposer et publier un livre de belles images ?

La réponse à ces questions est déterminante dans le choix de votre matériel et tout particulièrement du boîtier. Choisir le type de boîtier approprié vous permettra de faire les photos souhaitées dans les meilleures conditions. Le type de boîtier (et même sa marque) vous engage à choisir les objectifs et accessoires compatibles. Choisir un boîtier, c'est en réalité s'engager sur un système et définir sa chaîne de l'image.

Les types de boîtier

Les compacts

Léger, peu encombrant, vous pourrez le porter sur vous à tout moment, ce qui vous permettra de saisir des scènes inattendues sur le « chemin de l'école ».

Un compact, gage de discrétion, vous aidera à passer inaperçu et à vous approcher des sujets sans éveiller leur attention. Les images produites seront plus spontanées.

Particulièrement adapté à un usage grand public (photos instantanées, souvenir), le compact est facile à utiliser et pourvu des automatismes indispensables (mise au point, exposition) ainsi que d'autres dits « intelligents » comme la détection des visages, voire des sourires, ou la suppression automatique des yeux rouges.

➤ *Le compact Canon IXUS 120 IS.*

Les compacts, notamment ceux d'entrée de gamme, ne sont pas exempts de défauts, en particulier la qualité très moyenne de l'image due en grande partie à un capteur trop petit. Notons aussi l'absence de réglages manuels sur une grande partie des modèles, un retard à l'allumage et au déclenchement qui, malgré les progrès, reste pénalisant.

Les compacts haut de gamme

Les photographes exigeants se tourneront naturellement vers les compacts haut de gamme parfois appelés rangefinder. Légers et discrets, ils ont des performances techniques comparables aux appareils reflex (excellente qualité optique et capteur performant, entre autres) et permettent à l'expert et au professionnel de prendre le contrôle de l'appareil grâce aux commandes manuelles. Ils sont notamment utilisés par les photographes de reportage.

Notons le Sigma DP2, équipé du capteur Foveon des reflex de la marque, le Canon G11, le Pen E-P2 d'Olympus et le Panasonic Lumix GF, tous deux équipés d'un capteur de reflex et d'objectifs interchangeables, ou encore les compacts Leica pour les plus fortunés.

➤ *Le compact haut de gamme Leica X1.*

Les bridges

Le bridge (pont en anglais) se situe à mi-chemin entre les compacts et les appareils reflex et offre à l'amateur un appareil « tout en un », simple à utiliser, plus performant qu'un compact sans l'encombrement des reflex. Il en possède les caractéristiques de base (commandes manuelles, qualité de l'image, possibilité de zoom de forte amplitude...) et conserve les automatismes des compacts. Il se distingue principalement des reflex par son viseur électronique et non optique, par son objectif non interchangeable et par son prix généralement inférieur.

➤ *Le bridge Lumix FZ38 de Panasonic.*

On peut envisager d'utiliser un bridge pour la photographie de paysage à condition d'accepter la qualité perfectible de l'objectif : distorsion, vignettage, piqué et homogénéité de l'image ainsi que la focale (rarement inférieure à 28 mm) souffrent des compromis nécessaires à l'élaboration d'un objectif fixe polyvalent.

Les reflex hybrides

Une nouvelle catégorie d'appareil photo est apparue en 2009 : les hybrides. « Bridge à objectifs interchangeables » ou « reflex à visée électronique », ce type d'appareil bénéficie d'un encombrement minimum grâce à la disparition des miroirs articulés et du prisme nécessaires à la visée optique des reflex, et conserve les automatismes et la facilité d'emploi des bridges.

Les boîtiers reflex

La performance des fonctions de base est à son maximum sur les boîtiers reflex : mise au point autofocus, mesure de la lumière, qualité de l'image, qualité du viseur, vitesse de déclenchement instantanée et rapidité de l'obturateur ainsi que la qualité de la construction en général font des reflex les boîtiers de choix pour le photographe exigeant. Le reflex est la référence en termes de performances pour un encombrement acceptable. Il concentre une bonne partie des efforts de recherche des constructeurs. Le boîtier reflex offre en outre des fonctionnalités que ne possèdent pas les autres types de boîtiers : plusieurs modes de mise au point et de mesure de la lumière, bracketing, gestion avancée du flash, modes d'enregistrement des images, en particulier le Raw, etc.

Performance et fonctionnalités font des reflex les boîtiers les plus *polyvalents*. On peut tout photographier dans de bonnes conditions avec un reflex : paysage, macro, sport, reportage, animaux, mode, etc.

D'autant que la plupart des constructeurs déclinent leurs boîtiers en une gamme « amateur », « expert » et « professionnel », et qu'il existe une large gamme d'accessoires : objectifs, flashes, télécommandes, etc., de quoi répondre aux besoins et au budget de tous les utilisateurs.

➤ *Si certaines marques n'offrent qu'un ou deux modèles de reflex, les plus grands fabricants comme ici Nikon, déclinent leurs reflex en plusieurs gammes. Notez la différence importante de taille entre les gammes professionnelle et amateur.*

Les boîtiers moyen et grand format, les chambres

Bien qu'excellente et permettant des agrandissements jusqu'à 1 m de large, la définition de l'image finale produite par les reflex est néanmoins limitée. Les boîtiers moyen et grand format, et plus encore les chambres photographiques, privilégient la taille de l'image pour une meilleure finesse des détails et un meilleur modelé des matières et dégradés. La surface d'un capteur/pellicule varie entre 2,7 fois celle du format 24 × 36 pour un Contax et Mamiya 645 (format 4,5 × 6 cm) et 15 fois pour le plan film d'une chambre photographique 4 × 5 pouces, et même 60 fois pour celui d'une chambre 8 × 10 pouces !

Les automatismes de ces boîtiers sont moins nombreux et moins performants que ceux des reflex, voire totalement absents. Utiliser ces appareils demande donc une certaine expérience et impose un rythme de travail beaucoup plus posé où chaque image est travaillée avec soin. Sans compter le poids et l'encombrement qui nécessitent une logistique spécifique.

➤ *Le fonctionnement du boîtier moyen format Mamiya 645 AFD III se rapproche de celui des reflex classiques. Il propose notamment un système autofocus performant.*

Les moyen et grand formats sont particulièrement adaptés à la photographie de paysage pour leur aptitude à restituer la grandeur d'une scène dans toutes ses nuances et dans tous ses détails. De plus, ils permettent de procéder à un recadrage panoramique tout en conservant une image finale de haute définition.

Les boîtiers panoramiques

Les boîtiers panoramiques sont principalement utilisés par les photographes paysagistes car ils permettent d'éviter de recadrer l'image et fournissent directement un original en format panoramique. Le rapport hauteur/longueur varie de 1:2 à 1:4.

On classe les boîtiers qui utilisent une pellicule 24 × 36 traditionnelle (dite 135) dans la catégorie des moyens formats, comme le fameux Xpan de Hasselblad de format 24 × 66 mm et dans celles des grands formats ceux qui utilisent une pellicule 120 ou 220, comme le Horseman SW612 (format 6 × 12 cm) ou comme l'imposant Fuji GX617.

➤ *L'appareil panoramique argentique moyen format Xpan II de Hasselblad.*

Ce dernier produit un négatif de 6 × 17 cm et permet de réaliser des agrandissements d'une qualité spectaculaire.

Les appareils rotatifs permettent d'enregistrer une image panoramique avec un angle allant jusqu'à 145° (objectif rotatif) ou 360° (boîtier rotatif), en haute définition et avec peu de déformation optique. Ces appareils très spécifiques ont toujours été d'un usage confidentiel. L'apparition de la photographie numérique et des techniques d'assemblage les rend aujourd'hui beaucoup moins pertinents.

Les boîtiers panoramiques numériques sont rares et trop coûteux pour représenter une alternative intéressante.

Les appareils-jouets

La Société internationale de lomographie est en fait la vitrine commerciale d'une entreprise qui fabrique et distribue des appareils réputés pour leurs performances catastrophiques (vignettage et aberrations chromatiques garantis)... mais revendiquées. Tandis que le modèle phare de la gamme est le Holga 120, le Diana a été nommé « pire appareil photo jamais construit » par le magazine *Réponses Photo* en 2007 ! Démarche rafraîchissante dans un monde de pixels...

➤ *L'appareil Holga, un des pires appareils jamais construits, est le modèle phare de la lomographie.*

Le capteur

Les types de capteur

Il existe deux grands types de capteur : le CCD (*Charge-Coupled Device*) et le CMOS (*Complimentary Metal Oxide Semiconductor*). Tous deux sont composés de photosites qui transforment la lumière en signaux électriques. Il n'y a plus guère de différences aujourd'hui en termes de performance, l'un comme l'autre équipent des appareils professionnels.

Quelques déclinaisons existent, comme le Foveon de Sigma dont les pixels sont superposés plutôt que côte à côte et le Super CCD de Fuji avec ses pixels hexagonaux.

Taille et format du capteur

La taille et le format du capteur sont des caractéristiques importantes car elles ont une grande influence sur la qualité finale de l'image mais aussi sur la prise de vue.

La taille du capteur varie de 1 à 20 entre le plus petit (un compact) et le plus grand (un reflex) et même plus de 60 fois entre le compact et le moyen format. On trouve quatre grandes tailles de capteur :

- **Le moyen format numérique.** 2 à 3 fois plus grand que le 24 × 36, il équipe les boîtiers moyen format.

- **Le full frame (plein format).** C'est l'équivalent du format argentique 24 × 36. On le trouve sur les boîtiers reflex.
- **Les formats APS-C et APS-H.** Ils sont plus petits que le 24 × 36 mais équipent néanmoins certains boîtiers professionnels.
- **Les capteurs pour compacts de type 1/1,7" ou 1/2,5".** Ils sont adaptés à la compacité des appareils qu'ils équipent.

Contrairement aux capteurs 24 × 36, les capteurs de taille inférieure n'exploitent pas la totalité de l'image projetée par l'objectif (le cercle d'image), mais uniquement la partie centrale comme si l'utilisateur avait « zoomé ». Ce zoom virtuel est appelé *coefficient multiplicateur* : ainsi un objectif 28 mm sur un boîtier 24 × 36 devient un 42 mm avec un capteur APS-C (coefficient multiplicateur 1,5).

Notez que plus les capteurs sont grands, plus les boîtiers et les objectifs sont encombrants… et coûteux.

On trouve deux formats différents (rapport longueur/hauteur) :

- **Le 3/2.** C'est le format rectangulaire traditionnel de la photographie 24 × 36. On le trouve principalement sur les boîtiers moyen et haut de gamme.
- **Le 4/3.** Ce format plus récent est plus proche du carré et s'adapte parfaitement aux écrans de télévision ou d'ordinateur. Ils équipent les appareils photo numériques grand public.

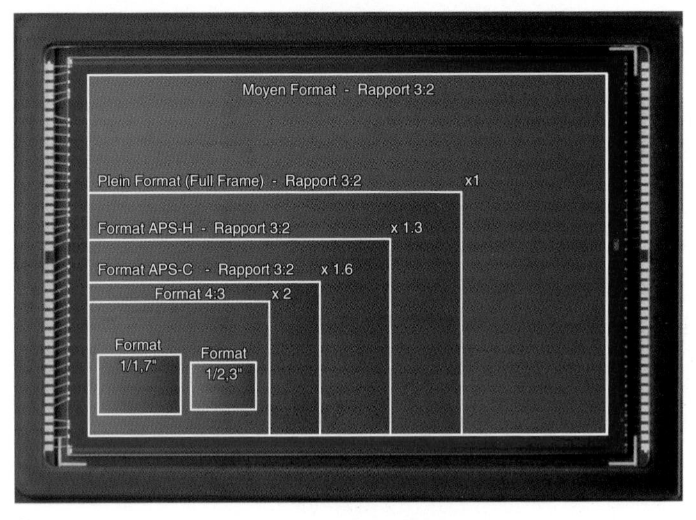

➤ *La taille des capteurs, qui varie de manière importante, a un réel impact sur la qualité de l'image finale.*

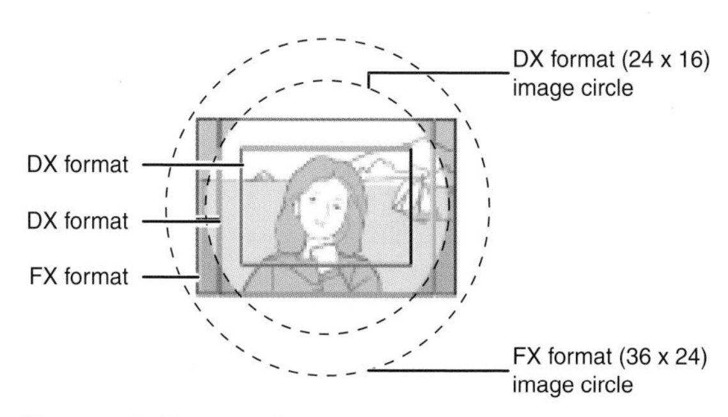

Le cercle d'image en fonction de la taille des capteurs (Nikon).

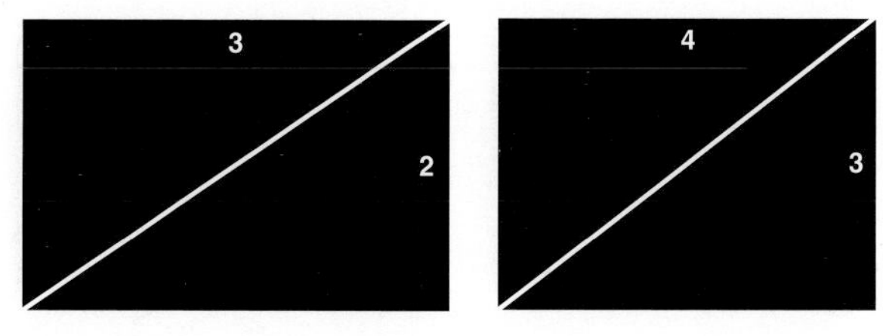

Le format 3/2 est plus allongé que le format 4/3.

Le nombre et la taille des pixels

Le principal argument de vente, la principale caractéristique d'un appareil photo numérique, quel que soit le type de boîtier, est incontestablement le nombre de pixels : « un 12 mégapixels (Mp) c'est mieux qu'un 10 Mp, et un 15 Mp mieux qu'un 12 Mp », etc.

Les appareils reflex haut de gamme affichent plus de 20 Mp tandis que certains compacts dépassent les 12 Mp bien que disposant d'un capteur jusqu'à... 20 fois plus petit !

Certes, un plus grand nombre de pixels donne une image détaillée qui peut être affichée ou imprimée à des tailles plus importantes sans faire apparaître les pixels et l'effet d'escalier. Mais en multipliant le nombre de pixels sans augmenter la taille des capteurs, les fabricants ont dû faire diminuer la taille des photosites au point de sacrifier la qualité de l'image.

Le PowerShot G11 de Canon a mis fin à la course aux pixels en proposant 10 Mp contre 14,7 Mp pour le PowerShot G10, son prédécesseur sorti un an plus tôt.

Car plus le photosite est petit, moins il reçoit de lumière et plus le signal doit être amplifié. Une trop grande amplification fait apparaître le bruit numérique, ce qui affecte la qualité de l'image. À l'inverse, plus les pixels sont grands, meilleure est la qualité de l'image, en particulier en ISO élevés, le signal initial supportant bien l'amplification.

Fonctionnalités recommandées pour la photographie de paysage

La photographie de paysage n'est pas très exigeante en termes de performances du boîtier. Vous n'avez pas besoin d'un obturateur 1/8000 de seconde, ni d'un système autofocus ultra-performant et encore moins d'un mode rafale à 6 images par seconde.

Tous les boîtiers reflex conviennent donc à la photographie de paysage à condition de posséder la seule fonction réellement indispensable : la fonction verrouillage du miroir. Cette option permet de bloquer le miroir en position relevée et est indispensable pour éviter les vibrations provoquées par le choc du miroir en butée.

D'autres caractéristiques et fonctionnalités s'avèrent néanmoins plus qu'utiles :

- Le capteur full frame possède des photosites plus grands permettant de limiter le bruit numérique. Il vous permettra aussi d'utiliser les objectifs grand-angle de qualité.
- Le boîtier (sa marque) doit être compatible avec une gamme importante d'objectifs, notamment des objectifs grand-angle de qualité.
- Un retardateur 3 secondes (en plus du retardateur standard de 10 secondes) peut faire gagner 7 secondes entre deux déclenchements. C'est un gain de temps utile quand les prises de vue s'enchaînent et si vous n'avez pas de télécommande.
- Un traitement antiruissellement ou une tropicalisation du boîtier est un plus si vous comptez parcourir des zones humides ou désertiques.

➤ *Les joints anti-ruissellement du Nikon D700.*

Les objectifs

S'il est légitime de passer du temps sur le choix du boîtier, il en est de même pour les objectifs car un objectif médiocre sur un excellent boîtier donnera des résultats médiocres. Choisissez le meilleur objectif que vous pouvez vous offrir. Il s'agit d'un investissement sur le long terme que vous rentabiliserez sur plusieurs années et plusieurs... boîtiers.

Focale et ouverture maximum

Les objectifs sont principalement désignés par leur distance focale et leur ouverture maximum. Par exemple, un objectif Nikkor AF 24 mm *f*/2.8 a une focale de 24 mm et une ouverture maximum de *f*/2.8.

- **La distance focale** (ou focale) de l'objectif est la distance qui sépare le centre optique et le film/capteur du boîtier quand la mise au point est faite sur l'infini. Une faible distance focale (24, 17, 15 mm) a pour conséquence un angle de vue (ou angle de champ) important. Une distance focale élevée (300 mm et plus) donne un angle de vue réduit.

  La focale de 50 mm est considérée comme la distance focale standard et correspond à peu près à la façon dont l'œil perçoit la scène. Un objectif à focale inférieure à 50 mm a un angle de vue supérieur et voit « plus large ».

  Une autre conséquence importante de la focale est la taille du sujet dans l'image : plus la focale est réduite, plus le sujet apparaît petit dans l'image, comme si le photographe reculait de quelques mètres. Une focale élevée a au contraire un pouvoir grossissant.

- **L'ouverture maximum** est la plus grande ouverture (*f*/2.8 par exemple) à laquelle le diaphragme peut s'ouvrir. Les objectifs à grande ouverture maximum *f*/2.8, *f*/2 ou *f*/1.4 ont une lentille frontale de taille supérieure aux objectifs moins lumineux. La taille des téléobjectifs lumineux vus sur le bord des circuits automobiles doit davantage à leur grande ouverture qu'à leur focale.

  Les objectifs comme le Nikkor AF 17-35 mm *f*/3.5-4.5 ont une ouverture non constante, c'est-à-dire que l'ouverture maximum (ici *f*/3.5) n'est pas disponible aux focales les plus longues.

  Une grande ouverture permet d'obtenir une profondeur de champ réduite et une grande quantité de flou en arrière-plan du sujet, et une plus grande quantité de lumière permet de limiter le temps d'exposition et de réduire le risque de flou de bougé. Cela donne aussi un viseur plus lumineux et donc un meilleur confort d'utilisation.

Zoom ou focale fixe ?

Jusqu'à la fin des années 1980, les optiques fixes étaient préférées pour leur qualité optique supérieure. Les zooms modernes, grâce à la conception assistée par ordinateur, des formules optiques avancées (lentilles asphériques), des traitements antireflet et de nouveaux matériaux (à faible dispersion, fluorite) ont remplacé les optiques fixes même chez les photographes professionnels. Outre un encombrement réduit (un zoom remplace

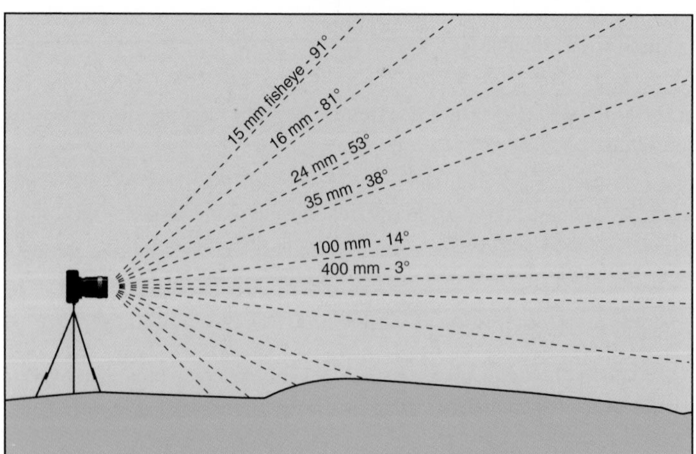

➤ *L'angle de vue horizontal et l'angle de vue vertical à différentes focales.*

deux ou trois optiques fixes), un zoom permet d'avoir à disposition toute une gamme de focales sans avoir à changer d'objectif, ce qui peut se révéler être un avantage décisif sur le terrain.

Néanmoins, les focales fixes bénéficient parfois d'une qualité optique supérieure, plus homogène et qui varie moins en fonction de l'ouverture. Elles ont généralement une distance minimale de mise au point inférieure et une ouverture maximum plus grande, le tout pour un budget raisonnable. Un bon 50 mm *f*/1.4 sur un boîtier 24 × 36 ou un 35 mm *f*/1.4 sur un boîtier APS ont tout à fait leur place dans votre gamme d'objectifs.

Objectif « numérique » ou « non numérique » ?

Deux raisons principales ont poussé les constructeurs à modifier leurs optiques et à proposer des gammes spécifiquement conçues pour le numérique :

- **La technologie du capteur** La lumière qui atteint un pixel à 90° crée un signal plus fort que la lumière qui l'atteint avec un angle fermé comme sur les bords du capteur, ce qui crée du vignettage. Les optiques adaptées au numérique ont une construction qui permet à la lumière de frapper le capteur à un angle plus proche de 90°. Ils possèdent également un traitement antireflet renforcé de la lentille arrière pour éviter les réflexions de lumière avec le capteur.
- **La taille du capteur.** Pour des raisons de coût de fabrication, les capteurs numériques sont le plus souvent de taille inférieure au format 24 × 36. Le cercle d'image des objectifs classiques, adapté au 24 × 36, dépasse alors très largement le capteur de format APS, ce qui induit une perte de focale importante.

Les gammes d'objectifs numériques (EF-S chez Canon, DX chez Nikon et Tokina, DC chez Sigma, Di chez Tamron, DA chez Pentax et DT chez Sony) ont un cercle d'image adapté aux capteurs APS. Les objectifs sont plus légers et moins encombrants et généralement d'une focale plus faible permettant de compenser le coefficient multiplicateur et d'obtenir un angle de vue suffisamment ouvert. Certains objectifs sont incompatibles avec les boîtiers plein format, d'autres peuvent être montés sur un tel boîtier mais ils créent un vignettage (la partie non couverte est noire) car leur cercle d'image ne couvre pas la totalité du capteur.

Les types d'objectif

On parle de grand-angle pour un objectif à focale de 35 mm ou moins, d'objectif standard pour une focale d'environ 50 mm, de transstandard pour un zoom couvrant les focales de 35 à 100 mm, de téléobjectif de 100 à 200 mm (ou 300 mm) et de super téléobjectif au-delà de 400 mm.

- **Les objectifs grand-angle.** Ils possèdent un angle de vue important, ce qui leur permet d'inclure un maximum d'éléments dans l'image. Ils donnent de l'importance au premier plan en le grossissant par rapport à l'arrière-plan. Ces caractéristiques en font l'objectif idéal en photographie de paysage car il permet de restituer la grandeur du panorama.

La composition avec un objectif grand-angle est difficile car il faut gérer un grand nombre d'éléments pour espérer mettre de l'ordre dans le cadre. Mais, réussie, une composition au grand-angle est particulièrement efficace et dynamique.

- **Les objectifs transstandard.** Ils possèdent un angle de vue proche de la vision humaine et permettent de restituer une scène de manière réaliste. Ils sont souvent utilisés en reportage. Le rapport qualité/prix de ces objectifs est bon car leur construction ne présente pas de difficulté particulière. Ils sont les objectifs les plus polyvalents et plus utilisés.
- **Les téléobjectifs.** Les téléobjectifs permettent de photographier de près sans avoir à se rapprocher, de mettre en valeur un sujet en l'isolant et de faire abstraction d'éléments gênants grâce à un angle de vue réduit (4° en diagonal seulement pour un 600 mm). Ils compressent les différents plans.

  Un téléobjectif est idéal pour la photographie animalière, de sport ou le portrait, mais il est aussi utile en paysage en complément d'un grand-angle car il permet de photographier des détails, de faire en quelque sorte le portrait du paysage. Les téléobjectifs Canon EF 100-400 mm L IS ou Nikon 80-400 mm VR sont d'excellents choix.

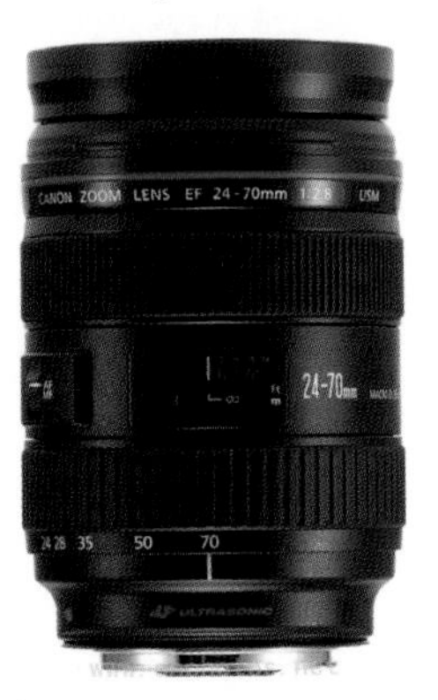

➤ *Le très réputé transstandard 24-70 mm L de Canon est l'un des meilleurs objectifs jamais fabriqués par la marque.*

- **Les objectifs macro.** Ils peuvent aussi bien être des zooms que des focales fixes, focales standard ou téléobjectifs. Ils sont dédiés à la macrophotographie, c'est-à-dire à la photographie d'objets de près et le plus souvent de petite taille comme les insectes ou les plantes. Un objectif macro est optimisé pour une ouverture *f*/32, voire *f*/45, et permet de s'approcher très près du sujet grâce à une distance de mise au point plus faible que les objectifs standard. Ils autorisent des rapports de reproduction 1:1 (grandeur nature) sans l'utilisation de bagues-allonges. Un objectif macro peut aussi être utilisé pour tout autre type de photo.

  Si vous avez de la place, le budget et un bon dos, un objectif fixe macro 180 mm est le bienvenu dans un sac photo.
- **Les extenders** (×1.4, ×1.7 ou ×2). Ce sont des accessoires optiques qui se placent entre le boîtier et l'objectif et qui ont pour effet de multiplier la focale de l'objectif. Parfois appelé « doubleur », cet accessoire est loin d'être miraculeux : s'il multiplie la focale, il fait perdre une ou deux ouvertures (un objectif *f*/5,6 devient un *f*/11), diminue la qualité optique et rend parfois l'autofocus inopérant. À n'utiliser qu'avec des objectifs lumineux de grande qualité.

➤ *L'extender Canon EF 1.4x II permet de multiplier la focale d'un téléobjectif, mais au prix d'une perte de qualité.*

➤ *Les quelques millimètres de focale supplémentaires des objectifs grand-angle peuvent faire la différence sur le terrain.*

Objectifs spéciaux

- **Les fish-eyes.** Il existe deux types de fish-eye. Le fish-eye « circulaire », qui produit une image circulaire entourée d'une bordure noire, a généralement une focale de 8 mm et un champ de vue de 180° dans toutes les directions. Le fish-eye « plein cadre » d'une focale de 15 ou 16 mm donne une image rectangulaire classique.

  Ces objectifs produisent des images très inhabituelles ; ils sont utiles pour photographier des environnements confinés (petite pièce intérieure, voiture) ou au contraire de grands espaces et peuvent compléter une série de photos en lui donnant une pointe d'originalité.

  Comme vous ferez certainement peu de photos avec un tel objectif, il vaut mieux vous procurer un objectif bon marché : le Peleng 8 mm *f*/3.5 ou le Zenitar 16 mm *f*/2.8 de fabrication russe offrent une qualité optique très correcte pour moins de 200 €. Comptez entre trois et cinq fois plus chez les grands fabricants.

- **Les objectifs à décentrement.** Ces objectifs permettent, moyennant un « décentrement » de la lentille, de redresser les lignes fuyantes qui apparaissent quand on photographie un immeuble en contre-plongée et de les maintenir parallèles. Cela permet d'éviter la déformation de l'objet photographié.

  Certains objectifs à décentrement peuvent aussi « basculer », c'est-à-dire incliner les lentilles et donc

➤ *Le curieux objectif Lensbaby 3G.*

le plan de netteté. Cela permet d'obtenir une grande profondeur de champ, même à faible ouverture, ou au contraire une netteté différente sur un même plan.

Ces objectifs sont principalement utilisés en photographie d'architecture, mais ils ont aussi un intérêt en macrophotographie et en paysage.

➤ *L'objectif Lensbaby 3G, équivalent d'un objectif à basculement, permet de réaliser des images très irréelles pour un budget limité (Photo © Lensbaby – Andrew Kua).*

Les caractéristiques optiques

Connaître les caractéristiques optiques des objectifs vous aidera à mieux les choisir. Si vous voulez exploiter au mieux votre production photographique (agrandissement au-delà du format A4 ou publication, par exemple), choisissez des objectifs de gamme professionnelle. Dans le cas contraire, les objectifs grand public de qualité sont suffisants.

Bien connaître vos objectifs vous permettra aussi de mieux les utiliser et de mieux comprendre certaines étapes du post-traitement. Vous obtiendrez alors le maximum de votre matériel quelles que soient ses qualités intrinsèques.

- **Le piqué de l'objectif** est sa capacité à restituer des détails fins. C'est une notion subjective de ce qu'on appelle à tort la « netteté » de l'objectif. Le piqué est la résultante des deux caractéristiques suivantes :
  - La résolution, aussi appelée « pouvoir séparateur », est la capacité de l'objectif à séparer les détails les uns des autres comme les lignes noires et blanches utilisées dans les tests. La résolution est exprimée en paire de lignes par millimètre (pl/mm). Les meilleurs objectifs 24 × 36 ont une résolution de 120 pl/mm au centre contre 60 pl/mm pour les objectifs standard.

– L'acutance mesure la capacité de l'objectif à restituer les contrastes et obtenir des contours nets. À la différence de la résolution, l'acutance peut être améliorée en post-traitement.

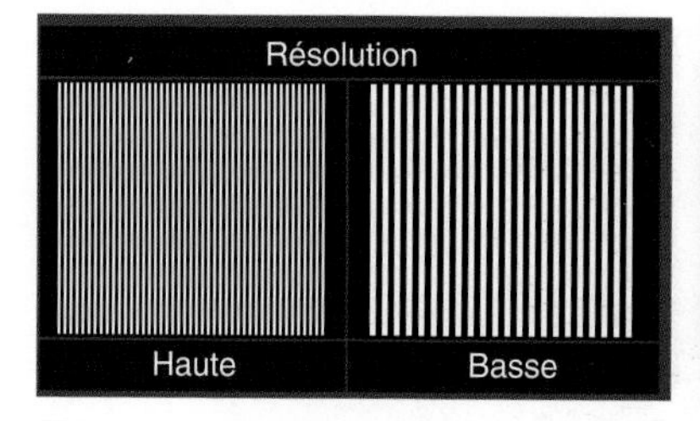

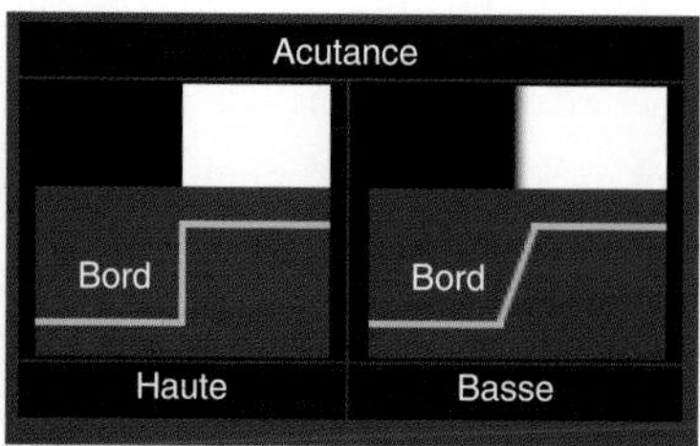

Le piqué de l'objectif est fonction de la résolution et de l'acutance.

- **Le vignettage** est l'assombrissement de la périphérie de l'image. Cette perte de luminosité est généralement plus forte sur les zooms, les objectifs grand-angle et à pleine ouverture. Il peut atteindre 1 IL, ce qui devient gênant. Réduire l'ouverture de 1 ou 2 diaphragmes corrige en grande partie le phénomène. Le vignettage peut être facilement corrigé par logiciel, mais il est parfois recherché car il permet de fermer l'image et porter l'attention sur le centre de celle-ci.

  Le vignettage peut aussi être provoqué par un pare-soleil mal adapté, des filtres et porte-filtre.

L'assombrissement des bords de l'image dû au vignettage de l'objectif.

- **La distorsion** est la déformation de l'image qui transforme les lignes en courbes. Due à un pouvoir grossissant différent au centre et au bord de l'image, elle peut être en forme de barillet ou de coussinet comme sur l'image suivante. Elle affecte surtout les objectifs grand-angle.

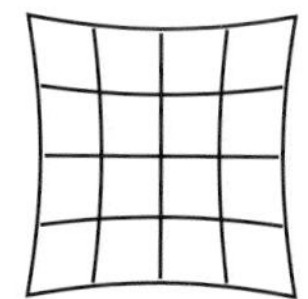

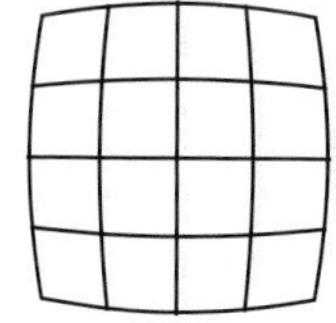

La distorsion en coussinet et en barillet.

- **L'aberration chromatique** est provoquée par la réfraction de la lumière blanche à travers les lentilles de l'objectif (voir la section « Les aberrations chromatiques », au Chapitre 8). Comme chaque longueur d'onde a un indice de réfraction différent, les couleurs du spectre lumineux sont déviées de manière différente, créant ainsi des franges de couleur rouges et bleues. Les logiciels de traitement d'image et les « dérawtiseurs » permettent de corriger plus ou moins bien ce type d'aberration.

  Certaines aberrations, comme le coma, sont dites « monochromatiques » quand elles touchent toutes les longueurs d'onde.

➤ *Les aberrations chromatiques (à gauche) ont été corrigées avec le logiciel Nikon ViewNX (à droite) [document Nikon].*

- **Le flare** survient quand les rayons du soleil (ou d'une source de lumière artificielle) frappent la lentille frontale de l'objectif et/ou le miroir du boîtier causant une réfraction et des réflexions de la lumière à l'intérieur de l'objectif. La construction des objectifs grand-angle et leur champ de vue large les rendent particulièrement vulnérables au *flare* même s'ils bénéficient d'un traitement antireflet. Il peut prendre la forme d'une succession de polygones colorés, de courbes, de traits ou d'un voile lumineux, et réduit le contraste et le piqué de l'image.

- **Le bokeh** (flou en japonais) désigne la qualité du flou de la partie défocalisée de l'objectif. Un flou de qualité est un flou aux dégradés réguliers et homogène. Le *bokeh* est important car le flou, notamment en photographie de portrait et en utilisant des objectifs à longue focale à pleine ouverture, représente souvent une grande partie de l'image.

  Le nombre de lames du diaphragme est le facteur le plus important dans la qualité du *bokeh* car un point lumineux défocalisé prend la forme de l'ouverture du diaphragme. Les diaphragmes à 8 ou 10 lames produisent un *bokeh* plus naturel que les diaphragmes à 5 ou 6 lames des objectifs bon marché.

- **La rotation de la lentille frontale.** Certains zooms ont la particularité d'avoir une lentille frontale qui ne tourne pas lors du changement de focale (en « zoomant ») ni pendant la mise au point. C'est un confort très appréciable pour le photographe de paysage, grand utilisateur de filtres car il n'est pas nécessaire de repositionner le filtre polarisant et dégradé après chaque réglage de l'objectif.

➤ *Le flare, défaut causé par les rayons du soleil frappant directement la lentille frontale de l'objectif, peut prendre plusieurs formes, et est le plus souvent indésirable.*

➤ *Le flare peut participer positivement à l'image, comme sur cette photo des Trois Mamelles à l'île Maurice.*

- **Autres caractéristiques.** Il est utile d'avoir à l'esprit d'autres caractéristiques même si elles ne sont pas essentielles à la pratique de la photographie de paysage :
  - La distance minimale de mise au point (surtout utile en macro) permet de faire la mise au point sur un sujet très rapproché.

- Le type de motorisation autofocus (plus ou moins performant et silencieux) permet une mise au point rapide sur les sujets fixes et surtout un ajustement efficace de la mise au point sur les sujets mobiles.
- Le stabilisateur d'images permet de limiter le flou de bougé à main levée. On le retrouve avant tout sur les objectifs à moyenne ou longue focale.
- Le traitement antiruissellement, dont sont pourvus les objectifs haut de gamme, les protège contre la pluie et la poussière.
- La retouche manuelle permanente du point permet de faire une mise au point manuelle à tout moment même si l'objectif est en mode autofocus.

- **La qualité de construction** de l'objectif est un gage de précision, de durabilité et de confort d'utilisation. La qualité des matériaux utilisés (aluminium, plastique et caoutchouc) et des bagues de zoom et de mise au point sans jeu ni résistance vous faciliteront la vie au quotidien. Et c'est sans compter le plaisir de posséder et d'avoir en main un bel objet.

➤ *Coupe de l'objectif Canon EF 70-200 f/4L IS USM : (1) moteur USM ; (2) diaphragme électromagnétique ; (3) stabilisateur d'image.*

Le couple boîtier/objectif

La qualité de l'image finale dépend des qualités individuelles de l'objectif et du capteur. Contrairement à ce qui se passe en argentique, le même objectif peut être jugé bon sur un boîtier numérique et moyen sur un autre.

Il y a plusieurs raisons à cela :

- La taille du capteur et le cercle d'image de l'objectif constituent certainement la raison principale : les objectifs ont une meilleure qualité optique au centre que sur les bords. Si vous utilisez un objectif 24 × 36 peu performant sur les bords (piqué moyen, vignettage) sur un capteur APS, seule la partie centrale de l'image sera utilisée et l'objectif paraîtra bien meilleur que s'il est monté sur un capteur plein format.

- Les capteurs numériques enregistrent moins bien la lumière arrivant de manière oblique que celle qui frappe les photosites à angle, et cela provoque du vignettage sur les bords de l'image. Les capteurs sont plus ou moins sujets à ce phénomène et reçoivent plus ou moins bien la lumière du même objectif.
- La technologie numérique spécifique à chaque fabricant est également en cause : la nature du capteur (CCD, CMOS ou Foveon), le nombre, la taille, l'espacement, la forme des pixels, le traitement du signal et beaucoup d'autres facteurs propres à chaque boîtier influencent les performances d'un même objectif.

Quelle marque d'objectif ?

Plutôt que de choisir la marque de l'objectif, il vous faudra considérer la gamme dans laquelle il se trouve : les constructeurs proposent des objectifs couvrant les besoins de trois types d'utilisateur (l'amateur, l'expert, le professionnel) et distinguent les objectifs « pro » des autres : série L chez Canon, EX chez Sigma par exemple. Si ces objectifs cumulent tous les bons points en termes de qualité optique, de fonctionnalité et de qualité de construction, ils sont aussi plus encombrants et lourds et il faudra prévoir un budget deux à cinq fois plus important que pour les objectifs d'entrée de gamme.

Choisissez la gamme qui convient à votre utilisation et à votre budget. Gardez à l'esprit que l'achat d'un objectif est un investissement de long terme (contrairement au boîtier numérique) et qu'un objectif bien entretenu perd peu de valeur au fil des ans. Vous pouvez d'ailleurs compter sur le marché de l'occasion pour acheter et revendre vos objectifs.

Les constructeurs « alternatifs » comme Sigma et Tamron ont mis au point des objectifs très performants qui ont souvent peu à envier aux meilleures optiques Canon et Nikon, et ce pour un prix généralement 20 ou 30 % inférieur.

Les objectifs Carl Zeiss pour reflex

La marque mythique Carl Zeiss propose depuis 2006 des objectifs fixes à mise au point manuelle pour les reflex Nikon et Pentax (Samsung), et Canon depuis 2008.

La qualité optique de ces objectifs est tout à fait remarquable et certains surpassent les meilleurs objectifs disponibles jusqu'alors, comme les Distagon 35 mm f/2 et Planar 85 mm f/1.4, dont le piqué n'a pratiquement pas d'équivalent en format 24 × 36. Pour les photographes les plus exigeants et possesseurs d'un boîtier full frame.

Tenez compte de la compatibilité. Si vous faites le choix d'un constructeur alternatif, vérifiez que l'objectif est compatible avec votre boîtier. S'il est rare que le boîtier ne reconnaisse pas du tout l'objectif, ces deux équipements risquent néanmoins de ne pas bien s'entendre : risques de perte de l'autofocus ou des commandes d'ouverture, et risques d'apparition de messages du type « Error 99 ». Ces cas, plutôt rares avec des objectifs et boîtiers récents, sont généralement pris en charge sans frais par le service après-vente du constructeur de l'objectif. Certains objectifs plus anciens ne peuvent cependant pas être corrigés.

L'objectif du photographe paysagiste

L'objectif du photographe paysagiste doit si possible posséder les caractéristiques suivantes :

- Une focale minimale de 16 ou 17 mm (en équivalent 24 × 36). Les focales plus longues sont néanmoins très utilisées.
- Une bonne qualité optique sur toute l'image (au centre comme sur les bords) car le sujet s'étend sur toute la surface du capteur avec une profondeur de champ élevée.
- Une bonne résistance au *flare* pour les photos prises en contre-jour.
- Une lentille frontale fixe pour ne pas avoir à repositionner les filtres après avoir zoomé.
- Une ouverture *f*/4 est suffisante dans la plupart des cas. Un objectif plus lumineux (*f*/2.8 ou moins) sera cependant utile pour quelques cas particuliers comme les aurores boréales.

➤ *L'objectif Canon EF 17-40 mm f/4 L est particulièrement bien adapté à la photographie de paysage.*

- Un traitement antiruissellement et une stabilisation d'image (cependant rare sur les objectifs grand-angle) sont des fonctionnalités bienvenues mais pas indispensables.

Les dispositifs de stabilisation

Une règle bien connue qui permet de définir la vitesse minimale à utiliser pour éviter le flou de bougé consiste à choisir une vitesse d'obturation égale à la focale utilisée. Par exemple, 1/200 s pour une focale de 200 mm, 1/50 s pour un 50 mm, etc. Or une grande partie des photos de paysage sont prises avec une vitesse d'obturation inférieure à 1/4 s (en raison de la profondeur de champ élevée, de la faiblesse de la lumière, etc.), ce qui rend l'usage d'un dispositif de stabilisation indispensable.

Un trépied n'est pas seulement utile pour la prise de vue en vitesse lente. C'est aussi un excellent moyen de se « poser » et de travailler le cadrage et la composition avec soin. Une fois le cadrage effectué, vous pourrez aussi attendre le moment opportun pour déclencher : bonne lumière ou passage d'un personnage par exemple.

Choisissez votre dispositif de stabilisation de haut en bas : le poids du boîtier et de l'objectif détermine le type de tête à utiliser, celle-ci détermine à son tour le trépied adéquat. L'homogénéité de la combinaison est essentielle pour garantir une bonne stabilité.

Trépieds

Le trépied doit être choisi avec soin car vous l'utiliserez pour la plus grande partie de vos photos de paysage.

Les critères suivants vous aideront à faire votre choix :

- **Le poids du trépied.** Le premier réflexe est de vouloir un trépied le plus léger possible. C'est une erreur car le poids du trépied est un gage de stabilité. Un trépied trop léger sera vulnérable au vent et à la moindre vibration.
- **La rigidité.** Les matériaux utilisés pour la construction du trépied doivent être suffisamment rigides pour ne pas se déformer sous le poids de votre matériel. Les éléments doivent être assemblés avec précision et sans jeu.
- **La hauteur maximum et minimum.** Choisissez le trépied qui, une fois déployé, offre le plus de hauteur possible. Vous aurez besoin de ces quelques centimètres de plus sur le terrain pour réaliser la photo voulue et cela vous évitera de trop allonger la colonne centrale, ce qui compromet la stabilité. N'oubliez pas la hauteur minimum à laquelle peut descendre le trépied : beaucoup de photos sont prises très près du sol.

➤ *Le trépied Manfrotto 190XB possède une hauteur maximum de 1,46 m et supporte jusqu'à 5 kg d'équipement.*

Aluminium ou fibres de carbone ?

	Avantage	*Inconvénient*
Aluminium	*Stabilité maximum grâce à son poids* *Totalement rigide* *Moins onéreux* *Plus robuste*	*Son poids important peut le rendre difficile à transporter.*
Fibres de carbone	*Deux fois moins lourd qu'un trépied en aluminium (meilleur ratio poids/stabilité)* *Meilleure absorption des vibrations* *Plus facile à manipuler dans le froid que l'aluminium, ne casse pas dans des conditions de froid extrême*	*Plus onéreux* *Son faible poids compromet la stabilité surtout quand il est utilisé avec une combinaison boîtier-objectif-tête lourde.*

Les nouvelles fibres de basalte offrent des performances intermédiaires entre l'aluminium et la fibre de carbone pour un prix inférieur à cette dernière.

- **Les pieds.** Les trépieds les plus stables sont ceux dont les pieds comprennent le moins de sections. Même si les trépieds à quatre ou cinq sections sont plus courts une fois repliés et offrent un encombrement réduit, préférez les pieds à trois sections maximum, ils n'en seront que plus rapides à déployer.
- **La flexibilité.** Le trépied doit pouvoir s'adapter à tous les terrains et permettre le maximum de positions possible : la colonne doit pouvoir s'inverser, voire se fixer à l'horizontale. Certains pieds se déploient à 90° par rapport à la colonne centrale, ce qui permet de s'approcher très près du sol.

Plateaux et têtes

Les têtes

Il existe deux grands types de tête :

- Celles qui permettent le réglage indépendant des trois axes : cela facilite les réglages de précision notamment avec les boîtiers les plus lourds.
- Les rotules qui permettent de régler les axes d'un seul geste pour plus de rapidité : elles sont compactes et moins lourdes que les précédentes.

Les critères de choix d'une tête :

- **La stabilité.** Prenez une rotule qui supporte votre combinaison boîtier-objectif la plus lourde, voire un peu plus. Les contraintes mécaniques exercées sur la tête sont importantes surtout en contre-plongée et quand l'appareil est en position verticale.
- **La rapidité d'exécution.** La conception de la tête doit permettre un cadrage rapide. Évitez les systèmes à cardan ou à crémaillère. Les secondes gagnées sur le terrain sont précieuses.
- **La précision.** Une bonne tête doit permettre de sélectionner et de maintenir l'angle souhaité au degré près.
- **Le poids.** Contrairement au trépied, le poids de la rotule n'apporte pas de stabilité supplémentaire. Au contraire, une tête trop lourde élève le centre de gravité de l'ensemble, ce qui réduit la stabilité.

Les têtes panoramiques

Ces têtes sont spécifiquement étudiées pour permettre la prise de vue multiple en vue d'un assemblage. Elles permettent :

- de mesurer le degré de rotation entre deux photos grâce à une embase graduée et parfois crantée ;
- de placer la pupille d'entrée de l'objectif utilisé au-dessus de l'axe de rotation de la rotule grâce à des platines coulissantes et graduées.

➤ *La rotule en magnésium Gitzo G1177M permet de régler les trois axes en un seul geste.*

Le plateau

Vous pouvez fixer le boîtier directement sur la tête grâce au pas de vis 1/4 de pouce prévu à cet effet...ce qui prend trop de temps pour être une solution utilisable sur le terrain. Utilisez un plateau *quick release* pour fixer et retirer l'appareil en moins de deux secondes : vissé en permanence sur la base du boîtier, le plateau se fixe dans la partie femelle placée sur la tête.

➤ *La tête trois axes Manfrotto 405 (ici avec un plateau quick release) permet de régler indépendamment et avec précision chacun des axes.*

Autres

Minitrépieds

Les minitrépieds permettent, grâce à leur faible élévation, de faire des photos très près du sol plus facilement qu'avec un trépied classique. Ils seront nécessaires dans les lieux où les trépieds sont interdits, ils sont légers, compacts et discrets. On peut s'en servir en appui contre une surface verticale.

➤ *Une tête panoramique comme la 3D Ultimate Pro de Really Right Stuff est indispensable pour la photo panoramique par assemblage. Elle possède une embase graduée.*

Monopode

Le monopode est un accessoire pour la prise de vue à main levée et ne remplace en aucun cas le trépied. Il peut faire gagner 1 ou 2 stops et est très utile pour supporter un lourd objectif. Il peut être utilisé avec une rotule en appui contre un muret ou une rambarde pour plus de stabilité ou servir à lever l'appareil au-dessus d'un mur ou d'une foule pour obtenir un point de vue inhabituel.

➤ *Le Minitrépied Ultrapod II de Pedco peut rendre de nombreux services, notamment quand l'usage du trépied n'est pas autorisé.*

Beanbag

➤ *Outil pratique et économique, le beanbag Safari II de Kinesis peut être rempli de lentilles, de billes de polyéthylène ou de sable. On peut poser le boîtier ou l'objectif de plusieurs façons pour assurer la stabilité et absorber les vibrations.*

Pinces

➤ *Quantité d'accessoires sont disponibles pour vous aider à fixer votre matériel et prendre des photos dans des conditions inhabituelles, comme cette pince fabriquée par Cullman.*

Accessoires pour trépieds

Déclencheur filaire/radio : plus pratique que le retardateur, le déclencheur filaire (ou télécommande) permet d'éviter les vibrations dues au déclenchement par le boîtier. Des modèles radio rendent possibles les déclenchements jusqu'à une centaine de mètres de distance, idéal pour les autoportraits !

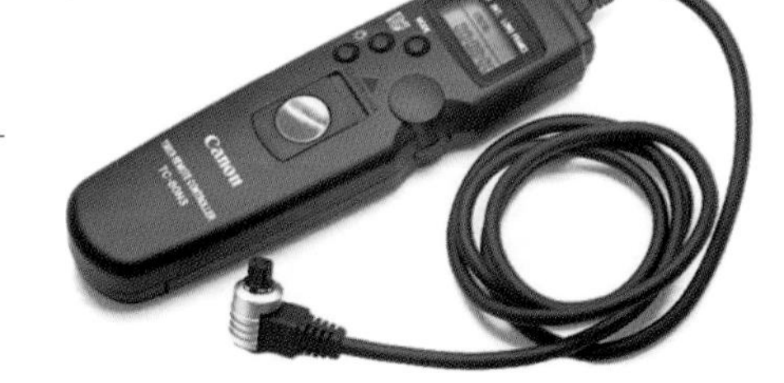

➤ *La télécommande filaire à intervallomètre Canon TC-80N3 possède un intervallomètre permettant de déclencher à intervalles réguliers.*

➤ *Indispensable pour obtenir une image bien horizontale ou verticale. Le niveau à bulle se place sur la griffe du flash. On en trouve aussi sur certains plateaux et trépieds.*

Stabilisateur d'image du boîtier et de l'objectif

Canon puis Nikon proposent depuis les années 1990, un dispositif de stabilisation d'image intégré à l'objectif : l'IS pour *Image Stabilization* chez Canon et le VR pour *Vibration Reduction* chez Nikon.

Ces éléments électromécaniques de précision mesurent le mouvement horizontal et vertical du boîtier et le compensent par un mouvement interne d'une lentille placée à l'arrière de l'objectif. Ce système permet aujourd'hui un gain de 3 à 4 stops.

Sony propose un dispositif comparable embarqué sur le boîtier lui-même et qui permet de gagner 4 stops. Le gros avantage est de pouvoir bénéficier de la stabilisation quel que soit l'objectif.

La stabilisation d'image apporte beaucoup à la prise de vue à main levée et permet d'améliorer considérablement la netteté des photos prises dans des conditions qui ne s'y prêtaient guère auparavant : longues focales, lumière faible, petite ouverture…

Cette fonction n'est utile en paysage que pour les images prises à main levée, encore que les versions les plus récentes détectent la présence du trépied et sont susceptibles de compenser les vibrations provoquées par le déclenchement.

Les filtres

Les filtres sont des éléments essentiels à la pratique de la photographie, en particulier en paysage. Ils peuvent être vissés ou faire partie d'un système de porte-filtre. Ils sont en verre, en résine ou gélatine souple.

Si les filtres de correction de couleur (jaune, bleu) ont un équivalent logiciel (voir la section « Corriger les teintes et les couleurs » au Chapitre 8) et peuvent ne pas être utilisés à la prise de vue, d'autres filtres comme le polarisant et les filtres neutres (dégradés ou non) demeurent indispensables à la réussite de vos images.

Le filtre polarisant

Le polarisant est l'un des deux filtres (avec le dégradé neutre) que le photographe paysagiste doit posséder. Le filtre polarisant a la particularité d'éliminer la lumière polarisée, ce qui a pour effet de réduire les reflets et les réflexions (sur un lac par exemple) et d'augmenter la saturation des couleurs (du feuillage notamment). Il fait perdre entre 1 et 2 IL et l'effet polarisant varie quand on fait tourner le filtre.

Circulaire ou linéaire ?

Si vous utilisez un appareil reflex (digital ou non), la réponse est claire : vous devez utiliser un filtre polarisant circulaire. Les systèmes d'exposition et d'autofocus TTL sont perturbés par la présence du filtre linéaire car il bloque 100 % de la lumière polarisée.

Choisissez le filtre qui correspond au diamètre de votre objectif. Si vous avez un objectif grand-angle, vous pourrez avoir besoin d'un filtre *slim* (mince) pour limiter le risque de vignettage. La plupart des modèles sont compatibles avec les systèmes porte-filtres, d'autres peuvent même être glissés à la base de certains super téléobjectifs.

Les filtres UV ou Skylight

Les filtres UV ou Skylight (un filtre UV très légèrement coloré) permettent de supprimer l'effet de « brume » et le « voile bleu » produit par les ultraviolets. L'amélioration de l'image est généralement très subtile, voire imperceptible, même en montagne par temps clair (présence importante d'UV). L'intérêt optique de ce filtre est limité.

C'est pourquoi la plupart des photographes qui utilisent ce filtre s'en servent avant tout pour protéger la lentille frontale de leur objectif... à condition que la place ne soit pas déjà prise par un filtre polarisant.

Les filtres de couleur

Les filtres bleus, jaunes ou orangés corrigent les dominantes et la température de couleur de l'image. Les filtres jaunâtres (la série 81) réchauffent le paysage alors que les filtres bleutés (la série 82) corrigent une lumière trop chaude. Les filtres orangés (la série 85) et les filtres bleus (la série 80) plus foncés convertissent l'image en faisant varier la température de couleur : un filtre 80A par exemple augmente la température de couleur de 3 200 K (ampoule à incandescence) à 5 500 K (lumière du jour).

Il est possible de remplacer ces filtres pour une correction apportée en postproduction avec la balance des blancs (voir la section « La balance des blancs », au Chapitre 8) et avec l'outil Filtre photo de Photoshop (voir la section « La commande Filtre photo », au Chapitre 8).

Les filtres de couleur... pour le noir et blanc sont utilisés en photographie pour augmenter le contraste de certaines couleurs de la scène. Par exemple : le filtre jaune fonce légèrement le bleu du ciel ; le filtre orange fonce le ciel et atténue la brume ; le rouge accroît le contraste entre le ciel et les nuages ; le vert augmente le contraste des rouges et éclaircit le feuillage. Vous pouvez simuler l'usage de ces filtres en post-traitement (voir la section « Conversion en noir et blanc et simulation des filtres de couleur », au Chapitre 8).

Les filtres densité neutre

Les filtres densité neutre (non dégradés) permettent de réduire la quantité de lumière qui arrive jusqu'au capteur de manière à allonger le temps d'exposition. Ces filtres sont nécessaires à l'obtention des filés de cascade ou de fontaine ainsi que pour permettre l'utilisation d'une ouverture plus grande afin d'obtenir un fond bien flou quand la lumière est trop importante.

La quantité de lumière bloquée varie en fonction des filtres et il est parfois difficile de s'y retrouver dans les dénominations des fabricants.

Tableau 2.1 : Filtres densité neutre – Tableau de correspondance

Réduction de la lumière (× fois moins)	Nombre d'IL perdus	Cokin	Hoya	B+W	Tiffen	Hitech	Lee
2	1	ND 2	ND 2	ND 0.3	ND 0.3	ND 0.3	0.3 ND
4	2	ND 4	ND 4	ND 0.6	ND 0.6	ND 0.6	0.6 ND
8	3	ND 8	ND 8	ND 0.9	ND 0.9	ND 0.9	0.9 ND
64	6	-	-	ND 1.8	-		-
500	9	ND 400	ND 400	-	-		-
1000	10	-	-	ND 3	-		-

Cette nomenclature est également valable pour les filtres dégradés neutres.

Les filtres dégradés neutres

La dynamique élevée de l'œil humain lui permet de discerner les détails d'une scène dont le contraste est d'environ 13 IL, contre 5 ou 6 IL seulement pour un boîtier numérique. Il est donc nécessaire de réduire les écarts de luminosité au maximum afin de faciliter la prise de vue, car si vous exposez pour le ciel, le reste de la scène sera trop sombre et si vous exposez pour le reste de la scène, le ciel sera trop clair. Si vous prenez une valeur d'exposition moyenne, ni le ciel ni le reste de la scène ne seront exposés correctement et il ne sera pas toujours possible de corriger ces écarts en post-traitement (voir la section « Simuler un filtre dégradé neutre » au Chapitre 8).

Les filtres dégradés ont la particularité d'appliquer dès la prise de vue une correction d'exposition différente entre le haut et le bas de l'image (1,2 ou 3 IL de différence). Ils existent avec des transitions plus ou moins progressives entre la zone la plus foncée et la plus claire du filtre.

Ils sont « neutres » car ils ne modifient pas les couleurs de l'image (du moins en principe).

Les filtres dégradés vissants

Il vaut mieux ne pas investir dans ces filtres car ils n'ont pas la flexibilité des systèmes porte-filtres : la séparation entre la partie la plus sombre est condamnée à rester au milieu de l'image et n'a d'intérêt que pour les scènes dont la ligne d'horizon se situe au milieu de l'image… ce qui est contraire aux règles élémentaires de composition.

Filtres vraiment « neutres » ?

La neutralité des filtres gris neutre, dégradés ou pas, est due au fait qu'ils absorbent toutes les couleurs du spectre lumineux en quantité égale. Du moins en théorie car certains filtres ont une dominante magenta qui peut être difficile à corriger.

➤ *Cette cascade des Highlands, en Écosse, souffre d'une dominante magenta causée par le filtre ND de Cokin (voir la sections « Corriger les teintes et les couleurs » au Chapitre 8.*

Info

Les défauts dans le dégradé du filtre se voient davantage s'il est utilisé avec un téléobjectif.

Les filtres dégradés colorés

Ils jouent le même rôle que les filtres dégradés neutres tout en ajoutant de la couleur. L'effet ne passe pas inaperçu tant il est spectaculaire... et parfois peu naturel. Préférez les tons naturels (bleu, jaune, orangé) et utilisez-les avec modération pour amplifier le bleu du ciel ou les tons chauds d'un coucher de soleil par exemple plutôt que de rajouter une couleur qui n'existe pas naturellement dans la scène.

Les systèmes porte-filtres Cokin et Lee Filters

Les systèmes porte-filtres de ces marques permettent d'insérer un ou plusieurs filtres carrés ou rectangulaires, dégradés ou non, neutres ou colorés, de les glisser plus ou moins haut et de les incliner plus ou moins devant l'objectif en fonction des besoins de la scène. Vous pourrez également insérer un filtre polarisant compatible.

Cokin et Lee Filters fabriquent deux des systèmes les plus connus et équipent la plupart des photographes paysagistes professionnels et amateurs confirmés.

Le choix du système dépend du diamètre de la lentille frontale de l'objectif et de sa focale. Si vous hésitez entre deux modèles, prenez le plus grand des deux, vous éviterez d'autant mieux le vignettage et pourrez insérer plus de guides et donc plus de filtres.

➤ *Quelques filtres dégradés colorés de Lee Filters.*

Tableau 2.2 : Comparaison des systèmes porte-filtres Cokin et Lee Filters

Taille du système	Diamètre maximum de l'objectif	Largeur du filtre	Utilisable avec une focale (équiv. 24 × 36) supérieure à :
Cokin A	62 mm	67 mm	35 mm
Cokin P	82 mm	84 mm	20 ou 35 mm
Cokin Z-Pro	**96 mm**	**100 mm**	**15 ou 20 mm**
Cokin X-Pro	118 mm	130 mm	15 mm
Lee Standard	**105 mm** *	**100 mm**	**environ 15 mm**
Lee Filters RF75	67 mm	75 mm	environ 20 mm

* autres diamètres possibles sur mesure

Si vous utilisez un objectif grand-angle d'une focale inférieure à 20 mm, vous avez le choix entre le système Z-Pro de Cokin et le système Lee (en gras dans le tableau ci-dessus). Le modèle X-Pro est plutôt destiné à la vidéo et aux boîtiers moyen et grand formats.

Lee ou Cokin ?

Le système Z-Pro de Cokin est conçu sur le même principe que le système Standard de Lee Filters. Le système de Lee est un peu plus flexible et permet la rotation indépendante de deux filtres. Il a une qualité de fabrication supérieure au système Cokin. Les filtres des deux marques sont en verre organique et présentent des qualités optiques comparables. En revanche, certains donnent l'avantage à Lee Filters pour la qualité du gris neutre (pas de dominante magenta) et la régularité du dégradé... mais pour un prix beaucoup plus élevé.

Une alternative consiste à acheter le système chez Cokin et les filtres chez Lee Filters.

Des filtres compatibles sont également fabriqués par Tiffen, Hitech et Kood. Singh-Ray, censé être le très haut de gamme (compter plus de 100 € par filtre), est la seule marque à proposer un filtre dégradé inversé, utile pour photographier les couchers de soleil sans trop assombrir la partie supérieure de l'image (ciel, nuages).

➤ *Les filtres dégradés neutres inversés de Singh-Ray, à insérer dans les systèmes Cokin ou Lee Filters.*

Divers accessoires

L'accessoire, à la différence du gadget, répond à un besoin, remplit une fonction bien précise et améliore la qualité des photos ou facilite les conditions de prise de vue. À condition bien sûr que la qualité soit au rendez-vous. Donc, investissez dans des accessoires de qualité !

Flash

Le flash intégré est très peu utilisé par les experts et les professionnels et n'équipe du reste que les boîtiers grand public. En effet, la portée et la couverture du flash intégré ne permettent pas de l'utiliser avec des zooms sans créer une ombre. Le flash intégré peut néanmoins servir comme flash maître et permettre le déclenchement à distance de flashes « esclaves » sans-fil.

Un flash « cobra » monté sur la griffe porte-flash du boîtier sera nécessaire pour la photo de portrait (fill-in) ou la photo en basse lumière. Ce flash peut aussi être utilisé en photo de paysage en mode test en profitant d'une pose longue pour éclairer quelques éléments de la scène (voir la section « Éclairage d'appoint dans la photo de paysage », au Chapitre 6).

Accessoires de visée

- **Verre de visée.** Certains boîtiers permettent de changer le verre de visée par un modèle plus spécialisé : verre dépoli de précision pour une mise au point plus précise ou verre quadrillé dit « architecte ». Ce dernier est utile au photographe paysagiste car il permet de positionner l'horizon de manière bien... horizontale dès le cadrage et vous fera gagner du temps par rapport à l'utilisation d'un niveau à bulle.

  Notez que les boîtiers les plus récents possèdent une fonction permettant l'affichage d'un quadrillage électronique dans le viseur.

- **Œilleton.** Vous pouvez également changer l'œilleton par un modèle correcteur (jusqu'à +/–6 dioptries) ou encore opter pour un œilleton antibuée.

- **Visée angulaire.** Si vous placez le boîtier très près du sol, il vous sera difficile de regarder à travers le viseur sans vous allonger par terre. Si vous avez inversé la colonne centrale de votre trépied, l'appareil sera non seulement près du sol mais aussi à l'envers, ce qui va rendre le cadrage très difficile. Un viseur d'angle peut alors vous aider.

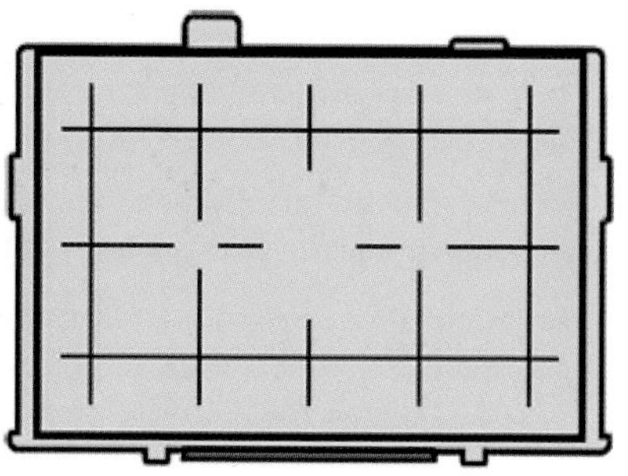

Le verre de visée EE-d pour Canon EOS 5D peut aider au cadrage.

Cet accessoire permet d'intégrer les coordonnées GPS aux données EXIF de chaque photo. Il est généralement associé à un logiciel de géolocalisation qui positionne automatiquement les photos sur une carte et déduit l'adresse postale de la prise de vue !

Dispositif de stockage nomade

Qualité et redondance

Vous ne devez pas faire de compromis sur la qualité des cartes mémoire, videurs et disques durs externes. Ne cherchez pas à économiser quelques euros, vous risqueriez de perdre le fruit de votre travail ; choisissez des marques réputées. Si vous avez un budget serré, pensez à ce que vous risquez de perdre si la carte ou le disque dur ne répond plus, pensez à cette photo que vous ne pourrez jamais refaire, au coût de votre voyage et au temps passé à le préparer.

Pour les mêmes raisons, et en fonction de ce que vos photos représentent pour vous, il est conseillé d'emporter vos dispositifs de stockage en double et de sauvegarder vos photos systématiquement sur deux supports. Vous pourrez continuer à travailler en cas de panne, de perte, de vol… ou d'erreur humaine et vous ne risquez pas de perdre toutes vos photos.

Cartes mémoire

Le type de carte mémoire importe peu car vous n'aurez d'autre choix que d'utiliser le format requis par votre boîtier.

Il existe néanmoins quantité de cartes mémoire de même format. Outre la fiabilité, vous devrez choisir la performance et la capacité de stockage de la carte.

- La performance, c'est-à-dire la vitesse d'écriture et de lecture, est exprimée en mégaoctets par seconde (Mo/s) ou en multiples de 150 ko, par exemple « ×133 », « ×300 », « ×600 » (à savoir 133, 300 ou 600 fois 150 ko/s, soit respectivement 20, 45 ou 90 Mo/s).

  La photographie de paysage n'exige pas de carte mémoire particulièrement performante car, contrairement aux photographes animaliers ou de sport, vous ne ferez pas beaucoup de photos en rafale. Une carte ×133 (20 Mo/s) est suffisante pour un boîtier de 15 Mp même en mode vidéo HD, ce dernier ne nécessitant guère plus de 5,5 Mo de débit par seconde. Les cartes plus rapides permettent cependant de gagner du temps lors des transferts vers un disque dur ou un videur de carte : près de 7 minutes sont nécessaires pour vider une carte ×133 de 8 Go, contre moins de 1,5 minute pour une carte ×600.

➤ *Cette carte CompactFlash de SanDisk est conçue pour résister aux chocs et à l'humidité et pour fonctionner à des températures extrêmes.*

- La capacité en gigaoctets (Go) de la carte détermine le nombre d'images qu'elle peut contenir. Ce nombre varie en fonction de la qualité d'enregistrement de l'image (Raw ou JPEG). Une capacité de 4 Go est suffisante, 8 Go si vous utilisez le mode vidéo. Le tableau ci-après donne quelques repères.

Tableau 2.3 : Taille des fichiers et capacité de stockage des cartes mémoire

Définition du capteur		10 MP	15 MP	21 MP
Exemple de boîtier		Canon EOS 1000D	Canon EOS 500D	Canon EOS 5D Mk II
Taille du fichier JPEG fin / Raw		3,8/9,8 Mo	5/20,2 Mo	6,1/25,8 MO
		Nombre d'images / minutes de vidéo HD		
Carte 4 GB	JPEG fin	1 028	740	620
	Raw	398	180	144
	Minutes vidéo HD	N/A	12 min	
Carte 8 GB	JPEG fin	2 056	1 480	1 240
	Raw	796	360	288
	Minutes vidéo HD	N/A	24 min	
Carte 16 GB	JPEG fin	4 112	2 960	2 480
	Raw	1 592	720	576
	Minutes vidéo HD	N/A	49 min	

D'après des données Canon.

Remarques : la taille des fichiers dépend de la scène photographiée ; la taille des fichiers pour un même nombre de pixels varie en fonction des constructeurs.

Lecteur de carte

Vous pouvez brancher votre boîtier directement sur votre ordinateur, mais vous risquez de perdre des données si la batterie de l'appareil se vide. Investissez plutôt quelques dizaines d'euros dans un lecteur de carte.

La rapidité de ce dernier dépend du port sur lequel il se branche (USB 1, USB 2, FireWire) et de la technologie de sa puce. La plupart des lecteurs récents sont compatibles avec le protocole UDMA utilisé par les cartes les plus rapides.

Videur de carte et disque dur externe

Un videur de carte est un disque dur externe autonome muni de connecteurs pour cartes mémoire qui permet de copier le contenu d'une carte à des fins de sauvegarde. Une fois les images sauvegardées (de préférence sur deux supports différents), la carte peut être effacée.

Un videur vous permettra de ne pas multiplier les cartes mémoire et de vous passer d'un ordinateur portable pour sauvegarder vos images.

La plupart des videurs sont munis d'un écran de contrôle permettant d'afficher un menu et de naviguer dans les options. D'autres possèdent un écran couleur permettant de visualiser les images, mais ils sont plus chers (le prix d'un petit ordinateur portable) et pas indispensables : l'écran est d'une qualité souvent inférieure à celui de votre boîtier et ne vous permet pas de faire une sélection précise de vos images.

Si vous voyagez avec un ordinateur portable, vous aurez besoin d'un disque dur externe pour assurer une sauvegarde sur deux supports. Notez qu'un videur de carte branché sur votre PC peut servir de disque dur externe le soir et de videur de carte dans la journée.

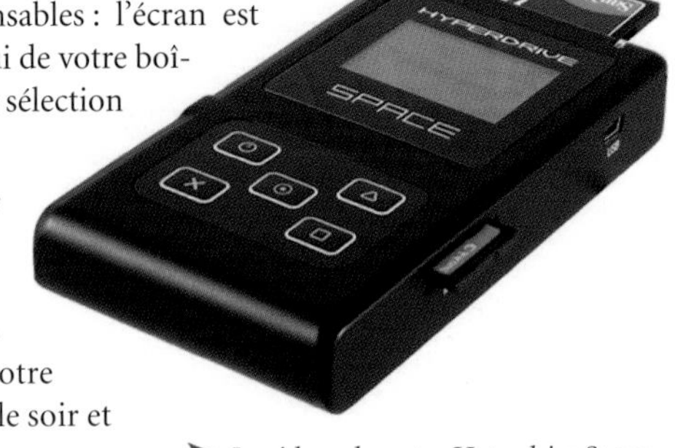

➤ *Le videur de cartes Hyperdrive Space sauvegarde vos images sur le terrain.*

Kit de nettoyage

Entretenir le matériel augmente sa durée de vie, limite le risque de panne, lui permet de maintenir une bonne valeur de revente et, pour ce qui est des objectifs et du capteur, d'éviter une baisse de la qualité des images.

Le kit de nettoyage idéal du boîtier et des objectifs :

- soufflette avec filtre ;
- pinceau brosse pour l'objectif ;
- microfibre optique ou papier optique ;
- liquide nettoyant ou lingettes imprégnées ;
- tissu absorbant pour éponger le corps du boîtier et des objectifs ;
- coton-tige pour éponger et nettoyer les joints, les parties difficiles d'accès ou les connecteurs électriques ;
- LensPen (tampon chargé de particules de carbone qui absorbent la graisse sans laisser de trace). Contient également une brosse rétractable.

Le kit de nettoyage idéal du capteur :

- soufflette avec filtre (la même que ci-dessus) ;
- pinceau en poils synthétiques ou Arctic Butterfly ;
- liquide nettoyant spécial et bâtonnets d'application.

Info

Les capteurs autonettoyants développés par les constructeurs manquent d'efficacité. D'une part, ils n'agissent pas sur les taches humides, et d'autre part ils ont surtout pour effet de déplacer la poussière mais ils ne l'éliminent pas.

Énergie

Batteries, piles et chargeurs

Il vous faudra avoir des batteries en nombre suffisant. Achetez au moins une deuxième batterie pour votre boîtier. Les batteries « compatibles » sont beaucoup moins onéreuses que les batteries d'origine et ne sont visiblement pas moins performantes.

Prenez des piles rechargeables pour les accessoires (flash, videur de carte, etc.) : c'est plus écologique et moins cher à l'usage. De plus, une prise électrique sera toujours plus facile à trouver qu'une boutique qui vend des piles.

Un chargeur de batteries est livré avec votre boîtier. Vous pourrez cependant préférer les chargeurs permettant de charger deux batteries à la fois (comme le chargeur Canon CA-PS400), ce qui vous évitera de vous réveiller en pleine nuit pour mettre une nouvelle batterie en charge.

Concernant les chargeurs pour piles LR6 et LR3, la rapidité et l'intelligence de la charge, le nombre d'emplacements et l'encombrement sont à considérer. Un chargeur de qualité ne vous laissera pas tomber sur le terrain, allongera la durée de vie des piles et pourra aussi servir à la maison.

➤ *Le Chargeur RS-900 de La Crosse Technology charge et affiche les informations de chaque batterie de manière indépendante.*

Étiquetez, numérotez

Vous risquez de devoir transporter un transformateur pour chaque appareil électrique, des batteries et piles de modèles différents. Pour éviter de vous tromper de transformateur, collez une étiquette avec le nom de l'appareil auquel il appartient : vous gagnerez du temps et éviterez d'endommager votre matériel.

Numérotez les batteries et utilisez-les par ordre croissant, cela vous permettra de distinguer les batteries à charger des batteries encore non utilisées.

Production d'énergie nomade

Si vous voyagez loin des prises de courant ou êtes en transit, vous pourrez avoir besoin d'un adaptateur allume-cigare pour charger votre batterie en voiture ou d'un transformateur 12 V-220 V pour brancher votre chargeur directement sur la batterie du véhicule.

À défaut de véhicule, l'énergie solaire sera nécessaire. Il existe de nombreux modèles de panneaux solaires portables dont certains sont souples et incassables. Un panneau générant

5 watts de puissance est suffisant pour recharger des piles et les batteries de votre boîtier, mais un modèle plus puissant (disposant d'une surface photosensible supérieure) de 12 W sera plus confortable surtout si l'ensoleillement est moyen et aléatoire. Un modèle 25 W est nécessaire pour recharger un ordinateur portable.

Transport et protection du matériel

Votre matériel est votre outil de travail, vous devez pouvoir le transporter de votre domicile à votre lieu de prise de vue et l'avoir à portée de mains pour réaliser vos images. Le sac doit pouvoir voyager, permettre un accès aisé au matériel au moment de la prise de vue tout en étant protégé des chocs, de la poussière, de l'eau (humidité, intempéries, projection d'eau), des températures extrêmes et de la lumière directe du soleil.

Les sacs photo

Il existe trois types de sac photo. Chaque type de sac est décliné dans des tailles permettant de loger un reflex et un objectif pour les plus petits et jusqu'à trois boîtiers professionnels et sept à neuf objectifs, un ordinateur portable plus les accessoires pour les plus grands.

- Le fourre-tout se porte sur l'épaule et permet un accès direct au matériel sans avoir à poser le sac. Le transport peut s'avérer peu aisé à la longue car il ne repose que sur une épaule. Certains fourre-tout se portent à la ceinture, mais les plus pratiques sont les sacs d'épaule avec ceinture à la taille pour une répartition idéale de la charge.
- Le sac à dos offre un confort de portage idéal (certains sont même équipés de roulettes) ainsi qu'une grande contenance. Ils sont également plus discrets que les fourre-tout, mais n'offrent pas d'accès rapide au matériel. Le plus souvent, il est nécessaire de poser le sac au sol pour en extraire le boîtier ou un objectif.
- Les *sling bags*, sorte d'hybride entre le fourre-tout et le sac à dos, sont apparus ces dernières années. Ils offrent un excellent compromis confort/accès au matériel, mais leur contenance reste limitée.

➤ *Le sac à dos Lowepro Pro Trekker AW II offre un excellent confort de portage.*

Notons aussi les valises en aluminium ou en plastique : leur rigidité permet une protection maximum mais elles sont plus adaptées au transport qu'à la prise de vue sur le terrain. Pratique pour voyager dans la soute d'un avion. Ne choisissez cette option que si tout votre matériel ne peut voyager en cabine et mettez dans la valise l'équipement le moins précieux et le moins indispensable.

Choisir parmi ces trois types est aussi une affaire de goût et d'habitude, mais veillez à ce que votre sac photo possède :

- une protection suffisante contre les chocs, ce qui est normalement le cas de tout sac dédié photo ;
- des compartiments intérieurs amovibles pour s'adapter à votre matériel, y compris des poches intérieures étanches pour les cartes mémoire et le matériel de nettoyage ;
- la place nécessaire pour le boîtier et les objectifs, mais aussi les accessoires ;
- une housse imperméable amovible ;
- les dimensions imposées par les transporteurs aériens pour permettre l'accès en cabine (55 × 35 × 25 cm pour un poids total de 12 kg).

Gel de silice

La housse imperméable protège le matériel de la pluie mais pas de l'humidité ambiante qui peut être importante et permanente dans les régions tropicales. Pour éviter l'apparition de moisissures sur et à l'intérieur de votre matériel, en particulier des objectifs, mettez un petit sac de gel de silice dans votre sac photo. Présenté sous forme de granulés, ce dessicant peut absorber jusqu'à un tiers de son poids en eau. Une fois saturé d'eau (certains gels changent alors de couleur), vous pouvez le régénérer en le mettant au four à 120 °C pendant quelques minutes.

➤ *La Storm Jacket Pro permet de protéger le boîtier et l'objectif de la pluie même sur un trépied. Pour les conditions extrêmes (en mer ou dans le désert), vous pouvez protéger votre appareil avec un sac étanche conçu pour la plongée sous-marine en faible profondeur comme le modèle U-AX d'Ewa-Marine.*

Les pochettes pour accessoires (filtres, cartes mémoire...)

Un grand nombre de pochettes existent pour les accessoires, que vous les transportiez dans votre sac photo ou sur vous.

- **Pochettes pour filtres.** Les protections fournies avec les filtres lors de l'achat sont souvent rudimentaires. De plus, si vous avez plusieurs filtres à protéger, les pochettes d'origine peuvent s'avérer encombrantes et peu pratiques. Une pochette style portefeuille avec parois intérieures transparentes protégera efficacement vos filtres tout en vous permettant de sélectionner rapidement le filtre désiré, qu'il soit vissant ou rectangulaire.
- **Pochettes pour cartes mémoire.** Comme pour les filtres, vous aurez certainement à protéger et gérer plusieurs cartes. Les pochettes peuvent être souples ou rigides, certains modèles sont étanches.

➤ *La pochette étanche et rigide Pelican peut contenir 4 cartes mémoire. Pensez à les numéroter pour les distinguer les unes des autres.*

Check-list matériel

La check-list suivante facilitera la préparation de votre sac photo. Commencez à l'utiliser quelques semaines avant le départ notamment pour vérifier le bon état du matériel, ce qui laissera le temps de réparer/racheter ce qui est défectueux ou manquant. Utilisez-la également au moment de faire vos bagages.

Un modèle imprimable est téléchargeable sur le site de l'éditeur, Pearson (**www.pearson.fr**), à la page consacrée à cet ouvrage, et sur **www.paysagesdunord.com/toolkit/checklist.pdf**.

Matériel	Commentaires	Vérification effectuée	Dans le sac photo ?
Boîtier			
2e boîtier	Identique au 1er, argentique, panoramique, boîtier jouet…		
Flash cobra			
Lampe torche	Pour la photo de nuit et pour le light painting		
Cartes mémoire	En nombre suffisant, numéroter les cartes pour les distinguer		
Pellicules photo	Pour boîtier argentique		

Matériel	Commentaires	Vérification effectuée	Dans le sac photo ?
Objectif grand-angle			
Objectif transstandard			
Téléobjectif			
Extender			
Macro			
Autre objectif	À décentrement/bascule, Lensbaby…		
Pare-soleil	Un pour chaque objectif		
Charte grise ou de couleur			
Filtres polarisants vissants	Un pour chaque diamètre d'objectif (77, 82 mm…)		
Filtre UV vissant	Un pour chaque diamètre d'objectif		
Système porte-filtre			
Bague d'adaptation pour syst. porte-filtre	Un pour chaque diamètre de l'objectif		
Filtre polarisant pour syst. porte-filtre			
Filtres dégradés neutres	Voir section 2 pour la liste des correspondances		
Filtre dégradés couleur			
Filtre ND8 ou ND400			
2 pinces double-clip	Pour fixer les filtres et éviter le vignettage		
Trépied			
Tête (rotule, ou « 3 axes »)			
Tête panoramique			
Système quick release	Y compris un à fixer sur le téléobjectif		
Niveau à bulle			
Minitrépied			
Déclencheur à distance			
2e déclencheur	Intervallomètre, commande radio		

Kit nettoyage boîtier, filtres et objectifs	Commentaires	Vérification effectuée	Dans le sac photo ?
Soufflette avec filtre			
Pinceau brosse pour l'objectif			
Microfibre optique ou papier optique			
Liquide nettoyant ou lingettes imprégnées			
Lens Pen			
Kit nettoyage capteur	**Commentaires**	**Vérification effectuée**	**Dans le sac photo ?**
Liquide nettoyant spécial et bâtonnets d'application	Vérifier la compatibilité du liquide avec le capteur		
Pinceau en poils synthétiques ou Arctic Butterfly			

Stockage, énergie et divers accessoires	Commentaires	Vérification effectuée	Dans le sac photo ?
Videur de carte			
2e videur de carte			
Ordinateur portable	Avec lecteur de carte mémoire		
Le transformateur de chaque appareil	Étiqueter pour identifier l'appareil correspondant		
Batteries boîtiers	En nombre suffisant, surtout par grand froid. Numéroter les batteries pour ne pas les confondre		
Batteries pour les accessoires	De préférence rechargeables		
Chargeur de batterie du boîtier	Si possible à deux emplacements		
Chargeur batteries AA, AAA…	Un seul chargeur pour plusieurs types de batteries de préférence		
Adaptateur secteur universel			
Sac étanche pour protection eau/poussière	Peut être improvisé avec un sac plastique et un élastique		
Sac plastique/sac poubelle	Suffisamment grand pour contenir le sac photo		

Stockage, énergie et divers accessoires	Commentaires	Vérification effectuée	Dans le sac photo ?
GPS			
Patch « Ouvre pot de confiture »	Pour dévisser les filtres		
Sac plastique/sac poubelle	Suffisamment grand pour contenir le sac photo		
Gaffer	Protection, réparation…		
Dessicant	Pour les séjours prolongés dans les pays tropicaux		
Bloque porte	Pour empêcher les portes de se refermer si vous photographiez au sommet d'un immeuble privé		

Protection du photographe

Vêtements

Protection contre le froid

Les extrémités sont particulièrement vulnérables et sont plus difficiles à protéger. Ne les négligez pas car avoir froid aux pieds et aux mains est la source d'un grand inconfort qui peut perturber, écourter, voire interrompre votre séance de prise de vue.

Protection des mains

Pour protéger vos mains, portez des gants. Pour être efficace le gant doit être épais, ce qui rend difficile le maniement de votre boîtier. La solution consiste à porter des gants ou mieux des moufles par-dessus une ou deux paires de gants plus fins. Vous pourrez alors retirer les gants/moufles et manier votre appareil avec précision en gardant une protection suffisante pour quelques minutes.

Optez pour des sous-gants en matière synthétique plutôt qu'en soie ou en coton et munis d'un revêtement antidérapant. Les rayons chasse ou alpinisme d'un magasin de sport offrent de bonnes solutions.

Protection des pieds

Des chaussures adaptées alliant confort (de marche), isolation thermique et protection contre l'humidité, et si possible respirantes, sont essentielles dans les milieux froids. Si une bonne paire de chaussures de marche (moyenne montagne) protège correctement jusqu'à des températures légèrement négatives (surtout si vous marchez), vous devrez investir dans des chaussures spéciales au-delà de –10 °C.

Certaines de ces chaussures, comme le modèle Caribou de Sorel, ont la particularité de posséder un chausson en feutre amovible (avec un film métallisé) qu'il est possible de retirer et de faire sécher. La chaussure extérieure est en cuir (matière naturellement respirante) ou en matière synthétique. Elle possède une protection en caoutchouc garantissant une protection contre l'humidité ainsi qu'une semelle très épaisse (parfois en feutre !) indispensable pour isoler les pieds du contact direct avec le sol gelé. Prenez une taille de plus pour pouvoir rajouter une paire de chaussettes épaisses, en laine ou en matière synthétique.

Chauffe-mains chimique

En cas de grand froid, optez pour un chauffe-mains chimique. Une fois agité, le produit chimique que contient le sachet génère de la chaleur pendant plusieurs heures. Il existe des sachets de petite taille qui peuvent se glisser dans les chaussures.

➤ *Chauffe-mains chimique.*

Protection contre la chaleur et la pluie

La protection contre la chaleur ne représente pas de difficulté particulière, des vêtements légers plutôt clairs feront l'affaire. Veillez avant tout à vous protéger contre le soleil avec un chapeau à large bord. Optez pour le pantalon et les manches longues pour limiter le recours à la crème solaire et aux lotions anti-moustique, votre matériel vous en remerciera.

Les vêtements *outdoor* ont résolu la quadrature du cercle depuis l'apparition des revêtements respirants de type GoreTex : ils offrent une excellente protection contre la pluie et le vent tout en permettant l'évacuation de la transpiration. Ils sont en outre légers et souples.

Lunettes de soleil

Que vous soyez dans un pays chaud ou froid, à la mer ou à la montagne, vous aurez besoin de lunettes de soleil. Choisissez des lunettes dont les verres sont gris (plutôt que verts ou marron), pour assurer une meilleure neutralité des couleurs, et qui couvrent bien le champ de vision pour éviter les lumières latérales gênant la prise de vue. Au besoin, faites faire une paire solaire à votre vue car des surlunettes vous empêcheront de voir entièrement l'image dans le viseur. Attention, les verres solaires polarisants sont incompatibles avec le filtre polarisant placé sur votre objectif.

3

Préparer votre voyage et définir votre itinéraire

L'essentiel du travail nécessaire à la réussite d'une image se fait avant même d'avoir l'appareil en main. Car s'il est tentant de se laisser porter par les événements, une bonne planification vous permettra de gagner du temps (ou de ne pas en perdre), d'anticiper et finalement d'augmenter vos chances de vous trouver au bon endroit au bon moment.

TYPE DE VOYAGE

Vous avez à ce stade peut-être déjà choisi votre destination. Que vous partiez seul, avec un groupe de photographes ou en famille, que la photographie soit le but premier de votre voyage ou pas, quelques détails restent à régler.

Le moyen de transport

Si vous n'optez pas pour une randonnée ou un trek, vous devrez choisir un moyen de transport. C'est un facteur important dans la réussite de votre projet et si votre budget le permet préférez un véhicule personnel aux transports en commun qui manquent de flexibilité. Un bus ne s'arrête pas sur le bord de la route pour vous laisser prendre une photo et ses horaires de circulation sont rarement compatibles avec les horaires du photographe.

Consultez l'état des routes et des pistes pour vérifier si elles sont praticables et choisissez si besoin un véhicule tout-terrain, un itinéraire alternatif ou un autre moyen de transport. Les pistes des pays tropicaux sont souvent impraticables à la saison des pluies et certains cols de montagne sont parfois fermés en hiver.

Le type de logement importe peu du moment que votre hôtel, B&B ou auberge de jeunesse ne se trouve pas trop loin des points d'intérêt qu'il vous faudra rejoindre au petit matin. Un camping-car est une bonne idée, il est souvent possible d'en louer, comme en Islande. La tente offre une flexibilité maximum et peut rentrer dans la composition de vos photos : une tente jaune ou rouge sera du meilleur effet.

DOCUMENTATION

La documentation est l'élément-clé de la planification. La qualité et la pertinence des informations recueillies avant le départ vous permettront de faire les meilleurs choix. Il s'agit de connaître votre destination presque comme si vous y étiez déjà !

Cartes routières et cartes topographiques

Elles sont essentielles pour appréhender la géographie des lieux et situer les points d'intérêt durant la phase de préparation. Elles vous permettront de savoir avec précision où vous vous trouvez une fois sur place.

Prenez une carte aussi précise que possible, plusieurs si nécessaire : elles doivent montrer le relief (si possible sous forme de courbes de niveau), les routes et chemins secondaires, les villages et habitations isolées, les infrastructures (barrages, éoliennes...), les points d'intérêt touristiques comme les menhirs et les itinéraires panoramiques par exemple. Une carte mentionnant les pompes à essence est nécessaire pour voyager sur les pistes en Islande.

Guides pratiques et visuels

Il en existe deux types :

- **Les guides pratiques.** Du type *Guide du routard* et *Lonely Planet*, ils sont peu illustrés mais donnent des conseils détaillés et très à propos concernant les déplacements, l'hébergement, la restauration, etc. Ils indiquent les points d'intérêt, donnent les horaires d'ouverture ainsi que des informations sur les activités possibles... Ils vous montrent les pièges dans lesquels ne pas tomber.
- **Les guides illustrés.** Du type *Guide voir* chez Hachette : la richesse et la qualité des illustrations (cartographie 3D, éclatés des monuments, photographies...) sont une véritable invitation au voyage et vous donneront rapidement un aperçu des lieux.

Les cartes, guides pratiques et guides illustrés jouent chacun un rôle différent dans l'organisation et la planification de votre voyage. Il est conseillé d'avoir un exemplaire de chacun de ces ouvrages avec soi.

Sites Internet

Aussi complets soient-ils, les guides et les cartes ne peuvent à eux seuls répondre à toutes vos questions.

Avec Géoportail de l'IGN pour la France et Google Earth vous trouverez des vues aériennes. Sur Google Images, vous trouverez des photographies de votre destination ; avec Google Maps une vue de l'adresse que vous avez rentrée, et Google Podomètre vous aidera à calculer les distances entre deux lieux...

➤ *La baie du Mont-Saint-Michel en 3D avec Géoportail d'IGN.*

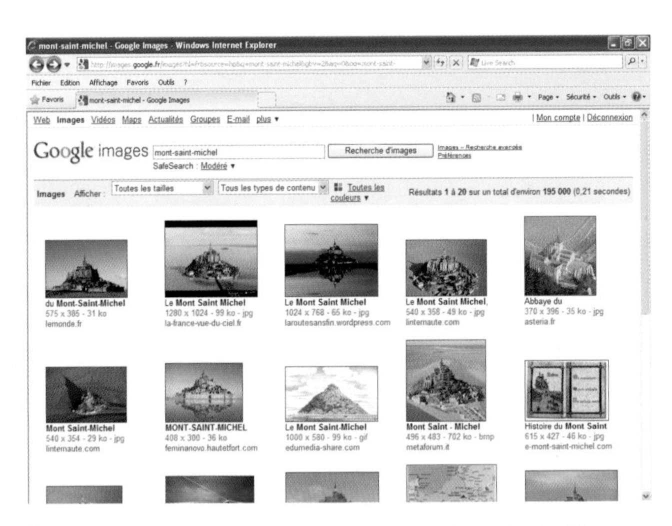

➤ *Google Image est un excellent outil pour une première recherche d'images.*

Les *travelogs* et forums de discussion vous permettront de recueillir l'avis d'autres voyageurs, les webcams vous fourniront une image en temps réel du lieu...

Les ressources Internet sont quasi illimitées, alors n'hésitez pas à passer quelques soirées à surfer sur votre destination. Donnez-vous des objectifs et utilisez Internet pour répondre à des requêtes précises : recueil d'images, recherche d'hébergement, location de voiture, recherche de témoignages...

DÉFINIR UN ITINÉRAIRE

Il ne s'agit pas de préparer un planning heure par heure mais plutôt de choisir les lieux ayant un fort potentiel photographique et de prévoir d'y passer le temps nécessaire pour y réaliser la bonne photo.

Il est tentant de visiter les sites rapidement pour voir le maximum de choses, mais en voulant voir plus on finit surtout par photographier moins ou en tout cas moins bien, on se contente d'effleurer le sujet, passant à coup sûr à côté de l'essence des lieux et on produit ainsi des images déjà vues et déjà faites.

Pratiquez de la manière suivante :

- Listez les sites incontournables pour la réalisation de votre projet.
- Pointez ces lieux sur la carte que vous emporterez avec vous.
- Reliez les points entre eux par la route qui vous paraît la plus pertinente.
- Associez une date prévisionnelle d'arrivée à chaque point d'intérêt. Accordez au minimum deux jours à chaque site et prévoyez du temps pour le retour !

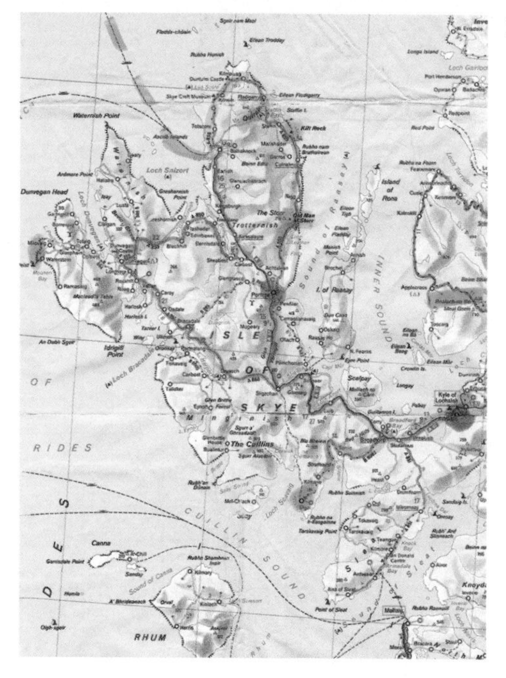

L'itinéraire prévu avant le départ pour l'Île de Skye, en Écosse, met en évidence les points d'intérêt à visiter.

Astuce

L'itinéraire pertinent entre deux sites n'est pas nécessairement le plus court : sans faire trop de détours et si vous avez le choix, privilégiez les routes touristiques aux axes principaux, le trajet peut vous réserver des surprises. Gardez cependant à l'esprit que votre destination est votre priorité.

LE STORY-BOARD

Le story-board n'est pas seulement un pense-bête, il vous permettra aussi de prévisualiser les images que vous voulez faire. C'est l'occasion de mieux définir votre projet (quel type de paysage voulez-vous photographier ?) et de vous montrer créatif (quelles photos ont déjà été faites ?). Il vous permettra aussi de vous motiver. Conservez-le avec vous pendant toute la durée de votre voyage.

Pour la préparation, recherchez les images qui correspondent le mieux à votre projet. Privilégiez les belles images (elles vous inspireront) mais aussi les images informatives, comme un point de vue innovant, et rassemblez-les dans un seul document. Au besoin, faites un schéma des clichés que vous souhaitez réaliser et marquez le point de vue et l'orientation sur la carte avec une flèche.

Internet est votre meilleure source : consultez Google Images, les galeries photo des forums de discussion ou les banques d'images et notez où les photos ont été prises.

Certaines photos peuvent nécessiter du matériel spécifique : objectif fish-eye, éclairage d'appoint, matériel de fixation...

➤ *Emportez le story-board avec vous sur le terrain : c'est une source d'information mais aussi d'inspiration.*

Check-list papiers / Accessoires de voyage

Matériel	Commentaires	Dans le sac photo ?
Passeport avec visa le cas échéant	Vérifier la date d'expiration du passeport et prévoir le temps nécessaire à l'obtention du visa	
Carte d'identité	Peut remplacer le passeport dans de nombreux pays	
Permis de conduire	Un permis de conduire international	
Billet d'avion	Le cas échéant	
Confirmation de réservation	Logement, voiture de location, etc...	
Carte de crédit	Augmenter le plafond de paiement si nécessaire	
Autres moyen de paiement	Une petite quantité d'argent liquide, traveler's check	
Carte d'étudiant	Le cas échéant !	
Carnet de vaccination international	Pour les rares pays où des vaccins sont obligatoires	
Carte de membre réseau d'auberges de jeunesse	Donne accès à des réductions	
Photocopie des papiers d'identité	À conserver séparément	
Carte de visite	Pour donner aux contacts rencontrés sur place	
Carnet d'adresses	Pour envoyer des cartes ou pour contacter un proche en cas de besoin	
Coordonnées assurances (rapatriement, annulation, voyage, matériel...)	Une carte est normalement fournie en contractant une police d'assurance rapatriement	
Coordonnées de votre banque, de vos comptes et des accès Internet de votre banque en ligne	Pour consulter le solde et effectuer des virements	
Copie des ordonnances de médicaments, coordonnées du médecin traitant	Parfois nécessaire en douane, permet de se réapprovisionner sur place. Utile en cas d'hospitalisation.	
Téléphone portable	Activer l'option internationale pour pouvoir émettre des appels de l'étranger. Vérifier la compatibilité du téléphone et la couverture du réseau sur **http://gsmworld.com/roaming/gsminfo/index.shtml**	
Crayon et petit bloc-note		
Documents de douanes (Carnet ATA, factures du matériels...)	Uniquement si vous transportez une grande quantité de matériel	
Guides touristiques et cartes géographiques		
Le guide « Zoom sur la Photo de paysage »	Indispensable !	

Partie II

Sur le terrain : la chasse à l'image est ouverte !

Optimiser votre présence sur le terrain

DERNIÈRES RECHERCHES DOCUMENTAIRES ET PRISE DE NOTES

Les informations que vous trouverez sur place complètent le travail de recherche effectué avant le départ et vous aideront à légender vos images une fois de retour à la maison.

Les offices de tourisme, librairies et autres boutiques de souvenirs sont une excellente source d'informations. Vous pourrez y consulter des livres de photos, guides touristiques, cartes postales et autres brochures et enrichir ainsi votre story-board. Profitez aussi des rencontres avec les autochtones, les touristes et les photographes pour échanger les bons plans.

La prise de notes sur le terrain facilitera le travail de légendes de vos images et/ou l'écriture d'un article tout en évitant les erreurs et les approximations :

- Emportez un carnet de notes et un crayon à papier (plutôt qu'un stylo qui pourrait fuir).
- Utilisez votre appareil comme bloc-notes et photographiez le panneau à l'entrée d'un village ou les panneaux d'informations : horaires d'ouverture, informations touristiques...

➤ *Les cartes postales ne sont pas toujours d'une grande qualité esthétique, mais elles représentent une source d'information à ne pas négliger.*

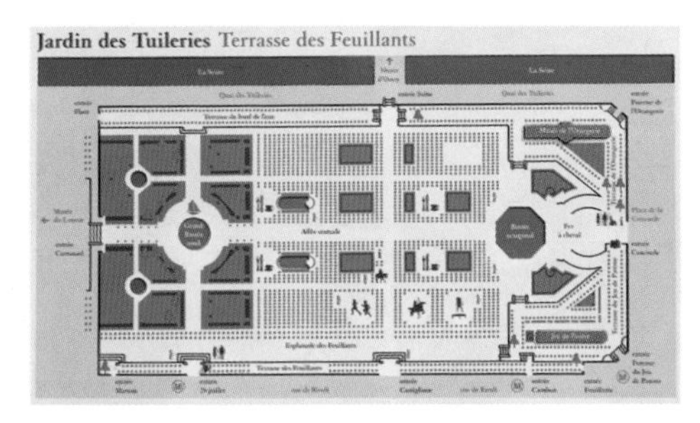

➤ *Ce panneau d'information touristique du parc des Tuileries, à Paris, peut vous permettre de mieux photographier les lieux et vous aider à légender vos images après votre voyage.*

➤ *J'ai trouvé cette idée de cadrage sur une des cartes postales que j'ai méthodiquement examinées dans une boutique de souvenirs. Je n'aurais certainement pas choisi de passer du temps dans cette petite rue de Brooklyn sans cette recherche de terrain.*

Utiliser une carte détaillée pour déterminer les conditions de prise de vue

- *Tenez compte du relief : une colline offre un point de vue idéal ; un site encaissé ne sera certainement éclairé qu'en milieu de journée.*
- *Vérifiez l'orientation du lieu que vous voulez photographier : est-il préférable de s'y rendre le matin ou l'après-midi ? Sur quelle rive, de quel côté de la vallée vaut-il mieux se placer ?*

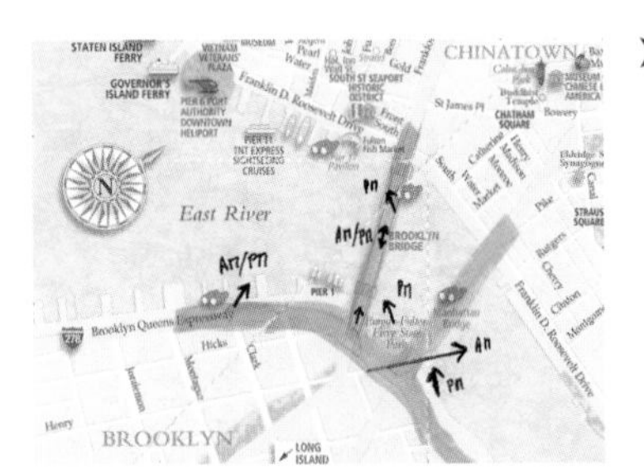

➤ *Notez les endroits à visiter et les heures les plus favorables pour les photographier directement sur vos cartes.*

PRÉVISIONS MÉTÉO

Comme pour choisir la date de votre voyage, les précipitations et l'ensoleillement sont les données les plus importantes une fois sur le terrain car elles définissent en grande partie la nature de la lumière en présence.

Patience est vertu en photographie de paysage… mais il est parfois inutile d'insister ! Prévoir les conditions météo de quelques minutes à quelques jours permet d'attendre à bon escient ou au contraire de changer votre planning et au final d'améliorer la quantité et la qualité de votre production d'images.

Les prévisions météo de 1 à 3 jours

Prévoir le temps de 1 à 3 jours permet de vous adapter à la situation si le temps qu'il fait n'est pas celui dont vous rêviez et si les prévisions ne permettent pas d'escompter une amélioration rapide :

- Vous déplacer de 50 ou 100 km peut être suffisant pour échapper à une dépression et trouver des conditions de lumière plus favorables.
- Profitez des microclimats existant en bord de mer ou sur les îles (ou évitez-les).

- Préparez un départ matinal si des conditions favorables à un lever de soleil spectaculaire ou à l'apparition de brume matinale sont prévues.
- Si vous êtes en montagne, prenez de l'altitude pour dépasser la couverture nuageuse (comme en avion) : grand soleil et vue spectaculaire garantis. Pensez également à changer de vallée : les microclimats sont fréquents en montagne.

Comment prévoir la météo de 1 à 3 jours

Prévoir la météo n'est pas difficile… c'est juste parfois un peu aléatoire ! Voici quelques sources d'informations :

- **Internet.** Quantité de sites gratuits et très précis sont à votre disposition. Demandez aux locaux ceux qu'ils consultent.
- **Les locaux.** Demandez-leur ce qu'ils pensent du temps à venir et ce qu'indique leur baromètre. Ils ont l'habitude de prévoir le temps surtout s'ils sont marins ou agriculteurs.
- **L'observation du ciel.** Il va faire beau si les traînées de condensation des avions se résorbent facilement et si de petits cumulus (ciel de traîne) apparaissent en fin de matinée ou se forment dans l'après-midi *(« Arc-en-ciel du soir, fait beau temps prévoir »)*. Au contraire, le temps se dégrade quand les petits cumulus se teintent de rouge ou de mauve au coucher du soleil.
- **L'observation des animaux et des insectes.** Le mauvais temps arrive quand les oiseaux se lissent les plumes, quand les hirondelles volent bas, les fourmis se déplacent à la queue leu leu ou quand les oiseaux de mer rejoignent les côtes. Au contraire, si les coccinelles apparaissent et si les araignées tissent leur toile, c'est que le beau temps s'installe.
- **L'observation des plantes.** La pluie arrive si les feuilles de laitue s'ouvrent et si les pommes de pin resserrent leurs écailles.
- **L'observation de la lune.** Une lune entourée par un halo est signe de pluie *(« Lune cerclée, pluie assurée »)* ; brillante au contour net, elle annonce un temps beau et froid *(« Lune claire, luisante et blanche, promet journée franche »)*.

➤ *Weather Pro est une des meilleures applications météo pour iPhone. Elle vous rendra des services sur le terrain.*

Quoi qu'il en soit, ne prenez pas les prévisions à la lettre : elles peuvent se tromper de quelques heures… ou de quelques kilomètres et n'indiquent pas forcément le temps du lieu où vous vous trouvez mais de la station météo la plus proche.

*Le site météo Weather Underground (**www.wunderground.com**) est remarquablement documenté et fournit des prévisions heure par heure même dans les lieux reculés. Un téléphone portable avec un accès Internet vous permet d'accéder à l'information en temps réel.*

La formation de la brume et du brouillard

La brume se forme quand l'humidité présente dans l'air ambiant se condense.

La brume apparaît au-dessus d'un lac, de la mer, d'une rivière ou d'un marais (ou au-dessus d'un paysage rendu humide par la pluie) après une journée chaude (évaporation de l'eau) suivie d'une nuit froide (condensation de la vapeur d'eau), généralement une nuit claire.

Demandez-vous si les conditions sont réunies et préparez-vous à un départ matinal ; la brume disparaît rapidement après l'apparition du soleil et du vent.

Canon EOS 30, Velvia 50 ISO, zoom 28-135 mm, env f/5.6, 1/30 s

Le brouillard confère au paysage une atmosphère particulièrement recherchée.

La météo à quelques minutes ou quelques heures

Voici quelques méthodes pour reconnaître et anticiper les changements de temps ; un point de vue élevé et/ou dégagé facilite l'observation :

- Déterminez la direction et la force du vent : un vent fort est synonyme de changement rapide et peut déchirer les nuages et provoquer une éclaircie.
- Évaluez la présence et la nature de la couverture nuageuse à venir : cherchez la ligne de front ; les nuages noirs et bien découpés sont préférables à une couverture nuageuse grise uniforme.
- Tenez compte de la course du soleil : il pourrait se diriger vers une zone dépourvue de nuages. Les couchers ou levers de soleil les plus spectaculaires surviennent quand la couverture nuageuse est importante et quand le soleil finit par apparaître au-dessus de l'horizon.
- Recherchez d'éventuels changements de température de couleur ou d'intensité lumineuse quand la couverture nuageuse est importante, cela est souvent le signe d'un changement à venir.
- Observez au loin les déplacements de la lumière au sol : elle pourrait bien se diriger vers le point d'intérêt du paysage.

Canon EOS 30, Velvia 50 ISO, zoom 24-105 mm, polarisant, dégradé neutre, env. f/8, 1/60 s

➤ *J'ai attendu que l'éclaircie qui parcourait le paysage atteigne le château avant de déclencher. Castle Stalker, Écosse.*

Canon EOS 30, Velvia 50 ISO, zoom 17-40 mm, polarisant, dégradé neutre, env. f/16, 1/2 s

➤ *Une percée du soleil à l'horizon par temps nuageux peut-être très spectaculaire. D'autant plus si le soleil illumine un site aussi remarquable que les alignements mégalithiques de Callanish (Isle of Lewis, Écosse).*

Photographier après une averse

L'averse permet de débarrasser l'atmosphère de l'humidité, de la poussière ou de la pollution qu'elle contient : le contraste est augmenté, les couleurs sont plus saturées et les détails plus visibles, ce qui augmente l'impression de netteté de l'image finale.

LES HEURES LES PLUS INTÉRESSANTES

Les heures les plus intéressantes pour le photographe de paysage (les « heures en or ») se situent une ou deux heures avant et après le lever et le coucher du soleil. Il est important de garder à l'esprit que la nuit ne survient pas immédiatement après le coucher du soleil ni le jour après l'apparition de celui-ci au-dessus de l'horizon. C'est à ces heures que les photographes réalisent leurs plus beaux paysages et vivent leurs plus belles expériences.

Le lever et le coucher du soleil

On considère que le soleil se couche ou se lève quand il se situe entre 0 et 20° au-dessus de l'horizon. C'est à ce moment que la lumière du soleil devient rouge orangé. La durée du coucher et du lever du soleil varie selon la saison et la latitude. Elle est courte à l'équateur car le soleil se couche perpendiculairement à l'horizon, il lui faut peu de temps pour parcourir les 20° qui le séparent de l'horizon alors qu'à des latitudes plus élevées, le coucher du soleil peut durer plusieurs heures.

Le crépuscule

Le crépuscule est le moment de la journée pendant lequel la lueur des rayons du soleil est visible dans le ciel alors qu'il n'est pas encore levé ou qu'il vient de se coucher. Le crépuscule dure environ 45 minutes à l'équateur, mais il dure toute la nuit au-delà du cercle polaire en hiver.

La durée du crépuscule varie aussi en fonction de la saison et de la latitude. Vous pouvez connaître la durée du crépuscule en consultant les données astronomiques de certains sites météo. Il vaut mieux se rendre sur site pour le début du crépuscule plutôt que pour le lever du soleil, vos chances de faire des bonnes photos seront plus grandes.

Contrairement à une idée reçue, la lumière du matin est identique à celle du soir. Cela dit, les conditions de prise de vue sont souvent différentes : la brume et le gel sont plus fréquents le matin que le soir ; les rues, plages et monuments moins fréquentés le matin.

Astronomie for 1 octobre 2010:

	Rise:	Set:
Temps réel:	06:50 CEST	18:04 CEST
Crépuscule civil:	05:55 CEST	18:59 CEST
Crépuscule nautique:	04:49 CEST	20:04 CEST
Crépuscule astronomique:	03:34 CEST	21:18 CEST
Lune:	20:00 CEST (10/1)	18:17 CEST (10/1)
Length Of Visible Light:	13h 03m	
Longueur du jour:	11h 14m	

➤ *Plutôt que l'heure du lever ou du coucher du soleil, prenez en compte l'apparition de la lumière visible (crépuscule civil). Ici à Kiruna en Laponie suédoise, la lumière visible apparaît 55 minutes avant le lever du soleil et persiste 55 minutes après le coucher. Cette lumière ambiante peut être d'une grande qualité.*

Canon EOS 30, Velvia 50 ISO, zoom 17-40 mm, polarisant, dégradé neutre, env. f/16, 4 s

➤ *Cette photo du port d'Henningsvaer dans les îles Lofoten, en Norvège, a été prise plus de 30 minutes avant le lever du soleil.*

L'heure bleue

Ce moment très particulier du crépuscule, qui n'est plus la nuit mais pas encore le jour, remplit le ciel d'un bleu subtil au moment où les oiseaux s'arrêtent de chanter. Cette lumière particulièrement délicate est très prisée des photographes mais aussi des cinéastes (Éric Rohmer), chanteurs (Françoise Hardy, Jean-Louis Aubert) et autres parfumeurs (Guerlain) : on dit que c'est à cette heure qu'on peut le mieux sentir le parfum des fleurs.

Canon EOS 30, Velvia 50 ISO, zoom 17-40 mm, env. f/8, 2 s

➤ *L'heure bleue sur une plage de l'île Maurice.*

La marée

Vérifiez les horaires des marées. Certains paysages sont plus intéressants à marée haute, d'autres à marée basse. De plus, certains endroits ne sont accessibles qu'à marée basse.

La marée basse laisse une plage sans trace de pas (mais parfois avec des algues et des déchets venus de la mer) et offre souvent des motifs graphiques dans le sable comme des minivagues ou des effets moirés.

À la marée descendante, les galets sont encore mouillés et des flaques d'eau pouvant rentrer dans la composition de l'image et refléter la lumière n'ont pas disparu.

Attention

Ne vous laissez pas surprendre par la marée montante : si la mer se retire très loin à marée basse, elle reviendra d'autant plus vite à la marée montante ; parfois aussi vite, dit-on, qu'un cheval au galop comme au Mont-Saint-Michel.

Canon EOS 30, Velvia 50 ISO, zoom 17-40 mm, polarisant, dégradé neutre, env. f/16, 1/2 s

➤ *L'effet moiré sur cette plage de Ramberg dans les îles Lofoten, en Norvège, est dû à la différence de densité des grains de sable.*

PROFITER DES TEMPS MORTS

Une fois sur le terrain, votre production photographique est votre priorité : consacrez les heures les plus favorables à la prise de vue et réservez le mauvais temps ou le milieu de journée à la logistique et à d'autres activités comme :

- **Le nettoyage du matériel et l'archivage** (vidage cartes mémoire, sauvegarde).
- **Le repérage des lieux.** Un bon repérage permet de trouver des sujets à photographier (essayez d'imaginer le paysage avec une belle lumière), de choisir le point de vue et le cadrage avec soin. Il permet également de vérifier les conditions d'accès aux différents lieux. Notez le temps qu'il faut pour vous y rendre : trajet, ascension, file d'attente (il faut prévoir deux heures d'attente pour arriver en haut de l'Empire State Building à New York par exemple), vous éviterez d'arriver en retard.
- **La recherche d'un hébergement.** Si vous faites un voyage itinérant, recherchez un hôtel ou un B&B tôt dans la journée, vous aurez l'esprit plus tranquille, vous pourrez vous consacrer entièrement à la prise de vue et éviterez de dormir à la belle étoile !
- **L'expérimentation.** Essayez le « zooming » (prise de vue en vitesse lente pendant que vous zoomez), testez la prise de vue au flash, etc.
- **Le repos.** Comme vous vous levez tôt, une sieste en milieu de journée vous permettra de récupérer.
- **Les visites culturelles.**

La suppression des images

Il est préférable d'effectuer le tri des images et leur éventuelle suppression une fois de retour à la maison. Vous aurez plus de recul et éviterez d'effacer des images un peu trop vite dans le feu de l'action. Vous pouvez aussi protéger les meilleures images d'une carte mémoire en les verrouillant pour empêcher tout risque d'effacement.

La découverte des images prises dans la journée

Vous pouvez profiter des temps morts pour consulter sur l'écran LCD de votre boîtier, sur votre videur de carte ou sur votre ordinateur les images prises, dans le but de faire un bilan de la journée. Comparez votre production avec votre story-board, repérez les éventuelles erreurs techniques.

Vous pourrez corriger le tir d'un point de vue technique et compléter votre série avec les images manquantes.

5

Utiliser votre matériel sur le terrain

UTILISER VOTRE BOÎTIER

La mise au point

Conseils d'utilisation de l'autofocus (AF) :

- Vérifiez que le bouton mode de mise au point sur l'objectif est bien en position autofocus.
- Choisissez le collimateur AF chargé de la mise au point ; par défaut le collimateur central.
- Visez le sujet avec le collimateur AF et appuyez à mi-course sur le déclencheur jusqu'au signal de mise au point.
- Si besoin, recadrez pour obtenir la composition souhaitée tout en maintenant le déclencheur enfoncé à mi-course. Déclenchez.
- Si l'AF a du mal à faire la mise au point (il « patine »), faites la mise au point sur une zone contrastée.

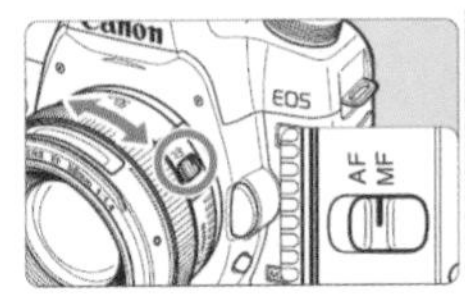

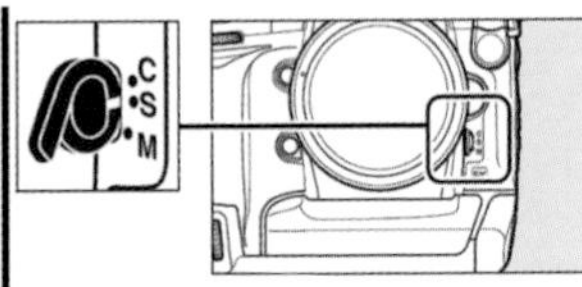

La sélection du mode de mise au point manuelle se fait sur l'objectif (chez Canon) et parfois directement sur le boîtier (chez Nikon).

Le mode Manuel est utile dans les cas suivants :

- L'AF « patine » car le sujet manque de contraste : brouillard, ciel bleu, basse lumière…
- Un obstacle se trouve entre le sujet et le boîtier : branches d'arbre, grille, vitre mouillée ou sale...
- Après une mise au point AF pour déclencher le moment venu sans activer l'AF.

  Dans ce cas, basculez l'objectif en mode Manuel et utilisez la bague de mise au point de l'objectif. Jugez du résultat dans le viseur ou avec Live View.

Contrôler la netteté

Si vous avez un doute sur la netteté des images (flou de bougé ou de focus), vous pouvez contrôler les images grâce aux outils suivants :

- **Live View.** Cette fonction permet d'afficher sur l'écran LCD l'image cadrée en temps réel au moment de la mise au point. Zoomez dans l'image pour vérifier la qualité de la mise au point autofocus et affiner le cas échéant.
- **L'écran LCD.** Une fois la photo prise, visualisez l'image et zoomez. Recherchez des points lumineux, des écritures ou d'autres éléments contrastés pour faciliter le diagnostic.

Astuce

Dans les situations extrêmes, le mode rafale peut vous permettre d'obtenir quelques images nettes. C'est particulièrement utile en basse lumière à main levée et quand un vent violent ne garantit plus la stabilité du matériel, même installé sur le trépied.

La prise de vue à main levée

La photo à main levée est le mode de prise de vue le plus pratiqué et même si les limites de la technologie sont sans cesse repoussées, les risques de bougé demeurent. Voici quelques conseils pour améliorer votre stabilité :

- Utilisez votre bras comme équerre en appuyant votre coude contre votre poitrine.
- Appuyez le boîtier contre votre front.
- Enroulez la sangle autour de votre main en laissant le moins de jeu possible.
- Tenez-vous bien droit avec un pied en avant pour assurer un bon équilibre.
- Appuyez-vous contre un arbre ou un mur si besoin.

Astuce

Le tir à l'arc ou à la carabine (pensez aux tireurs d'élite) sont d'excellents moyens d'améliorer vos performances à main levée et de limiter les flous de bougé dus au déclenchement.

Le déclenchement

Déclencher est peut-être simple, mais c'est une source importante de flou de bougé.

Le déclenchement à main levée se fait en quatre temps :

1. Posez l'index sur le déclencheur sans exercer de pression.
2. Appuyez à mi-course en pointant le sujet pour déclencher l'autofocus et la mesure de la lumière, maintenez le déclencheur enfoncé. Procédez éventuellement à un recadrage.
3. Déclenchez en appuyant fermement mais sans à-coup. Seul l'index bouge ; le coude et l'épaule doivent rester immobiles !
4. Relâchez doucement après avoir marqué un temps d'arrêt après la fin de l'exposition. Cette dernière n'est finie qu'après le second clic, quand le miroir reprend sa position initiale.

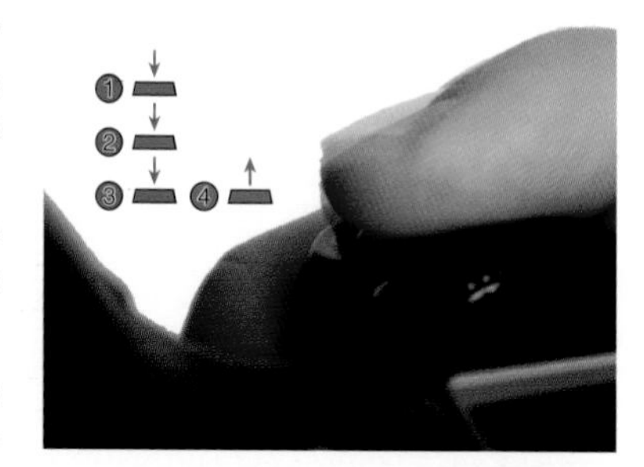

➤ *La quatrième étape, souvent négligée, est une source fréquente de flou de bougé.*

Astuce

Retenir sa respiration au moment de déclencher est efficace, mais cela risque de perturber le rythme de votre respiration : il vaut mieux déclencher à la fin de l'expiration.

Avant de déclencher :

- Faites le tour du viseur et assurez-vous qu'aucun élément ne perturbe la composition.
- Demandez-vous ce que vous photographiez, pourquoi cette scène, ce cadrage attire-t-il votre attention, ce que vous voulez dire ou montrer.
- Enfin, demandez-vous comment vous pourriez photographier cette scène autrement, posez-vous éventuellement la question plusieurs fois.

Le moment décisif

Le moment décisif décrit par Henri Cartier-Bresson s'applique aussi à la photographie de paysage : outre une bonne lumière, les éléments mobiles d'une scène (vagues, oiseaux, véhicule, personnage...) concourent à la composition d'une image. Une longue attente peut être nécessaire pour saisir ce moment unique et furtif pendant lequel tous les éléments de la scène sont idéalement placés.

Retardateur

La durée standard du retardateur est de 10 secondes. Certains boîtiers offrent un retardateur 3 secondes : il est utile car cela évite de perdre 7 secondes à chaque prise de vue. Mais les 3 secondes sont parfois insuffisantes pour voir disparaître les vibrations du déclenchement, surtout avec une longue focale installée sur un trépied. Le déclencheur à distance demeure la meilleure option.

La bonne exposition

Qu'est-ce que la « bonne » exposition ? C'est avant tout l'exposition qui vous permet d'obtenir l'image recherchée. Si vous voulez restituer le gris du nuage tel quel et que la photo prise reproduit le gris tel que vous le voyez, cela signifie que vous avez utilisé la bonne exposition. Vous pouvez parfaitement vouloir assombrir le nuage pour le rendre plus dramatique et choisir alors des paramètres en conséquence.

Dans les deux cas, et bien que les réglages soient différents, l'exposition n'en reste pas moins « bonne » et maîtrisée car elle vous a permis d'obtenir le résultat recherché.

Exposer pour les hautes lumières et recourir à la postproduction pour les ombres

Le capteur numérique, à l'instar de la pellicule diapositive, a une dynamique réduite. Si la scène est très contrastée, il faut exposer pour garder du détail dans les hautes lumières quitte à sous-exposer les ombres. Ces dernières sont plus facilement récupérables en postproduction que les hautes lumières.

Exposition Automatique ou Manuelle ?

Les automatismes des appareils modernes, en particulier l'exposition, fonctionnent très bien. Pour le paysage, sélectionnez le mode d'exposition évaluative matricielle et travaillez en mode Priorité ouverture ou Priorité vitesse selon les cas.

Le mode Manuel (ou plutôt semi-automatique car on utilise toujours au moins une indication de la cellule) est à réserver aux exceptions : les cas difficiles qui trompent le boîtier (contre-jour, sujet clair et de taille réduite contrastant fortement avec le reste de l'image) ou pour apporter votre touche personnelle (high ou low-key, sous-exposition volontaire, etc.). Dans ce cas, utilisez la mémorisation d'exposition ou la correction d'exposition (voir les sections « La correction d'exposition » et « La mémoire d'exposition », au Chapitre 2).

Photographier en contre-jour

Le contre-jour est souvent considéré comme une contrainte car les scènes en contre-jour sont plus difficiles à exposer : d'une part à cause du contraste élevé, d'autre part parce que la source lumineuse rentre souvent dans le champ.

Pour mesurer l'exposition d'une scène en contre-jour, il faut :

- **Déterminer le sujet principal de l'image.** S'agit-il du coucher de soleil ou de vos amis qui posent devant ? Vous devrez choisir le sujet à exposer en priorité car les écarts de luminosité ne permettent pas d'exposer correctement tous les éléments de la scène.
- **Effectuer une mesure d'exposition sur le sujet principal** en mode Spot ou avec la mémorisation d'exposition.
- **Parfois utiliser la fonction bracketing du boîtier et multiplier les prises de vue.**
- **Parfois déboucher les ombres au flash.** La mesure d'exposition est effectuée sur l'arrière-plan pour assurer sa bonne exposition. Un coup de flash permet d'éclairer le sujet de face et d'éviter qu'il ne se transforme en silhouette.

Astuce

Utiliser un élément de la scène comme un arbre ou un personnage pour cacher le soleil permet de limiter les problèmes d'exposition et d'éviter les contraintes optiques : perte de contraste, flare.

Canon EOS 30, Velvia 50 ISO, zoom 28-135 mm, env. f/5.6, 1/200 s

➤ *La mesure de la lumière de cette photo de coucher de soleil sur Dublin (Irlande) a été réalisée à côté du soleil avec la touche Mémorisation d'exposition.*

Placer l'appareil dans l'ombre d'un arbre permet d'éviter que les rayons du soleil ne frappent directement l'objectif – Glencoe, Écosse.

Canon EOS 30, Velvia 50 ISO, zoom 17-40 mm, polarisant, dégradé neutre, env. f/16, 1/60 s

Le contre-jour n'est pas seulement une contrainte : il permet aussi de réaliser des images très spectaculaires et de créer des silhouettes comme cette croix d'un vieux cimetière Irlandais.

Canon EOS 30, Velvia 50 ISO, zoom 17-40 mm, polarisant, dégradé neutre, env. f/8, 1/100 s

Bracketing en vue de fusion

La dynamique des capteurs (6-7 IL) reste insuffisante pour enregistrer des informations à la fois dans les hautes et les basses lumières quand la scène est trop contrastée. L'utilisation des filtres dégradés ne permet pas toujours de corriger le problème. La seule solution consiste alors à réaliser une image correctement exposée pour les hautes lumières et une autre correctement exposée pour les ombres : aucune des deux images n'est techniquement réussie, mais une fois les images fusionnées, vous obtiendrez une image finalement bien exposée (voir la section « L'utilisation de calques : combiner deux images » au Chapitre 8).

Attention, la fusion des images peut poser quelques soucis si les images ne sont pas parfaitement identiques, en particulier quand des éléments mobiles sont présents dans la scène (nuages, vagues, véhicule ou autre).

Images HDR

Certaines scènes très contrastées ont une dynamique supérieure à 15 ou 20 IL et nécessitent plus de deux expositions pour être enregistrées correctement. C'est typiquement le cas des scènes d'intérieur avec une fenêtre donnant sur l'extérieur.

La technique HDR (High Dynamic Range) permet d'une part la réalisation d'une série d'images de la même scène, d'autre part de fusionner ces images en postproduction grâce à un logiciel spécialisé ou à la fonction Fusion HDR de Photoshop (Fichier > Automatisation > Fusion HDR).

Pour réaliser une série d'images en vue d'une fusion HDR :

- *Commencez par exposer pour les ombres en affichant l'alerte de sous-exposition.*
- *Prenez les autres images en surexposant à chaque fois de 2 IL jusqu'à ce que les hautes lumières soient correctement exposées.*
- *La technique du HDR doit être utilisée dans les cas exceptionnels. L'usage des filtres dégradés et de la double exposition doit normalement suffire. D'autant que le résultat manque souvent de naturel.*

Photographier un sujet très contrasté

La plupart des modes d'exposition effectuent une moyenne de la luminosité constatée sur les différentes zones de l'image, ce qui est idéal pour le paysage. Si le sujet contraste fortement avec le reste de l'image, qu'il soit très clair ou très foncé, l'exposition conseillée par la cellule ne permet pas d'exposer correctement le sujet.

Vous devez alors utiliser le mode d'exposition Spot ou la mémorisation d'exposition :

- La mesure de la lumière se fait généralement sur le collimateur autofocus central. Pointez ce dernier sur le sujet et appuyez sur le déclencheur à mi-course (mode Spot) ou sur le bouton de mémorisation d'exposition (le bouton « * » chez Canon).
- Recadrez si besoin et déclenchez.

Retardateur et mémorisation d'exposition

La mémorisation d'exposition ne conserve les mesures que quelques secondes. Si vous utilisez un trépied, vous aurez certainement besoin de recadrer et d'utiliser le retardateur : les réglages mémorisés risquent de disparaître. Dans ce cas, notez les réglages proposés par la cellule et rentrez-les en mode Manuel.

Canon EOS 30, Velvia 50 ISO, zoom 17-40mm, env. f/8, 3 s

➤ *L'église contraste fortement avec le paysage : une mesure de l'exposition a été faite sur l'église avec le bouton Mémorisation de l'exposition, les réglages conseillés ont ensuite été rentrés en mode Manuel pour laisser le temps de recadrer l'image et de déclencher à distance.*

Contrôler l'exposition

Le photographe argentique devait attendre le développement des pellicules pour contrôler l'exposition de ses images. Les outils proposés par les boîtiers numériques permettent au contraire de le faire juste après la prise de vue :

- **L'alerte hautes et basses lumières.** Les valeurs écrêtées clignotent en rouge sur l'écran LCD. Appliquez une correction d'exposition et déclenchez de nouveau.
- **L'histogramme.** Faites en sorte que l'histogramme de l'image ne soit pas trop décalé ni à droite ni à gauche. Une légère surexposition (+0,5 IL pour « exposer à droite » permet cependant de limiter l'apparition du bruit).
- **L'écran LCD.** Ce n'est pas la meilleure façon de contrôler l'exposition. L'image affichée sur l'écran peut apparaître plus claire qu'elle ne l'est en réalité, notamment de nuit : vous pouvez diminuer la luminosité de l'écran de 2 IL pour l'adapter à la luminosité ambiante.

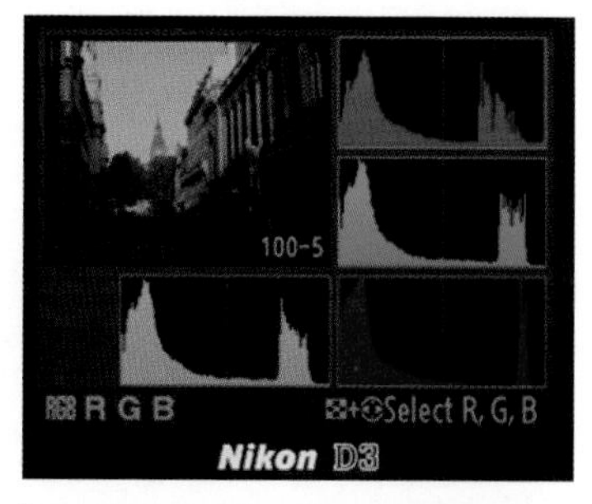

➤ *Les histogrammes affichés sur l'écran LCD du Nikon D3 (Nikon).*

Le choix de la profondeur de champ

Le photographe paysagiste recherche généralement une *profondeur de champ élevée* de sorte que toute la scène soit nette, du premier au dernier plan. L'amateur de macrophotographie recherche le même effet pour compenser la proximité objectif/sujet (qui réduit la profondeur de champ) et s'assurer que la zone de netteté sur le sujet est suffisante.

Au contraire, le portraitiste recherche typiquement une *profondeur de champ faible*, ce qui permet de créer un flou important autour du sujet et de le mettre en valeur en l'isolant de l'arrière-plan. Faire rentrer dans le cadre des éléments de plusieurs plans et utiliser une faible profondeur de champ donne de la profondeur à une image.

Canon EOS 5D, zoom 24-105mm, 3200 ISO, f/4, 1/4 s.

➤ *L'écran LCD ne permet pas de juger correctement l'exposition d'une image, surtout quand il est utilisé la nuit. Il est préférable de consulter les histogrammes, comme le fait ici le photographe Emmanuel Berthier (**www.emmanuelberthier.com**).*

Une *profondeur de champ moyenne*, obtenue grâce à des ouvertures intermédiaires (*f*/8, *f*/11) est également très utile, bien qu'à première vue plutôt neutre. Cette profondeur de champ moyenne est à privilégier quand la qualité optique de l'image est prioritaire et/ou dans des situations où des ouvertures différentes donnent une image identique : un portrait contre un mur, un coquillage sur une plage. Dans ce cas, et si la luminosité de la scène le permet, utilisez l'ouverture à laquelle l'objectif est le plus performant (piqué, contraste, vignettage), généralement *f*/8 ou *f*/11.

Il n'y a pas de règle absolue. Utiliser une faible profondeur de champ en paysage pour isoler un élément peut créer des images peu ordinaires et compléter une série d'images plus conventionnelles. La bonne profondeur de champ est avant tout celle qui vous permet de réaliser l'image souhaitée et d'exprimer votre créativité.

Astuce

Quand vous appuyez sur le bouton Test de profondeur de champ, le viseur apparaît beaucoup plus sombre : laissez votre œil ouvert quelques secondes pour qu'il s'habitue à la baisse de luminosité.

Bouton Test de profondeur de champ et Live View

Live View, la fonction permettant de visualiser l'image sur l'écran arrière au moment de la prise de vue, est compatible avec le bouton Test de profondeur de champ. Il est ainsi possible de contrôler la profondeur de champ avec plus de précision que dans le viseur du boîtier.

Canon EOS 5D, zoom 24-105 mm, 100 ISO, f/16, 5 s.

➤ *Cette croix du cimetière de Tiniteqilaq (Groenland) a été photographiée à f/4 en bas et à f/16 à gauche. Une profondeur de champ faible permet de mieux mettre en valeur le sujet.*

Canon EOS 5D, zoom 24-105 mm, 100 ISO, f/4, 0.3 s.

La balance des blancs

En argentique, l'utilisation de pellicules photo apporte son lot de contraintes, mais l'avantage est de pouvoir obtenir un rendu des couleurs homogène tout au long de la journée ou du reportage. La fidélité des couleurs dépend des caractéristiques du film et de l'usage de filtres de conversion.

En numérique, l'homogénéité et le respect des couleurs peuvent être gérés avec la balance des blancs.

Balance des blancs fixe ou variable ?

La question à se poser n'est pas tant quel mode choisir (automatique ou manuel) mais plutôt variable ou fixe :

- **Une balance des blancs variable** (mode Auto ou changement par l'utilisateur en fonction de la scène) permet de privilégier le respect des couleurs, ce qui est utile en présence de lumière artificielle. Ce mode rend cependant les variations de la couleur de la lumière moins perceptibles car il a tendance à les compenser, ce qui est dommage pour un coucher de soleil par exemple.
- **Une balance des blancs fixe** permet de restituer les variations de lumière comme si vous utilisiez une pellicule photo. Le fameux film diapositive Velvia est étalonné « lumière du jour » (5 500 K). Régler la balance des blancs à 5 500 K et ne pas en changer est parfait pour la photographie de paysage. Les couleurs seront même plus vives que ce que vous avez pu voir car l'œil possède sa propre balance des blancs et a également tendance à compenser les dominantes colorées.

Restitution des couleurs : utilisation de la charte grise ou de couleur

Le mode automatique de la balance des blancs ou le réglage manuel choisi par le photographe ne permettent pas toujours de restituer les couleurs avec précision. Certes, le numérique permet de changer la balance des blancs *a posteriori* dans le dérawtiseur puis de changer les couleurs dans le logiciel de traitement d'image. Mais changer pour quelles couleurs ? Quelles étaient les couleurs d'origine ?

Si le strict respect des couleurs est nécessaire, vous devrez vous servir d'une charte grise ou de couleur :

1. Placez la charte face à la source de lumière principale, celle qui éclaire le sujet.
2. Prenez une photo de la charte.
3. En postproduction, il vous suffira d'utiliser la pipette du dérawtiseur (voir la section « Ajuster la balance des blancs » au Chapitre 8).

UTILISER VOS OBJECTIFS

Le maniement des objectifs ne présente pas de difficultés particulières car les réglages sont limités et simples à mettre en œuvre :

- la bague de mise au point utilisable en mode Manuel mais aussi en mode Autofocus pour une correction manuelle de la mise au point (retouche du point) si l'objectif le permet ;
- le bouton de sélection du mode de mise au point (Autofocus ou Manuel) ;
- la bague de zoom pour faire varier la focale (à pompe ou plus souvent à rotation) ;
- la bague permettant de contrôler la résistance de la bague de zoom (notamment sur les zooms à pompe), ce qui permet au zoom de ne pas s'allonger tout seul sous l'effet de la gravité ;
- le bouton de limitation de la mise au point à 1,8 ou 6,5 m comme sur le 100/400 mm L IS de Canon ;
- un ou deux boutons pour la stabilisation optique (pour les objectifs stabilisés) : Marche/Arrêt, mode de stabilisation (Normal ou Filé).

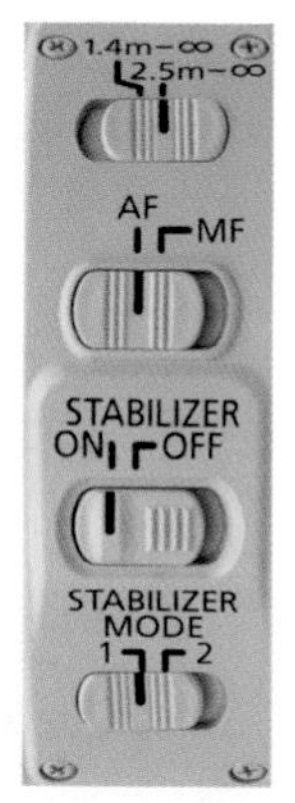

➤ *Les boutons de réglage du stabilisateur d'image de l'objectif Canon EF 70-200 L IS.*

Le maniement d'un objectif standard (entre 35 et 80 mm) est instinctif car l'angle de vue est proche de la vision humaine. En revanche, exploiter au mieux un grand-angle et un téléobjectif demande une certaine expérience.

Utilisation d'un objectif grand-angle

L'angle de vue important rend cet objectif hors normes. Les conseils suivants facilitent son utilisation :

- Étudiez la composition avec soin car un grand nombre d'éléments sont inclus dans le cadre ; le moindre déplacement change le cadrage et la composition de manière significative.
- Approchez-vous très près du sujet ou du premier plan pour lui donner plus d'importance.
- Attention au *flare* : étant donné la couverture angulaire, vous avez toutes les chances d'inclure le soleil dans l'image ; les rayons peuvent atteindre la lentille frontale de l'objectif, ce qui affectera la qualité de l'image. Utiliser le pare-soleil n'améliore pas beaucoup les choses car il est lui-même très ouvert et protège peu.

Utilisation d'un téléobjectif

La composition de l'image est plus simple car le nombre d'éléments inclus dans l'image est réduit. La longue focale apporte néanmoins ses propres contraintes :

- À main levée, évitez le flou de bougé en choisissant une vitesse égale à la focale (1/200 s pour une focale de 200 mm par exemple). Si l'objectif est stabilisé, vous pouvez réduire la vitesse de 2 ou 3 stops. Utilisez le collier du téléobjectif pour le fixer au trépied ou au monopode. Le collier est parfois équipé d'un roulement à billes, ce qui permet de faire pivoter l'appareil en position verticale sans intervenir sur la rotule.
- Recherchez dans le paysage les détails qui pourraient constituer un sujet intéressant une fois isolés. Cela revient à prendre le « portrait du paysage » et peut demander un peu de concentration car l'œil est habitué à voir le paysage dans son ensemble.

➤ *Arc-en-ciel sur un détail de la chute d'eau Aldeyjarfoss en Islande.*

Canon EOS 30, Velvia 50 ISO, zoom 100-400 mm, polarisant, env. f/5.6, 1/60 s

Canon EOS 30, Velvia 50 ISO, zoom 28-135 mm, polarisant, env. f/5.6, 1/60 s.

➤ *Détail d'un bateau de pêche dans un port près de Dublin (Irlande).*

Astuce

Il est facile de tomber dans la routine et de toujours photographier avec le même objectif. Changez d'objectif et forcez-vous à n'utiliser que celui-ci pendant une période donnée. Vous (re)découvrirez les possibilités offertes par cette optique et vos images n'en seront que plus variées.

UTILISER VOTRE TRÉPIED : PRÉVENIR TOUT DÉFAUT DE STABILITÉ

L'installation du trépied

Le cadrage choisi doit déterminer la position du trépied et non l'inverse. N'installez votre trépied qu'après avoir fait le tour de la scène, testé différents points de vue et différents cadrages. Cela prendra d'autant plus de temps si vous souhaitez inclure un premier plan grâce à un objectif grand-angle car un déplacement de quelques centimètres change radicalement le résultat final. Ne négligez pas cette étape.

Adapter le trépied au terrain

- **Déployez les pieds** de manière à ce que la platine (au sommet de la colonne centrale) soit horizontale. Si le terrain est accidenté, vous devrez déployer certains pieds plus que les autres.
- **Adaptez la pointe** à la nature du terrain si votre trépied le permet : utilisez la pointe métal pour les terrains meubles et la pointe caoutchouc sur les rochers, les galets ou en intérieur, ou encore pour ne pas endommager le sol fragile d'un monument historique.
- **Préparez le terrain.** Si le terrain est meuble et instable (herbe, humus ou autre), vous devrez d'abord le stabiliser. Retirer la couche d'humus ou l'herbe pour atteindre un sol plus dur. S'il s'agit de neige, vous pouvez la tasser avec vos pieds. Le sable, bien que meuble, ne pose pas de difficulté (on peut s'en servir pour remplir un beanbag) sauf s'il est gorgé d'eau : dans ce cas appuyez fortement sur le trépied pendant quelques secondes, le trépied s'enfonce de quelques centimètres et devient plus stable.

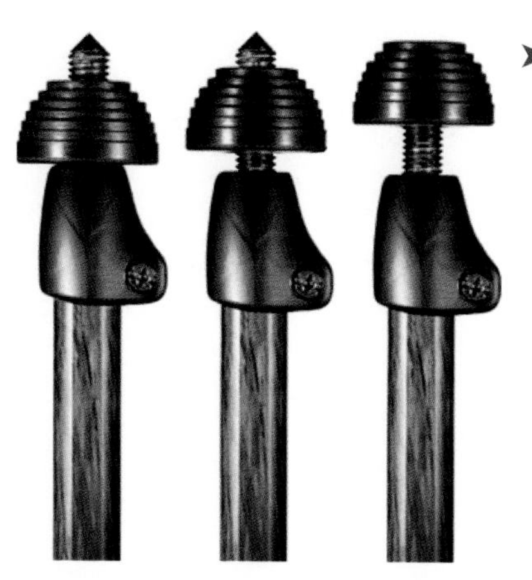

➤ *Les pieds du trépied Manfrotto 190XB s'adaptent à tous les terrains grâce à leurs pointes rétractables.*

Limiter les vibrations

Seul un trépied bien utilisé garantit une parfaite stabilité. Voici quelques conseils pour limiter les vibrations et obtenir des images nettes :

- Utilisez une télécommande ou le retardateur.
- Utilisez le verrouillage du miroir en position relevée si votre boîtier est muni de cette fonction.
- Si vous avez besoin de hauteur, déployez les jambes plutôt que la colonne centrale, cette dernière est une source importante d'instabilité.
- Déployez la section haute des jambes plutôt que la section basse.
- Le centre de gravité de l'ensemble « trépied-tête-boîtier-objectif » doit être aussi bas que possible. N'élevez le trépied qu'en cas de nécessité.
- Éliminez les jeux en serrant correctement les jambes, la colonne centrale, le plateau…
- Faites en sorte que le boîtier se trouve au milieu des pieds : le poids de l'équipement sera réparti également entre les jambes.
- Accrochez votre sac photo à la colonne centrale : certains trépieds possèdent un crochet qui facilite cette opération. Faites en sorte que le sac ne se balance pas.
- Si vous avez monté un téléobjectif sur votre boîtier, fixez l'ensemble par le collier de l'objectif plutôt que par le boîtier. Vous pouvez fixer un plateau *quick release* sur le collier pour faciliter l'opération.
- Avec une longue focale, on peut utiliser deux trépieds : le premier est fixé sur le collier de l'objectif, le second sur le boîtier. Un petit sac de sable posé sur l'objectif réduit encore les risques de bougé.

Astuce

Le niveau à bulle peut servir à détecter les vibrations. Une fois celui-ci inséré dans la griffe du flash, vérifiez que la bulle ne bouge pas pendant l'exposition, la moindre vibration la ferait bouger. Constatez l'effet que le mouvement du miroir a sur la bulle !

Info

Les vitesses 1/8 s et 1/15 s sont les plus sensibles aux vibrations du miroir. Les vitesses plus élevées ne sont pas concernées car les vibrations ont à peine le temps de se propager que l'exposition est déjà finie. Une exposition plus longue ne souffre de la vibration du miroir que pendant environ 1/15 s soit 6 % du temps d'exposition pour 1 seconde d'exposition. Le flou de bougé est donc largement contenu.

Attention aux téléobjectifs : plus la focale est longue plus les vibrations sont amplifiées !

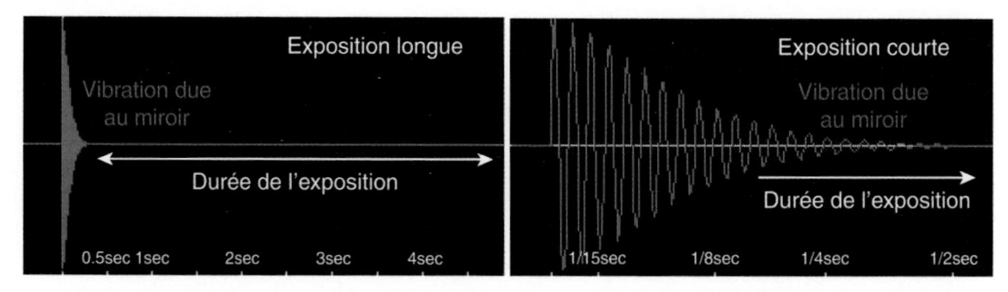

Les vibrations dues au miroir en butée lors du déclenchement affectent d'avantage les expositions moyennement courtes que les expositions très courtes et longues.

Réduire la prise au vent

Le vent est un facteur important d'instabilité, vous devez absolument limiter la prise au vent. Plusieurs moyens s'offrent à vous :

- Enroulez la dragonne autour du trépied pour éviter qu'elle ne se balance.
- Faites écran avec votre corps si le vent vient de derrière ou de côté.
- Attendez la fin de la bourrasque avant de prendre votre photo.
- Photographiez en… rafale.
- Augmentez la vitesse d'obturation en sacrifiant un peu de profondeur de champ.
- Dans les cas extrêmes, rechercher un endroit abrité du vent peut être la seule solution.

Stabilisateur d'image et trépied

Utilisé conjointement avec un trépied, le stabilisateur d'image peut générer des mouvements intempestifs en voulant compenser des mouvements imaginaires ou surcompenser les microvibrations détectées. Il est donc conseillé de désactiver la stabilisation d'image de l'objectif.

Les dernières versions des stabilisateurs, en particulier celui de Nikon (VR), détectent la présence du trépied et compensent les vibrations spécifiques de l'usage du trépied comme celles qui sont dues au mouvement du miroir.

Restriction d'utilisation du trépied

Beaucoup de photographes se sont déjà vu interdire l'utilisation de leur trépied. Les raisons le plus souvent invoquées par les règlements, les forces de l'ordre et les vigiles sont :

- ***La sécurité.*** *Un argument peu convaincant mais passe-partout que l'on m'a opposé à New York au pied du Brooklyn Bridge et à Grand Central.*
- ***L'encombrement.*** *Le trépied est par exemple interdit au sommet de l'Empire State Building, la plate-forme d'observation est en effet très fréquentée et ne fait que quelques dizaines de mètres carrés.*
- ***La protection des sols.*** *Dans et autour des monuments, comme au Taj Mahal.*
- ***Le respect des droits d'auteur.*** *Cet argument n'est pas toujours dévoilé, mais si un vigile vous explique en désignant votre trépied que les photos professionnelles sont interdites (car trépied = professionnel c'est bien connu), c'est certainement pour protéger les droits de l'architecte, comme à la pyramide du Louvre.*

Voici quelques conseils sur la conduite à tenir quand vous utilisez votre trépied :

- *Si vous avez un doute sur la possibilité d'utiliser un trépied… ne demandez surtout pas l'autorisation, on pourrait vous la refuser. Commencez à photographier.*
- *Si vous savez que l'usage du trépied est interdit, commencez malgré tout à photographier. Vous pourrez toujours prétendre que vous ne saviez pas, que vous êtes un simple touriste, que l'interdiction n'est pas signalée et de toute façon vous lisez très mal l'anglais !*
- *Si l'interdiction vous est signifiée clairement, tentez de parlementer : montrez les pointes en caoutchouc, dites que vous faites un reportage, mais n'insistez pas lourdement !*

Attention, les sites militaires ne doivent pas être photographiés, les forces de l'ordre n'apprécient pas non plus cet honneur. Dans certains pays, les barrages, les centrales nucléaires et même les ponts (comme en Inde) font l'objet de restrictions.

➤ *Le Gorillapod SLR Zomm est un minitrépied flexible qui s'accroche partout et qui peut supporter jusqu'à 3 kg d'équipement. Notez que le matériel est fixé au minitrépied par la bague du téléobjectif et non par le boîtier.*

Assurez-vous que l'horizon est... horizontal

Une ligne d'horizon penchée, même légèrement, est un défaut qui ne pardonne pas. Utilisez le niveau à bulle monté sur la griffe du flash ou l'indicateur d'horizon dans le viseur de certains boîtiers numériques ou vérifiez plus simplement que la ligne d'horizon est bien parallèle à la limite inférieure ou supérieure du viseur.

Canon EOS 30, Velvia 50 ISO, zoom 17-40 mm, polarisant, dégradé neutre, env. f/5.6, 1/60 s

➤ *Contre exemple : l'horizon n'est pas droit sur cette photo mais les autres lignes de l'image aident à rétablir l'équilibre.*

➤ *L'horizon incliné rend cette image plus dynamique et suggère le mouvement. Photo prise sur le Star Ferry à Hong-Kong.*

Canon EOS 30, Velvia 50 ISO, zoom 16-35 mm, polarisant, env. f/5.6, 1/60 s

UTILISER VOS FILTRES

Le photographe paysagiste est certainement le photographe qui utilise le plus souvent les filtres. Ils constituent, avec le kit boîtier-objectif et le trépied, le trio magique du photographe paysagiste. Les deux filtres les plus utilisés sont le filtre polarisant et les filtres dégradés neutres.

Le filtre polarisant

Le filtre polarisant est irremplaçable ; aucun post-traitement ne peut simuler ses effets. En éliminant la lumière polarisée, ce filtre :

- supprime les réflexions des surfaces réfléchissantes lisses non métalliques (vitres, plans d'eau) ;
- permet d'obtenir des ciels vraiment bleus ;
- augmente la saturation des couleurs en supprimant les microreflets à la surface des objets ou des matières comme le feuillage ;
- réduit le voile atmosphérique.

La lumière polarisée

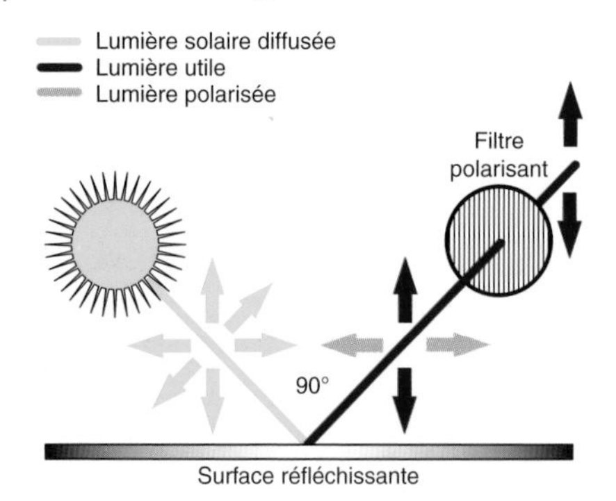

La lumière incidente est composée d'ondes qui vibrent verticalement et horizontalement (et dans toutes les autres directions). La lumière du soleil réfléchie par une surface d'eau (horizontale) est polarisée parce que les ondes « horizontales » sont davantage absorbées par la surface réfléchissante que les ondes « verticales ». La lumière réfléchie contient donc plus d'ondes verticales que d'ondes horizontales.

Notez que si la surface n'est pas suffisamment lisse (sable sec, vernis poreux), la lumière réfléchie n'est pas polarisée mais reste diffuse.

Conseils d'utilisation et remarques

- L'effet du filtre est visible dans le viseur. Faites tourner le filtre jusqu'à obtenir l'effet recherché.
- L'effet du filtre polarisant est maximum quand le soleil est dans le dos ainsi qu'en milieu de journée (soleil au zénith).
- Le filtre polarisant augmente le contraste et fait perdre 2 stops dans sa position maximum. La cellule prend en compte la perte de luminosité, il n'y a pas lieu de corriger l'exposition. Si vous utilisez une cellule à main, vous devrez en revanche placer le filtre devant la cellule avant d'effectuer la mesure.

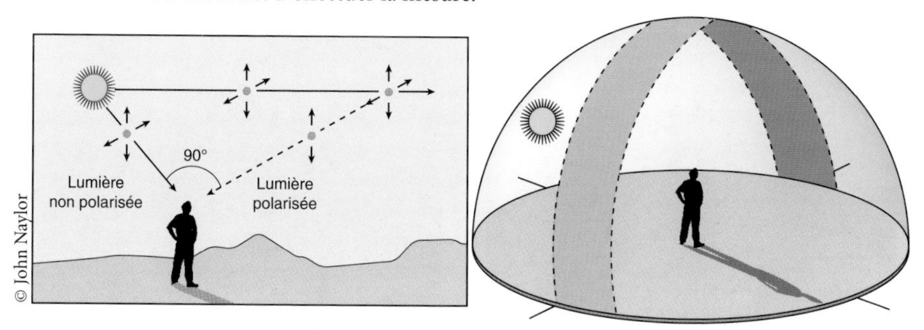

➤ *Le bleu du ciel est formé de lumière non polarisée venant directement du soleil et de lumière polarisée réfléchie, dispersée par l'atmosphère. Dans le ciel, la polarisation de la lumière est maximum à 90° par rapport à la direction de la lumière. Si vous photographiez alors que le soleil est bas sur l'horizon, le filtre polarisant n'aura d'effet sur le ciel que perpendiculairement à la lumière (© John Naylor).*

Éviter les excès

Les effets du filtre polarisant sont tellement marqués qu'il est facile de tomber dans l'excès, même avec la possibilité de visualiser le résultat dans le viseur. La polarisation maximale n'est pas toujours souhaitable. Il faut savoir s'arrêter avant d'obtenir un résultat qui manquerait de naturel. Soyez vigilant, en particulier dans les conditions suivantes :

- **Utilisation d'un objectif grand-angle.**
- **Lumière latérale.** L'effet dans le ciel risque d'être irrégulier.
- **Utilisation simultanée du polarisant avec un filtre dégradé neutre.**
- **Image très contrastée.** Les ombres risquent de perdre en détail à cause de l'augmentation du contraste.

Astuce

On peut contrôler l'effet du polarisant sans l'installer sur l'objectif : tenez-le à la main et placez-le devant vos yeux, tournez et constatez l'effet. C'est un excellent moyen d'apprendre à utiliser ce filtre.

Canon EOS 5D, zoom 24-105 mm, polarisant en position minimum, 200 ISO, f/4, 1/1000 s

Canon EOS 5D, zoom 24-105 mm, polarisant en position maximum, 200 ISO, f/4, 1/1250 s

➤ *Le polarisant est monté devant l'objectif sur les deux images, mais est en position maximum sur la photo de droite.*

Canon EOS 5D, zoom 24-105 mm, polarisant, 100 ISO, f/6.3, 1/125 s

➤ *La partie sombre au milieu du ciel est due à l'absorption de la lumière polarisée par le filtre. Une partie de la lumière étant absorbée, le ciel apparaît plus sombre.*

➤ *L'usage combiné du filtre polarisant et d'un filtre dégradé neutre en milieu de journée a trop assombri le ciel. Ce dernier est devenu pratiquement noir.*

Les filtres dégradés

Les filtres dégradés neutres sont utilisés pour réduire la dynamique de la scène (réduire la différence entre les hautes et les basses lumières) et faciliter ainsi l'exposition de l'image, la dynamique du capteur étant limitée.

Utilisation des filtres dégradés

1. Fixez le porte-filtre sur la bague d'adaptation, elle-même vissée sur l'objectif.
2. Insérez le filtre dans l'un des guides prévus à cet effet.
3. Glissez le filtre plus ou moins bas en regardant dans le viseur (ou avec Live View) pour le superposer à la partie de la scène (le ciel) à assombrir.
4. Faites pivoter le porte-filtre si besoin.

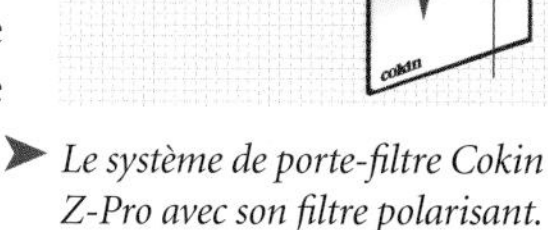

➤ *Le système de porte-filtre Cokin Z-Pro avec son filtre polarisant.*

Les porte-filtres permettent généralement d'insérer un filtre polarisant adapté. Dans ce cas, faites tourner le polarisant dans le porte-filtre pour obtenir l'effet recherché.

Canon EOS 5D, zoom 24-105 mm, 100 ISO, f/4, 1/1250 s

Canon EOS 5D, zoom 24-105mm, filtre dégradé neutre ND8, 100 ISO, f/4, 1/500 s

L'utilisation d'un filtre dégradé neutre permet d'assombrir le ciel. L'effet est similaire à celui obtenu avec un filtre polarisant à la différence que les nuages sont également assombris contrairement aux nuages de l'image avec polarisant (voir ci-contre) qui sont restés bien blancs.

Conseils d'utilisation des filtres dégradés

- Pour éviter le vignettage, vous pouvez fixer le filtre directement à l'objectif (ou à la bague d'adaptation) en utilisant de la pâte adhésive ou deux pinces « double clip ».
- Par défaut, les porte-filtres sont livrés avec deux guides : retirer un des guides permet de réduire l'épaisseur du système et donc le risque de vignettage. Si le porte-filtre est en plastique moulé comme le série P de Cokin, vous devrez scier le guide superflu.
- Vous pouvez maintenir le filtre du bout des doigts devant l'objectif au moment de la prise de vue. Assurez-vous de ne pas toucher l'objectif. Si ce dernier est un grand-angle, vos doigts risquent d'être sur la photo.
- Les porte-filtres sont prévus pour accueillir des filtres jusqu'à 4 mm d'épaisseur. La plupart des filtres ne font cependant que 2 mm d'épaisseur. Vous pouvez donc insérer deux filtres dans le même guide à condition qu'ils soient parfaitement propres ; le risque de rayure est élevé.
- Vous pouvez combiner l'effet de deux filtres si le contraste de la scène est particulièrement élevé.
- Un filtre Cokin ND8 Soft Edge (transition progressive) à moitié enfoncé devient un ND4 ; ND8 faisant référence à la partie la plus sombre du filtre.
- Utiliser le bouton Test de profondeur de champ permet de mieux visualiser le positionnement du filtre dégradé, notamment les Hard edge (transition rapide).
- Le porte-filtre ne permet pas de fixer le pare-soleil de l'objectif. Si le soleil n'est pas inclus dans le viseur mais que les rayons atteignent le filtre, vous pouvez créer une ombre avec votre main. Attention toutefois de ne pas l'inclure dans le cadre.

➤ *Le filtre dégradé peut être fixé avec deux pinces double clip pour éviter les risques de vignettage dus au porte-filtre quand il est utilisé avec un objectif ultra grand-angle.*

➤ *Faites attention aux doigts si vous maintenez le filtre à la main !*

Astuce

Essayez de ne pas changer l'emplacement de votre matériel et des accessoires dans votre sac photo, vous pourriez perdre du temps à les trouver au moment crucial, en particulier en basse lumière.

Exposer avec un filtre dégradé

Il y a deux méthodes principales pour exposer avec un filtre dégradé :

- **Laisser faire le boîtier.** Une fois le filtre positionné, il suffit de faire confiance à la cellule du boîtier, à condition d'être en mode d'exposition matricielle.
- **Exposer pour le premier plan, puis insérer le filtre.** Cette méthode est à utiliser quand la dynamique de la scène est très élevée (supérieure à 9 IL) et que l'utilisation d'un filtre, même foncé (ND8, –3 IL de luminosité), ne permet pas réduire les écarts de luminosité au niveau de ce que le boîtier peut supporter (environ 6 IL).

Info

Un filtre utilisé en contre-jour peut créer des reflets avec la lentille frontale de l'objectif et/ou avec un filtre vissant. C'est là que les filtres de qualité traités antireflet sont pertinents.

Hard ou Soft Edge ?

Les filtres à transition progressive (Soft Edge) sont les plus utilisés ; ils conviennent à la plupart des scènes. Utilisez les filtres à transition rapide (Hard Edge) pour les scènes dont l'horizon est régulier (par exemple sans arbre ni relief).

Astuce

*Dévisser un filtre peut être très difficile notamment par temps froid avec des gants ou avec les mains froides. Utilisez un bout de caoutchouc comme ceux qui sont vendus pour ouvrir les pots de confiture ! Merci à Walter Bibikow (**www.bibikow.com**) pour cette astuce.*

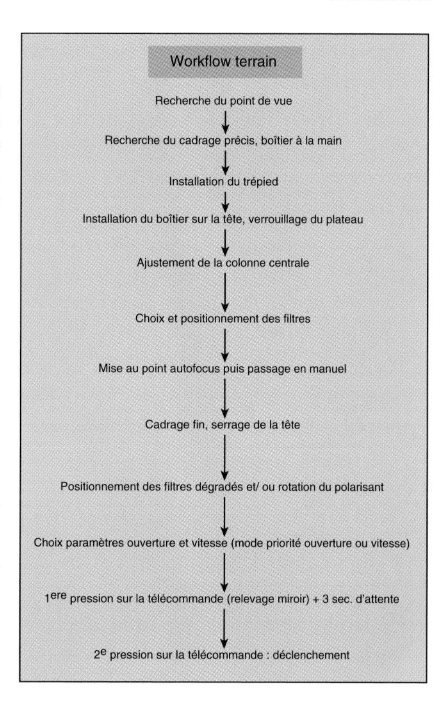

LE WORKFLOW

Voici l'enchaînement typique des étapes pour la prise de vue d'un paysage sur trépied. Chaque photographe possède sa propre façon de faire mais les grandes étapes sont généralement identiques.

LE WORKFLOW POUR UN ASSEMBLAGE PANORAMIQUE

L'enchaînement des tâches de la photographie panoramique par assemblage diffère quelque peu de celui de la photographie de paysage traditionnelle.

Déterminer la pupille d'entrée

Pour que les images destinées à être assemblées se superposent avec précision, il faut qu'elles soient prises exactement du même point de vue. Dans le cas contraire, la position du premier plan par rapport à l'arrière-plan sera différente sur les images à cause de l'effet parallaxe, même pour un faible déplacement.

Quand l'appareil est posé sur un trépied, il paraît logique de le faire pivoter autour de l'axe de rotation de la rotule, généralement à la verticale du plan film (le capteur). C'est une erreur car l'axe de rotation idéal se trouve à la verticale de la « pupille d'entrée » (parfois appelé à tort point nodal), quelque part dans l'objectif. Les conséquences sont d'autant plus importantes avec un grand-angle et si le premier plan est proche.

Respectez les étapes suivantes pour déterminer la pupille d'entrée :

1. Fixez l'appareil sur une tête panoramique adaptée (voir la section « Les têtes panoramiques », au Chapitre 2) ou sur un montage permettant un déplacement avant/arrière.
2. Repérez une ligne verticale (mur, poteau) se situant à moins de deux mètres et vérifiez que l'arrière-plan contient suffisamment de détails.
3. Placez la verticale à gauche du viseur et mémorisez la position des détails à l'arrière-plan de la verticale.
4. Faites pivoter l'appareil de manière à déplacer la verticale à droite du viseur et comparez l'emplacement des détails de l'arrière-plan.
5. Avancez ou reculez l'appareil et répétez les deux étapes précédentes jusqu'à ce que les détails de l'arrière-plan soient placés de la même manière à gauche et à droite.
6. Placez un repère « focale-objectif » sur le guide de la tête panoramique et recommencez l'opération avec des objectifs et des focales différents.

➤ *La pupille d'entrée de l'objectif Nikkor 24-120mm à 24 mm et à 120 mm.*

Le cadrage

- **L'angle de vue.** En photo sans assemblage, le photographe détermine l'angle de vue en choisissant l'objectif et/ou la focale. Ce dernier est par exemple à 108° de champ horizontal pour une focale de 16 mm.

En photo par assemblage, l'angle de champ dépend de la focale mais surtout du nombre d'images rentrant dans la composition et il peut atteindre 180° ou 360°.

- **Le nombre d'images nécessaires à la prise de vue.** Il dépend de l'angle de champ total voulu, de la focale de l'objectif, de la position (horizontale ou verticale) de l'appareil et finalement de la surface de chevauchement des images. Ce dernier doit être de 25 à 30 % pour offrir au logiciel d'assemblage suffisamment de matière pour effectuer son travail correctement.
- **L'inclinaison du boîtier.** La question ne se pose que si votre logiciel d'assemblage ne peut gérer les photos « inclinées », c'est-à-dire prises en légère plongée ou contre-plongée. Dans ce cas, veillez à ce que la ligne d'horizon soit au milieu du cadre, quitte à recadrer en postproduction.

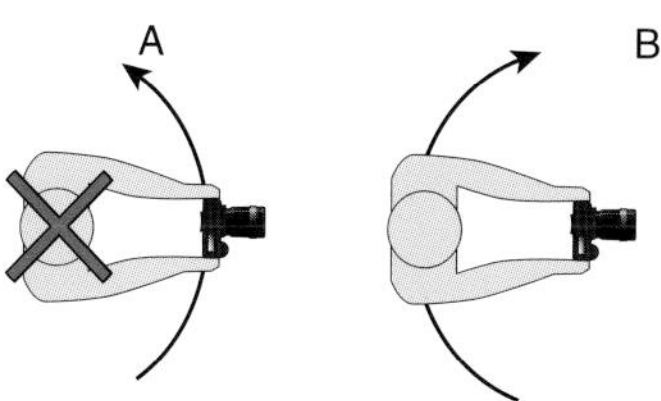

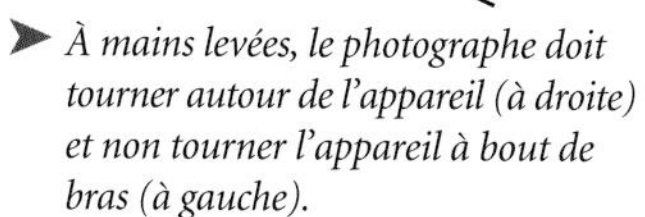

➤ *À mains levées, le photographe doit tourner autour de l'appareil (à droite) et non tourner l'appareil à bout de bras (à gauche).*

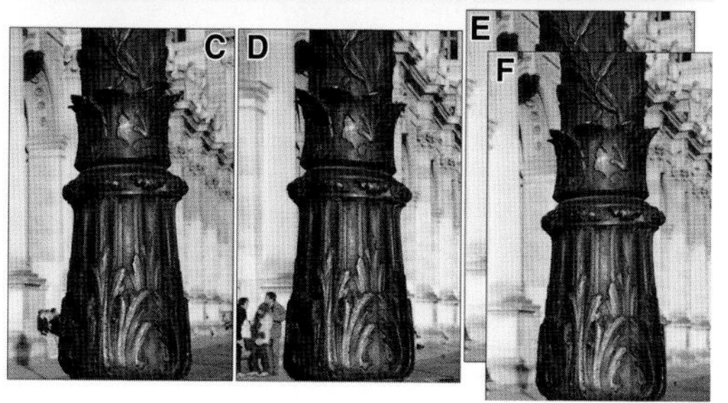

➤ ***Déterminer la pupille d'entrée.*** *Le lampadaire sert de repère. Il est d'abord photographié à gauche de l'image (A) puis à droite de l'image (B). Les détails de l'arrière-plan (C et D) sont différents si l'on ne tient pas compte de la pupille d'entrée. En revanche, quand l'axe de rotation de l'appareil se trouve à la verticale de la pupille d'entrée, les détails de l'arrière-plan coïncident (E et F), ce qui rend possible un assemblage de qualité.*

Positionnement de la rotule et du boîtier sur le trépied

Il est préférable d'utiliser un trépied pour effectuer la série de clichés à assembler, pour les mêmes raisons que pour la prise de vue classique mais aussi parce qu'une plus grande précision facilitera l'assemblage.

- **Mise à niveau de la rotule et de l'appareil.** Faites en sorte que la rotule soit horizontale en vous servant du niveau à bulle du trépied ou de la tête panoramique. Faites de même pour l'appareil si votre logiciel ne prend pas en compte les photos « inclinées ». Dans le cas contraire, l'appareil peut être incliné.
- **Placement de l'appareil sur la pupille d'entrée.** La rotation de l'appareil doit s'effectuer autour d'un axe unique, ce qui permet d'effectuer les prises de vue en gardant strictement le même point de vue. Autrement, les images ne pourront pas être assemblées correctement.

Réglage de l'appareil

Le but de la prise de vue par assemblage est d'obtenir des images qui pourront être assemblées facilement ; elles doivent offrir le moins de différences possible. Cela concerne en particulier les points suivants :

- **La mise au point et la profondeur de champ.** Elles doivent être fixes. En effet, un écart même léger entre deux clichés modifie suffisamment les pixels pour rendre l'assemblage plus difficile. Passez en mise au point manuelle et ne modifiez pas la profondeur de champ.
- **La balance des blancs.** Là aussi choisissez un mode manuel plutôt qu'automatique. Cela évitera les changements intempestifs de température de couleur entre deux photos.
- **La mesure d'exposition.** Les principes de l'exposition décrits plus haut valent pour le panoramique par assemblage. À la différence que vous devez prendre en compte la plage dynamique de plusieurs images avant de définir le réglage adéquat. Utilisez l'une des méthodes suivantes :
  - **Pour une scène à plage dynamique inférieure à 6 IL** (entre l'image la plus claire et la plus foncée). Effectuez une mesure (de préférence matricielle) sur l'image la plus claire, basculez en mode Manuel et prenez les autres clichés sans modifier l'exposition.
  - **Pour une scène à plage dynamique supérieure à 6 IL.** Effectuez une mesure sur l'image la plus claire, basculez en mode Manuel et appliquez une correction d'exposition par paliers de 1/3 de stop pour arriver progressivement à une exposition adéquate pour l'image la plus sombre.
  - **Pour une scène en contre-jour.** Vous pouvez effectuer une exposition pour les hautes lumières et une autre pour les ombres sur chaque image dans le but de les fusionner en postproduction (voir la section « L'utilisation de calques : combiner deux images » au Chapitre 8). Gardez cependant à l'esprit que le temps passé en postproduction est alors démultiplié.

PROTECTION DU MATÉRIEL

Bien protéger votre matériel permet d'éviter les pannes sur le terrain, augmente sa durée de vie et sa valeur sur le marché de l'occasion.

Protection contre les chocs

Votre matériel est bien protégé lorsqu'il est dans son sac, mais il est exposé aux chocs dès lors que la prise de vue commence. Quelques conseils :

- La prise en main de votre boîtier doit être ferme, évitez de le laisser pendre au bout de la dragonne.
- Le gaffer amortit les chocs et évite les rayures, notamment sur la peinture de l'objectif.

- Une sangle de poitrine permet d'éviter que votre appareil ne bascule si vous vous penchez alors que vous le portez autour du coup. Pensez à passer un bras dans la dragonne pour éviter que l'appareil ne se balance.
- Le pare-soleil protège la lentille frontale et l'objectif des chocs.
- Utilisez le cache de l'objectif aussi souvent que possible et ne le retirez qu'au début de la séance photo.

Protection contre le froid

Hormis la perte d'énergie des batteries, le matériel supporte en général très bien le froid. Ce qu'il supporte moins bien, en revanche, ce sont les différences de température (froid-chaud et chaud-froid) car elles provoquent de la condensation sur et à l'intérieur du boîtier et surtout des objectifs. Voici comment éviter les chocs de température :

- Ne rentrez pas votre matériel directement de l'extérieur froid vers un intérieur chauffé et humide et gardez-le dans votre sac photo bien fermé.
- Faites-le transiter dans une pièce moins chauffée.
- Emballez l'appareil et le sac dans un grand sac en plastique (ou sac-poubelle) avant de rentrer. Vous n'éviterez pas le choc de température, mais vous isolerez l'appareil de l'humidité ambiante et éviterez qu'elle ne se condense sur le matériel.
- Attendez 30 minutes ou 1 heure avant de sortir votre matériel du sac.
- Si de la condensation apparaît, ne ressortez surtout pas votre équipement à l'extérieur avant que la condensation ait disparu. Elle pourrait geler.
- Procédez de même si vous allez du chaud vers le froid. Ne sortez pas votre matériel trop vite : l'humidité pourrait créer de la buée à l'intérieur des objectifs, qui y resterait un long moment.
- Débarrassez le matériel de la neige avant de le rentrer dans votre sac ou à l'intérieur. En fondant, la neige pourrait endommager votre matériel et même regeler par la suite.

➤ *L'objectif utilisé pour prendre cette photo a subi un choc thermique (chaud vers froid). L'humidité présente à l'intérieur de l'objectif s'est condensée sur les lentilles.*

Protection des batteries contre le froid

Si l'électronique en général s'accommode très bien du froid, les batteries en revanche le supportent moins bien. L'énergie restituée par la batterie diminue à mesure que le froid s'intensifie : une batterie bien chargée permet de faire 800 photos à 23 °C et 750 à 0 °C (Canon EOS 7D), différence qui n'est finalement pas perceptible. Cela ne devient réellement un souci qu'en dessous de –20 °C : par –40 °C, la durée de vie des batteries n'excède pas quelques dizaines de minutes.

Dans ce cas, conservez une ou deux batteries dans une poche intérieure et utilisez les batteries à tour de rôle, le temps qu'elles se réchauffent. Emportez plus de batteries que d'habitude car vous devrez les recharger plus souvent.

Astuce

Voici quelques astuces en cas de grand froid :

- *Le métal est très désagréable à toucher, il peut même coller à la peau. Mettez de la mousse d'isolation pour tuyauterie sur les jambes de votre trépied pour augmenter le confort d'utilisation.*
- *Le métal peut devenir cassant : mettez du gaffer sur les jambes de votre trépied pour amortir les chocs.*

Protection contre le chaud

La chaleur elle-même ne pose pas de souci particulier. En revanche, la lumière directe du soleil peut endommager le matériel. Ne laissez pas votre appareil sur la plage arrière d'un véhicule (il peut y faire jusqu'à 80 °C) et mettez le cache sur l'objectif si vous ne l'utilisez pas : les rayons du soleil pourraient endommager le rideau de l'obturateur.

Protection contre l'eau, la poussière, le sable

Paradoxalement, on protège son matériel contre l'humidité, l'eau et la poussière à peu près de la même façon :

- Ne sortez votre appareil qu'au moment de la prise de vue et ne l'exposez pas inutilement.
- Le pare-soleil offre une excellente protection… contre la pluie et la poussière.
- Protégez les joints du boîtier et des objectifs avec du gaffer.
- Un sac plastique dans lequel est ménagée une ouverture pour l'objectif et qui est scellé avec un élastique offre une protection rapide, efficace et peu coûteuse !
- Un vêtement imperméable, une protection contre la pluie ou un sac étanche pour la plongée sous-marine peuvent être utilisés dans les cas extrêmes (tempête en mer ou dans le désert).
- Utilisez la capuche imperméable de votre sac photo s'il en possède une.
- Gardez votre sac à l'abri sous un vêtement imperméable, idéalement un poncho.

Protection contre l'humidité

Si l'humidité n'est pas toujours visible, elle n'en demeure pas moins un risque pour le matériel, surtout s'il y est exposé longtemps. Des moisissures peuvent se former à l'intérieur de l'objectif. Faites l'expérience dans la serre tropicale d'un jardin botanique (35 °C, 90 à 100 % d'humidité) : vous constaterez que de la buée se forme rapidement sur l'objectif.

De même si vous sortez d'un bâtiment fortement climatisé, l'humidité ambiante pourrait se condenser sur le matériel. Dans les deux cas, conservez votre matériel dans son sac le temps qu'il se mette à la température extérieure.

Une bonne solution consiste à séparer le matériel de prise de vue indispensable du reste : chargeurs, batteries supplémentaires, transformateurs, disques durs externes et ordinateur portable peuvent rester au camp de base dans un sac séparé. Utilisez un dessicant (voir « Transport et protection du matériel » au Chapitre 2).

NETTOYAGE

Il est nécessaire de garder le matériel bien propre pour le conserver en bon état de marche mais aussi parce que les salissures affectant les parties optiques et le capteur diminuent la qualité de l'image.

Nettoyage du capteur

Bien qu'on puisse facilement retirer les poussières en postproduction (solution de cartographie des poussières sur certains dérawtiseurs et l'outil Tampon des logiciels d'image), il est préférable de corriger le problème à la source.

Info

Les capteurs ne sont pas aussi fragiles que les constructeurs (qui nettoient votre capteur pour quelques dizaines d'euros) veulent bien le laisser croire. Les photosites sont protégés par un filtre passe-bas et sont scellés hermétiquement.

Info

Les compacts et les bridges ne sont pas concernés par les problèmes de poussière car leurs capteurs sont hermétiquement scellés. Les reflex sont en revanche particulièrement vulnérables à cause de leurs objectifs interchangeables.

Identifier la présence de poussières et de taches sur le capteur

Inutile de nettoyer le capteur si vous n'êtes pas certain de la présence de poussière et de taches. Vous pouvez vérifier la propreté du capteur facilement, même sur le terrain et sans ordinateur.

Procédez comme suit :

1. Si votre boîtier possède un système antipoussière, commencez par l'activer.
2. Photographiez le ciel avec l'ouverture la plus importante (*f*/22 ou plus). Les poussières et les taches sont en effet plus facilement visibles sur les surfaces claires et uniformes et quand la profondeur de champ est élevée (car elles sont plus nettes).
3. Affichez l'image sur l'écran LCD de votre boîtier et zoomez au maximum.
4. Parcourez l'image de gauche à droite et de haut en bas et constatez la présence (ou l'absence) de poussières.

Si le problème se limite à quelques poussières, il est préférable de ne pas tenter de les supprimer : la solution pourrait faire plus de mal que de bien.

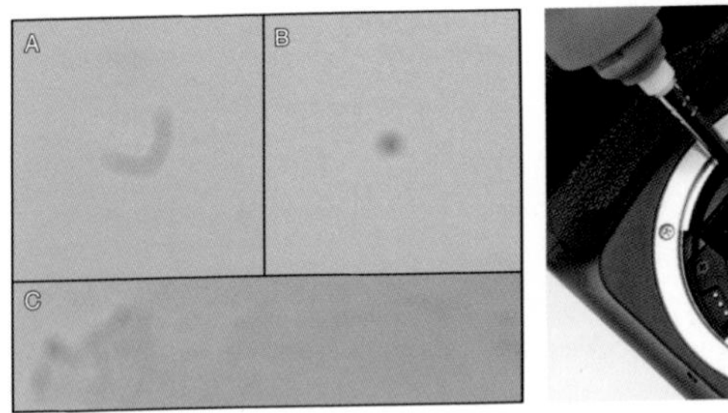

➤ *Trois différents types de poussière sur capteur : poussière sèche (A), poussière grasse (B) et traces d'une utilisation de liquide de nettoyage en trop grande quantité (C).*

Info

Les poussières ne sont jamais totalement nettes car elles ne sont pas posées sur le capteur lui-même mais sur le filtre passe-bas qui le protège.

Nettoyer le capteur

Si les poussières et taches sont gênantes, vous devrez procéder à un nettoyage du capteur. Celui-ci se passe en deux temps : nettoyage des poussières sèches puis nettoyage des taches humides et grasses (voir la section « Kit de nettoyage » au Chapitre 2).

Nettoyage des poussières sèches

1. Assurez-vous que la pièce dans laquelle vous effectuez le nettoyage n'est pas poussiéreuse. Évitez la présence de moquette, de textiles…
2. Installez-vous confortablement et assurez-vous qu'une source de lumière suffisamment puissante éclaire le capteur ; une lampe frontale est idéale.
3. Relevez le miroir (fonction Nettoyage du capteur dans le menu des boîtiers Canon) et retirez l'objectif.

4. Soufflez sur le capteur en utilisant la soufflette et en maintenant le boîtier capteur vers le bas.
5. Passez un pinceau en fibres synthétiques d'un bout à l'autre du capteur.

Astuce

Un ioniseur bricolé avec un allume-gaz ménager peut aider à supprimer l'électricité statique qui maintient la poussière sur le capteur. Faites une recherche sur Internet avec « ioniseur » et « nettoyage capteur » comme mots-clés.

Nettoyage des taches humides ou grasses

Le nettoyage « à sec » du capteur ne permet pas de supprimer les poussières collées au capteur ni les projections grasses causées par le lubrifiant des parties mécaniques proches du capteur. Un nettoyage avec une solution humide est alors nécessaire. Elle peut être délicate à appliquer :

1. Déposez quelques gouttes sur la spatule de nettoyage (deux ou trois gouttes suffisent). Trop humide, l'applicateur risquerait de laisser des traces (voir illustration ci-contre).
2. Balayez le capteur dans le sens de la longueur en une seule fois. La pression exercée sur la spatule doit être moyenne et permettre un déplacement sans à-coup.

Astuce

Toucher le pinceau avec le bout des doigts peut suffire à y déposer quelques traces de graisse qui risquerait de se retrouver sur le capteur. Utilisez la solution liquide de nettoyage du capteur pour nettoyer le pinceau.

Nettoyage des objectifs et des filtres

Les poussières déposées sur l'objectif et les traces de doigt ou d'embrun mal nettoyées affectent la qualité de l'image finale : risque de *flare*, diminution de la netteté et du contraste de l'image.

Utilisez les éléments du kit de nettoyage (voir la section « Kit de nettoyage », au Chapitre 2) de la façon suivante pour les objectifs mais aussi les filtres :

1. Passez la brosse pour retirer les poussières.
2. Déposez de la buée en soufflant avec la bouche.
3. Si les traces sont grasses (traces de doigt), pulvérisez le liquide de nettoyage : n'en mettez pas trop, il pourrait s'infiltrer dans le corps de l'objectif.
4. Frottez avec le chiffon en microfibre ou le papier optique en opérant des mouvements circulaires et sans trop appuyer.
5. Enfin, vous pouvez également appliquer le LensPen pour une excellente finition.

Attention, l'excès de nettoyage... nuit !

Il n'est pas nécessaire de nettoyer les objectifs aussi souvent qu'on pourrait le penser ; un dépoussiérage « à sec » est suffisant la plupart du temps. Un nettoyage trop fréquent risque de rayer l'objectif mais aussi de retirer son traitement antireflet. La meilleure solution consiste peut-être à protéger l'objectif en vissant un filtre UV en permanence, ce qui le protégera en outre des chocs.

➤ *Une rayure sur un filtre dégradé se voit immédiatement s'il est utilisé en contre-jour.*

Canon EOS 30, Velvia 50 ISO, zoom 17-40 mm, dégradé neutre, env. f/11, 1/2 s

➤ *La présence de quelques gouttes sur le filtre peut apporter une touche esthétique à l'image et renseigner sur l'environnement (pluie) comme ici sur cette photo d'un paysage des îles Lofoten (Norvège) pendant un orage.*

6

La prise de vue sur le terrain

DÉMARCHE PHOTOGRAPHIQUE

D'après Ansel Adams, *« on ne fait pas une photo seulement avec un appareil photo, on apporte à l'acte photographique tous les livres qu'on a lus, les films qu'on a vus, la musique qu'on a écoutée, les personnes qu'on a aimées »*. Il faut exploiter cette expérience personnelle pour bien photographier. Cela demande de la concentration et une certaine introspection, mais cela permet de réaliser des images différentes, peut-être uniques et en tout cas très personnelles.

Une bonne image doit idéalement transmettre au spectateur les émotions ressenties et l'expérience vécue par le photographe sur le terrain… Encore faut-il que ce dernier soit conscient de l'expérience vécue et des émotions éprouvées. Vous devez observer, comprendre ce qui se passe autour de vous, non seulement voir mais aussi sentir, ressentir le paysage. Allongez-vous dans l'herbe, sentez les fleurs, le vent sur votre visage, touchez l'écorce des arbres. Il faut parfois une demi-journée ou une journée entière pour s'imprégner de l'atmosphère des lieux et être prêt à la restituer avec son appareil.

Impliquez-vous dans l'acte photographique : s'il manque « quelque chose » à vos images, c'est peut-être un peu de vous-même.

La capacité d'observation

C'est une aptitude à développer : elle permet de comprendre ce qui se passe, d'anticiper les événements et d'être prêt à saisir une scène apparemment inattendue. Observer est une habitude à prendre, vous pouvez vous exercer sans appareil à la main.

Ne surestimez pas votre capacité d'observation : gardez à l'esprit qu'on remarque avant tout les choses qui nous sont familières et qu'il peut être difficile de voir de nouvelles choses quand bien même elles se trouvent devant nos propres yeux.

Évitez les clichés !

Difficiles à éviter, ils manqueraient à votre collection, d'autant qu'une excellente lumière peut rendre unique une photo un peu banale. Mais ne vous contentez pas de « clichés » : plus vous photographiez un lieu, plus vous améliorez vos photos, en particulier d'un point de vue créatif.

Astuce

Voici deux bonnes questions à se poser avant de déclencher : « Que suis-je en train de photographier ? », « Comment puis-je photographier cette scène autrement ? »

Canon EOS 30, Velvia 50 ISO, zoom 28-155 mm, polarisant, env. f/8, 1/60 s.

➤ *Ce point de vue du Taj Mahal, à Agra (Inde), est sans aucun doute le plus célèbre et le plus photographié.*

Multiplier les prises de vue et les sujets

Les photographes débutants se contentent de quelques « clichés » (dans tous les sens du terme), c'est une erreur. Quand vous êtes sur le terrain, vous ne participez pas à une course d'orientation ou à un rallye, la photo que vous prenez ne constitue pas une preuve de votre passage !

Puisque vous êtes là, exploitez au maximum la scène qui s'offre à vous, comme pages suivantes sur le site du phare de Neist Point dans l'île de Skye, en Écosse :

- Multipliez les cadrages : horizontal, vertical, focales variées, cadrage pour la presse (cadrage permettant l'insertion d'une légende ou d'un titre).
- Revenez à différentes heures de la journée : le matin, le soir, vers midi mais aussi la nuit.
- Trouvez des points de vue originaux : après avoir pris les vues classiques, recherchez d'autres points de vue : contournez le monument, déplacez-vous dans le paysage, allez sur la rive opposée…
- Multipliez les sujets : paysage, macro, portrait, usage du flash… tout est possible.

MULTIPLIER LES PRISES DE VUE

Canon EOS 30, Velvia 50 ISO, zoom 17-40 mm, polarisant, dégradé neutre, env. f/8, 1/2 s.

Cette vue classique de Neist Point se situe au sommet de la falaise.

Un vent violent m'a contraint à augmenter la vitesse d'obturation (en augmentant l'ouverture à f/5.6), malgré l'usage du trépied. J'ai également photographié une rafale de plusieurs images pour augmenter mes chances d'obtenir une image nette.

Canon EOS 30, Velvia 50 ISO, zoom 17-40 mm, polarisant, dégradé neutre, env. f/5.6, 1/30 s.

Canon EOS 30, Velvia 50 ISO, zoom 100-400 mm, polarisant, dégradé neutre, env. f/5.6, 1/60 s.

Cette image a également été prise du haut de la falaise. Mais, pour varier, j'ai utilisé un téléobjectif.

Canon EOS 30, Velvia 50 ISO, zoom 17-40 mm, polarisant, dégradé neutre, env. f/16, 6 s.

➤ *Le phare de Neist Point est moins photographié de ce point de vue car il est plus éloigné du… parking : une marche d'une vingtaine de minutes est nécessaire pour atteindre le niveau de la mer.*

Canon EOS 30, Velvia 50 ISO, zoom 17-40 mm, dégradé neutre, env. f/11, 1/30 s.

➤ *Cette image spectaculaire d'un arc-en-ciel a été réalisée quelques minutes avant le coucher du soleil, d'où la hauteur de l'arc dans le ciel.*

LA LUMIÈRE SUR LE TERRAIN

La direction et la nature de la lumière

Vous devez prendre conscience de la nature de la lumière : son intensité, sa couleur et aussi sa direction. Cette dernière modifie radicalement la façon dont le sujet apparaît au spectateur, elle peut le révéler ou au contraire le faire pratiquement disparaître. La nature de la lumière a aussi des conséquences techniques qu'il faut connaître.

Voici un aperçu de ce qu'il faut savoir.

Tableau 6.1 : Direction et caractéristiques de la lumière

Direction de la lumière	Caractéristiques	Exposition	Conseils
Verticale	Lumière verticale du milieu de journée, soleil au zénith, ciel dégagé. Température de couleur moyenne (typiquement 5 500 K) et blanche. 10 000 K est la température du ciel bleu. Les ombres sont noires et courtes, le paysage est aplati/écrasé comme en 2D. Le contraste est élevé et les couleurs sont fades.	Exposition assez difficile Centrale pondérée ou Matricielle	Profitez de cette lumière pour photographier les terrains encaissés comme les fjords et les gorges. Permet d'éclairer le fond de la mer (ou d'un lac), ce qui révèle la couleur et la transparence de l'eau. L'effet du filtre polarisant est particulièrement marqué. Montez le pare-soleil sur l'objectif
Derrière le photographe	Le soleil se trouve derrière le photographe. Les ombres sont cachées derrière le sujet, ce qui ne permet pas de mettre en valeur le relief du paysage (effet 2D). Le contraste est modéré. Plus l'angle du soleil par rapport à l'horizon est faible, plus la température de couleur est basse. Elle peut descendre à 2 500 K (rouge-orangé).	Exposition facile Centrale pondérée ou Matricielle	Attention : l'ombre du photographe risque d'apparaître sur la photo. L'ombre d'un éventuel relief situé derrière le photographe risque d'assombrir le premier plan, rendant l'exposition plus difficile. En milieu urbain, la lumière peut se réfléchir sur les vitres des immeubles de manière intéressante.
De côté	C'est la meilleure lumière pour le paysage. Les ombres sont visibles et longues, révélant le relief du paysage et lui donnant un effet 3D. Le contraste est modéré. La température de couleur varie en fonction de l'angle du soleil par rapport à l'horizon.	Exposition facile Centrale pondérée ou Matricielle	Utilisez un filtre polarisant pour renforcer les couleurs et atténuer les reflets. Montez le pare-soleil sur l'objectif.

La « bonne lumière »

Le paysage, comme tout autre sujet, n'existe que grâce à la lumière ; de nuit le paysage est invisible. Pour autant, la « bonne lumière » n'est pas affaire de quantité ; la lumière dure et violente d'une journée d'été en milieu de journée est une des moins intéressantes. La « bonne lumière » est plus nuancée, parfois colorée et souvent plus douce qu'intense. Elle est indispensable à la réussite d'une photo : elle transforme, transcende le paysage et le rend unique. Le photographe passionné fait de la lumière le sujet principal de son image et considère le paysage comme la toile, l'écran de cinéma, qui la met en valeur.

Direction de la lumière	Caractéristiques	Exposition	Conseils
En face du photographe (contre-jour)	Le soleil fait face au photographe. Le contour du sujet est délimité par un trait lumineux / un halo. Ce type de configuration permet de réaliser des images spectaculaires et très appréciées. Très fort contraste, la dynamique de la scène est généralement supérieure à celle du capteur. La température de couleur varie en fonction de l'angle du soleil par rapport à l'horizon.	Exposition difficile Spot ou mémoire d'exposition Double exposition et fusion en postproduction	Attention au *flare* ; le pare-soleil est inefficace. Idéale pour créer une silhouette. Pensez à cacher le soleil derrière un élément du paysage comme un arbre. Photographiez en transparence à travers un feuillage ou un voilage.
Diffuse	Le soleil est filtré par la couverture nuageuse, le brouillard, le voile atmosphérique ou par de la fumée. Les ombres sont inexistantes. Le contraste est faible, on trouve du détail dans les teintes foncées. La température de couleur est neutre (5 500 K) si le soleil est au zénith. Les couleurs sont saturées.	Exposition facile Centrale pondérée ou Matricielle	Idéal pour photographier les chutes d'eau, les sous-bois, les détails et les portraits. Vous pouvez obtenir une telle lumière en diffusant la lumière directe avec un filtre (feuille blanche, sac plastique ou autre) pour photographier des fleurs par exemple.
Ambiante	C'est la lumière du crépuscule, le soleil est derrière l'horizon. Cette lumière est très délicate et colorée. Le contraste est faible et évolue rapidement en fonction de la position du soleil derrière l'horizon. La température de couleur évolue du rouge au bleu (l'heure bleue).	Exposition facile Centrale pondérée ou Matricielle	Ne rangez pas votre matériel ; faites sonner votre réveil suffisamment tôt. Utilisez votre trépied car le temps de pose nécessaire est important. Lumière spectaculaire dans les grands espaces (montagne, bord de mer). Les lumières artificielles de la ville coïncident avec le crépuscule et se mélangent harmonieusement avec la lumière naturelle.

➤ *Ces deux images ont été photographiées du même point de vue. Preuve que c'est la lumière qui fait le qualité du paysage.*

Canon EOS 30, Velvia 50 ISO, zoom 100-400 mm, env. f/5.6, 1/200 s.

Phénomènes lumineux

Les jeux de lumière que l'on doit aux conditions atmosphériques et aux lois de la physique sont d'une extrême variété. Le photographe initié est conscient de ces phénomènes et, s'il les observe plus souvent que le commun des mortels, c'est qu'il sait reconnaître les conditions dans lesquelles ces jeux de lumière apparaissent. Il les recherche et attend leur apparition : en résumé, il sait être là au bon moment.

Les arcs-en-ciel

Ils sont formés par la diffraction, la réfraction et la réflexion de la lumière blanche du soleil dans les gouttes d'eau d'une averse. Les couleurs de l'arc-en-ciel sont le rouge, l'orangé, le jaune, le vert, le bleu et le violet. Ce phénomène est observable quand :

- Le soleil est dans votre dos.
- Le soleil se situe à moins de 42° au-dessus de l'horizon.
- Le soleil illumine directement la pluie.
- Vous êtes situé entre le soleil et la pluie.

Bon à savoir

- *Les arcs-en-ciel ne sont pas visibles quand le soleil est au zénith.*
- *Ils sont formés de lumière polarisée : si vous utilisez un filtre polarisé en position maximum, l'arc-en-ciel disparaît complètement.*
- *On voit parfois deux (et même trois) arcs-en-ciel parallèles l'un à l'autre. Dans ce cas, l'ordre des couleurs du second arc (mais pas du troisième) est inversé.*
- *La partie du ciel se trouvant sous l'arc est généralement plus claire que le reste du ciel.*
- *Les arcs-en-ciel rouges : il manque le bleu et le vert (et parfois le violet) aux arcs-en-ciel formés par la lumière rouge du soleil couchant car cette lumière ne contient pas ces couleurs, contrairement à la lumière blanche du milieu de journée.*
- *Les arcs-en-ciel surnuméraires contiennent deux couleurs supplémentaires : le rose pâle et le vert pâle.*
- *On peut voir des arcs-en-ciel juste avant le lever ou juste après le coucher du soleil mais la base de l'arc ne rejoint pas le sol car les gouttes d'eau au niveau du sol ne sont pas directement illuminées par le soleil.*
- *La lumière de la lune peut également créer des arcs-en-ciel.*

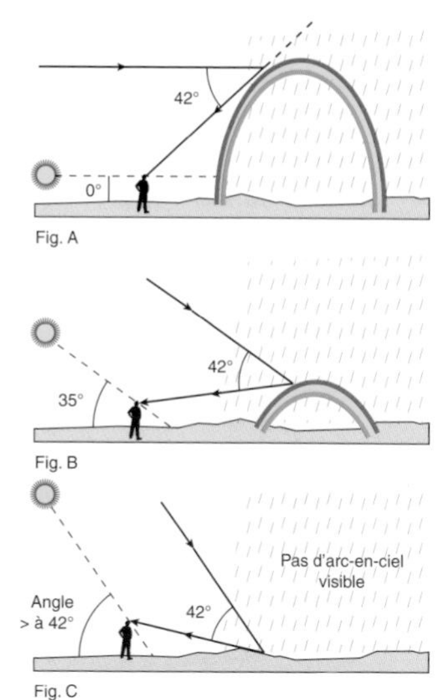

➤ *L'arc-en-ciel n'est observable que si le soleil se trouve à un angle inférieur à 42° par rapport à l'horizon. La hauteur de l'arc-en-ciel dépend également de cet angle : plus le soleil est proche de l'horizon, plus l'arc-en-ciel s'élève dans le ciel (D'après un document de John Naylor.).*

Canon EOS 30, Velvia 50 ISO, zoom 17-40 mm, dégradé neutre, env. f/5.6, 1/30 s.

➤ *Quand la pluie est abondante et les rayons du soleil puissants, vous observerez peut-être un double arc-en-ciel. Les couleurs du deuxième arc sont inversées.*

Canon EOS 30, Velvia 50 ISO, zoom 28-135 mm, dégradé neutre, env. f/5.6,1/60 s.

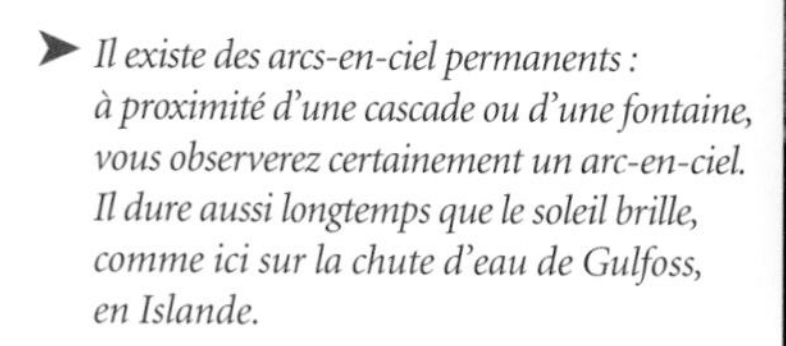

➤ *Il existe des arcs-en-ciel permanents : à proximité d'une cascade ou d'une fontaine, vous observerez certainement un arc-en-ciel. Il dure aussi longtemps que le soleil brille, comme ici sur la chute d'eau de Gulfoss, en Islande.*

Halos et parhélies

Les halos sont créés par la réflexion des rayons du soleil ou de la lune dans les cristaux de glace présents dans l'atmosphère, ils sont visibles en regardant directement la source lumineuse et peuvent durer plusieurs heures. Cherchez les halos quand vous voyez des cirrus dans le ciel : ces fins nuages d'altitude ont la particularité d'être chargés de cristaux de glace plutôt que de vapeur d'eau.

Les halos les plus courants sont de 22° en taille autour du Soleil ou de la Lune, mais il en existe de 46° créés par des cristaux de glace de forme moins courante.

Les parhélies sont des halos sur lesquels apparaissent des traits de lumière horizontaux créés par des cristaux de glace en forme de plaquette hexagonale.

➤ *Les halos 22° sont fréquents en présence de cirrus, comme ici au Groenland.*

Canon EOS 5D, zoom 16-35 mm, polarisant, 100 ISO, f/8, 1/250 s.

Les piliers

Ce phénomène observable au coucher et au lever du soleil est causé par la réflexion de la lumière du soleil dans une multitude de cristaux de glace en forme de plaquette hexagonale qui se forment dans l'atmosphère.

Les nuages noctilucents

Ce sont des nuages lumineux nocturnes qui continuent de briller 1 heure et demie à 3 heures après le coucher du soleil. Ces nuages formés de particules de glace se trouvent dans la mésosphère à environ 80 km d'altitude et réfléchissent la lumière du Soleil vers la Terre comme un miroir.

➤ *Un pilier observé depuis un ferry en Écosse.*

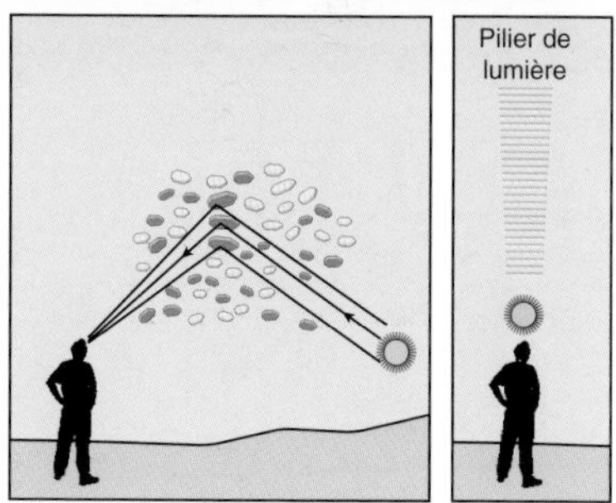

L'apparition récente de ces nuages sous nos latitudes est en partie inexpliquée et pourrait être causée par le réchauffement climatique ou les lancements des navettes spatiales américaines et autres fusées européennes qui dégagent de grandes quantités d'oxygène et d'hydrogène liquide dans cette partie de l'atmosphère normalement sèche.

L'ombre de la Terre et la ceinture de Vénus

L'ombre de la Terre est visible à l'est peu après le coucher du soleil ou à l'ouest peu avant le lever du soleil, lorsque le ciel est sans nuage mais poussiéreux. Le Soleil projette l'ombre de la Terre sur l'atmosphère. L'ombre de la Terre forme une bande bleu foncé au-dessus de l'horizon.

La ceinture de Vénus est formée par la rétrodiffusion de la lumière rouge du Soleil par la poussière présente dans l'atmosphère. Elle forme une bande brun-rose au-dessus de l'ombre de la Terre.

De nombreux autres phénomènes existent parmi lesquels les nuages irisés, le spectre du Brocken ou le curieux et discret rayon vert. Il existe des sites Internet spécialisés créés par des passionnés ; consultez-les, vous y trouverez une multitude d'exemples.

Canon EOS 5D, zoom 16-35 mm, 400 ISO, f/5, 3.2 s.

➤ *Un nuage noctilucent au-dessus de Paris le 14 juillet 2009.*

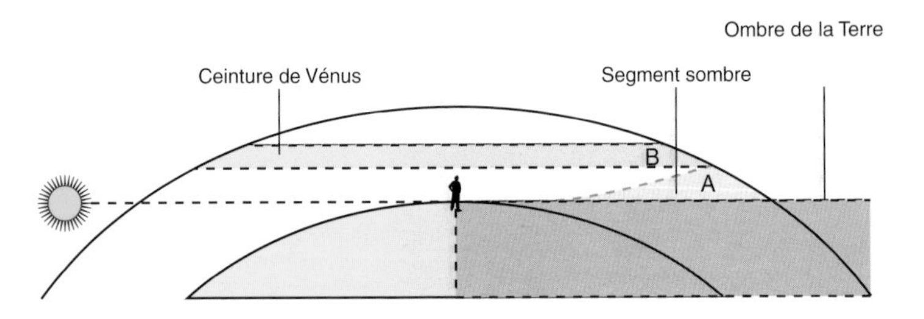

➤ *L'ombre de la Terre et la ceinture de Vénus . (© John Naylor)*

Canon EOS 30, Velvia 50 ISO, zoom 17-40 mm, env. f/8, 1/15 s.

➤ *L'ombre de la Terre et la ceinture de Vénus photographiées à l'est dans le désert blanc en Égypte, quelques minutes après le coucher du soleil.*

CHANGER DE COMPOSITION : CADRAGE, FOCALE ET POINT DE VUE

Un des moyens les plus simples de changer de composition consiste à changer de cadrage, c'est-à-dire à déplacer le cadre horizontalement ou verticalement (plongée/contre-plongée) comme si vous déplaciez votre regard. Vous modifiez ainsi l'emplacement du sujet dans le cadre sans changer son apparence.

En changeant de focale (en zoomant), vous changez la taille du sujet dans l'image et modifiez son importance par rapport aux autres éléments de la scène. Le changement de focale permet aussi d'inclure ou d'exclure certains éléments de l'image.

Le changement de point de vue est souvent négligé par le photographe néophyte, qui se contente de cadrer et « zoomer » à hauteur d'homme sans se déplacer dans la scène. Cherchez un point de vue plus élevé ou plus bas, déplacez-vous dans la scène pour changer de perspective, rapprochez-vous du sol, mettez un genou à terre.

Où placer l'horizon ?

L'horizon n'échappe pas aux règles de la composition, en particulier à la règle des tiers. Placer l'horizon au milieu crée une certaine confusion chez le spectateur : quel est le sujet ? Le sol ou le ciel ? Il est préférable de situer la ligne d'horizon sur la ligne des tiers, en particulier la ligne inférieure. Si le ciel manque d'intérêt (pas de nuage, grand ciel bleu), choisissez le tiers supérieur. S'approcher très près du bord supérieur ou inférieur de l'image est possible si vous avez une intention précise : mettre en valeur le ciel, confronter le sujet au paysage, renforcer la grandeur du paysage...

Avant de déclencher

Ne vous concentrez pas uniquement sur le placement du sujet au centre de l'image : faites le tour du viseur et assurez-vous qu'aucun élément non désiré ne perturbe les bords de l'image ; éliminez les éléments qui rentrent dans l'image et semblent inopportuns.

Laissez de l'espace entre le sujet et le bord de l'image pour éviter que le spectateur ne sorte de l'image.

Question de point de vue

La manière la plus efficace d'obtenir de la variété est de changer de point de vue. Explorez les points de vue suivants :

- **Hauteur d'homme.** Photographier à l'horizontale à hauteur d'homme est ce qu'il y a de plus instinctif. Le point de vue obtenu est naturel et correspond à la scène vue par le visiteur.
- **Ras du sol.** C'est le point de vue privilégié du photographe animalier qui se met à la hauteur de son sujet. Le point de vue au ras du sol est souvent ignoré du photographe paysagiste bien que les effets produits soient peu habituels.
- **Point de vue élevé.** Prenez de la hauteur ! Une colline, une falaise ou un immeuble offrent une vue d'ensemble résumant bien le paysage. En ville, une telle vue manquerait à votre série d'images.
- **Vue d'oiseau.** La vue imprenable par excellence est celle qu'on obtient depuis un avion ou un hélicoptère (voir la section « La photographie aérienne », plus loin dans ce chapitre).

Plongée – contre-plongée

Quel que soit le point de vue, élevé ou non, proche du sol ou pas, vous avez le choix de l'angle de vue : plongée ou contre-plongée. L'angle de vue se situe le plus souvent entre +45° et –45° par rapport à l'horizontale. N'hésitez pas à quitter votre zone de confort et à explorer des angles extrêmes : levez la tête à la verticale pour regarder la cime des arbres ou les étoiles ; baissez-la pour photographier les pavés de la ville, le sable des plages.

➤ *Cette photo prise en contre-plongée renforce la pente et rend compte de l'effort fourni par l'attelage de chiens de traîneau. Notez au passage le positionnement du sujet au tiers et l'importance des lignes dans la dynamique de cette image.*

Canon EOS 5D, zoom 16-35 mm, polarisant, 100 ISO, f/4, 1/640 s.

Intégrer un premier plan

Intégrer un premier plan dans la composition donne de la profondeur à une image, crée un effet 3D et invite le spectateur à rentrer dans la scène. Il renseigne également sur la nature de la végétation et par extension celle du paysage.

- Faites en sorte que le premier plan ne soit pas trop proéminent, le spectateur pourrait s'y arrêter. Si le premier plan est intéressant, faites-en le sujet principal de l'image.
- Cherchez des lignes et des convergentes comme une route, une haie ou des labours, qui vont mener le regard du spectateur vers le point d'intérêt.
- Assurez une progression naturelle entre les premier, deuxième et troisième plans pour permettre au spectateur de rentrer et de voyager dans l'image sans buter contre un obstacle.
- Utilisez un grand-angle pour bénéficier d'un angle de champ large et d'une profondeur de champ importante.
- Rapprochez-vous du sol.

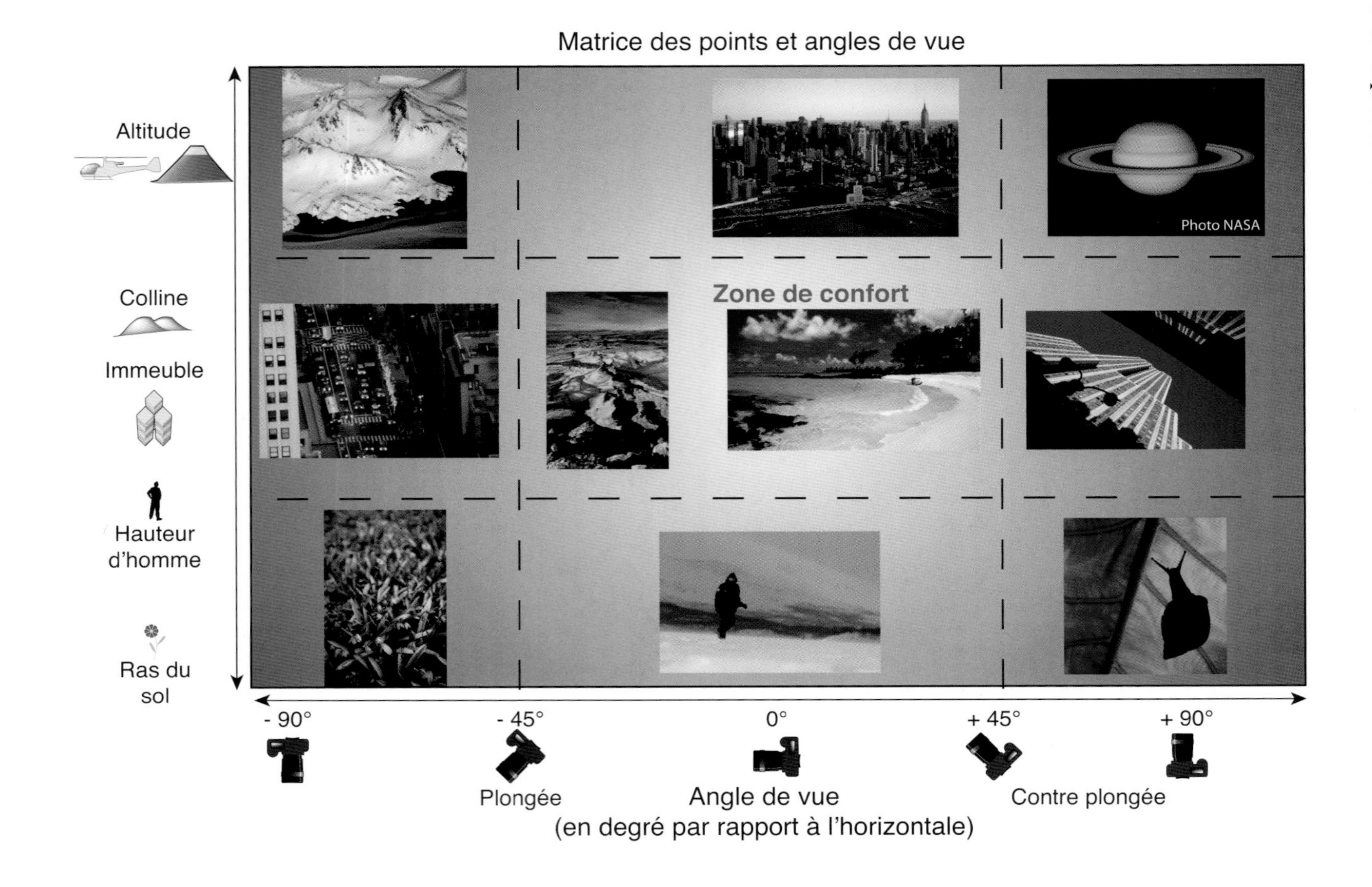
Matrice des points et angles de vue
Altitude
Colline
Immeuble
Hauteur d'homme
Ras du sol
Photo NASA
Zone de confort
- 90°
- 45°
0°
+ 45°
+ 90°
Plongée
Angle de vue
(en degré par rapport à l'horizontale)
Contre plongée

➤ *Les lignes convergentes formées par la nature particulière de la roche guident le spectateur dans l'image, tandis que la ligne d'horizon est située au tiers supérieur de l'"image. (Elgol, île de Skye, Écosse.)*

Canon EOS 30, Velvia 50 ISO, zoom 17-40 mm, polarisant, dégradé neutre, env. f/16, 1 s.

Préparer la scène

Pensez à retirer les éléments gênants : il vaut mieux passer quelques secondes sur le terrain à nettoyer la scène que plusieurs minutes sur Photoshop. Retirez les détritus et autres feuilles mortes qui gênent la composition. N'hésitez pas à faire un peu de « jardinage » et à retirer les herbes disgracieuses !

À l'inverse, vous pouvez rajouter des éléments intéressants : une feuille innocemment posée sur un rocher habille avantageusement le premier plan d'une photo de cascade.

Le premier plan doit être parfaitement net : utilisez une profondeur de champ élevée. Si celle-ci se révèle insuffisante pour assurer la netteté du premier plan à l'arrière-plan (c'est généralement le cas quand le premier plan n'est qu'à quelques centimètres de l'objectif), faites la mise au point sur le premier plan. C'est souvent lui qui prend le plus de place dans l'image et l'aspect sera plus naturel. En effet, les objets distants sont rarement vus nets à cause de la myopie de l'observateur, d'un voile de chaleur ou du voile atmosphérique.

Composer avec le soleil et la lune

Le soleil et la lune apportent beaucoup à la composition d'une image. Si vous maîtrisez les contraintes techniques (exposition, contraste élevé, flare pour le soleil ; exposition en basse lumière pour la lune), vous avez tout intérêt à les faire rentrer dans le cadre.

Voici ce qu'ils apportent en termes de composition :

- *Ils apparaissent comme des points ou des ronds selon la focale utilisée.*
- *Ils apportent de la couleur (soleil) et une luminosité plus ou moins vive en fonction de la manière dont le soleil est filtré par l'atmosphère.*
- *Ils se reflètent facilement sur la mer, les lacs et les rivières et créent alors une symétrie et des lignes dans l'image.*
- *Ils remplissent une partie du cadre qui serait restée vide, ce qui permet d'équilibrer la composition.*
- *À faible ouverture et avec un grand-angle, le soleil peut créer une sorte d'étoile, comme sur la photo d'ouverture du Chapitre 8.*

Canon EOS 30, Velvia 50 ISO, zoom 17-40 mm, polarisant, dégradé neutre, env. f/16, 1/15 s.

➤ *Le soleil est idéalement placé en haut à droite, ce qui permet d'équilibrer la composition. Le reflet du soleil sur la mer permet de fermer l'image sur la droite et fait écho au pont situé à gauche.*

OÙ FAIRE FAIRE LA MISE AU POINT DANS LE PAYSAGE

Le photographe portraitiste utilise généralement une profondeur de champ faible et fait une mise au point sur le visage du sujet. La question de savoir « où faire la mise au point » ne se pose pas réellement. Ce qui n'est pas le cas pour le photographe paysagiste quand il utilise une profondeur de champ élevée. Vaut-il mieux faire la mise au point sur l'horizon ou sur le premier plan ? Comme de toute façon une grande partie de la scène est censée être nette, peut-on faire la mise au point n'importe où ?

La mise au point au tiers

La valeur d'ouverture donne un « crédit » de profondeur de champ (en mètres) devant et derrière le sujet. Ce crédit est faible à *f*/2.8, important à *f*/8 et encore plus à *f*/16. Il est important mais pas infini : il faut faire la mise au point de manière à maximiser la profondeur de champ utile.

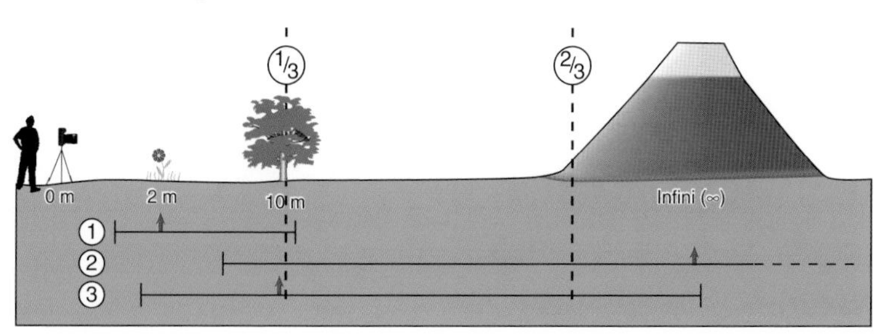

➤ *(1) Une mise au point faite au premier plan ne permet pas d'obtenir une profondeur de champ suffisante pour une image nette du premier plan à l'infini. (2) Une mise au point faite à l'infini exclut le premier plan de la zone de netteté et rend inutile une partie du crédit de profondeur de champ (au-delà de l'infini). (3) Faire la mise au point au premier tiers de l'image permet d'utiliser au mieux le crédit de profondeur de champ et d'inclure les trois plans dans la zone de netteté.*

Ce qu'il faut retenir : la profondeur de champ est surtout répartie derrière le sujet ; le point qui permet d'utiliser le crédit de profondeur de champ au maximum se trouve vers le premier tiers de la scène et est appelé point hyperfocal.

Le calculateur de profondeur de champ

Le calculateur de profondeur de champ permet d'obtenir la zone de netteté d'une combinaison Format du capteur/Focale/Ouverture/Distance du sujet. Jouez avec le calculateur pour comprendre les relations entre les différents paramètres. Par exemple, la zone de netteté maximum (de 1,34 m à l'infini) à *f*/8 avec un objectif 24 mm est obtenue en faisant la mise au point à 3 m.

Le calculateur est utile pour définir les paramètres quand une profondeur de champ importante est nécessaire et quand le premier plan est très rapproché. Par exemple, faire la mise au point sur un premier plan à 50 cm avec un objectif 17 mm donne seulement 47 cm de zone de netteté à *f*/8 et 2,25 m à *f*/16. Ce qui est trop peu, l'arrière-plan sera flou. En revanche, à *f*/22, la zone de netteté est comprise entre 24 cm et l'infini, ce qui est suffisant. Fermer à *f*/32 n'augmente que très peu la zone de netteté et diminue la qualité de l'image, les objectifs étant moins performants aux ouvertures extrêmes.

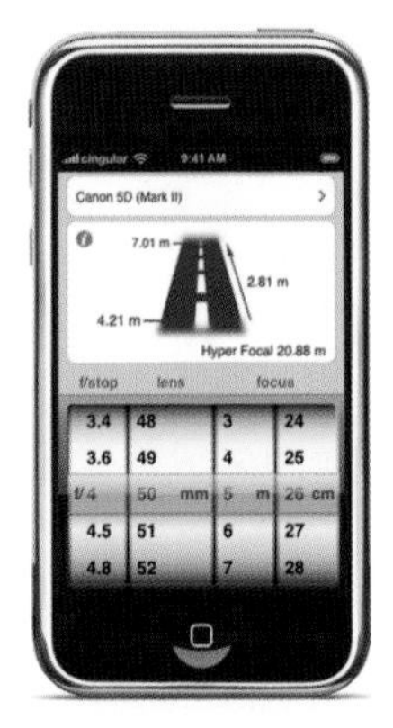

➤ *Plusieurs applications pour calculer la profondeur de champ sont disponibles pour l'iPhone. Il existe également de nombreux calculateurs de profondeur de champ sur Internet.*

WORKSHOPS TERRAIN

Photographier le mouvement

Contrairement à une idée reçue, le paysage n'est pas statique : prenez conscience des éléments mobiles et des conditions changeantes. Tenir compte du mouvement lors de la prise de vue permettra de donner de la vie à vos paysages.

Enregistrer le mouvement

Retranscrire le mouvement apporte à l'image un supplément d'information sur la nature de la scène tout en lui donnant un aspect plus créatif.

Les sujets en mouvement ne manquent pas, en ville comme en pleine nature. Les vagues, chutes d'eau, nuages, véhicules, piétons, cyclistes mais aussi les branches et les feuilles des arbres agitées par le vent sont autant d'occasions de mettre en œuvre cette technique :

- Assurez-vous de la stabilité de votre matériel, utilisez un trépied.
- Utilisez des vitesses d'obturation lentes : 1/4 s, 2 s ou plus en fonction des sujets et de leur vitesse de déplacement.
- Testez plusieurs vitesses jusqu'a obtenir la quantité de flou de bougé souhaitée.

Il est rare que tous les éléments de la scène soient mobiles : enregistrer le mouvement de ce qui bouge permet également de mettre en valeur les sujets immobiles.

Canon EOS 30, Velvia 50 ISO, zoom 17-40 mm, polarisant, env. f/22, 1/2 s.

➤ *L'exposition d'1/2 s permet d'enregistrer le mouvement des vagues de la célèbre plage de sable volcanique de Jokulsarlon, dans le sud de l'Islande.*

Astuce

Une durée d'exposition longue permet de flouter les visages d'une foule et de s'affranchir des contraintes grandissantes du droit à l'image.

Éliminer le mouvement

Les photos de ville prises aux débuts de la photographie montraient des rues désertes sans aucun véhicule ni personnage mobile car les films étaient trop peu sensibles pour fixer les sujets en mouvement. Les temps d'exposition pouvaient atteindre plusieurs heures en pleine journée.

Une très longue exposition peut aussi être utilisée pour éliminer les touristes trop nombreux aux abords d'un monument. Un filtre ND 400 peut alors être nécessaire.

En bord de mer, une exposition supérieure à 15 s permet d'éliminer les vagues ; ces dernières se transforment en une sorte de brouillard.

Canon EOS 30, Velvia 50 ISO, zoom 17-40 mm, polarisant, env. f/22, 15 s.

➤ *Les 15 s d'exposition commencent à transformer les vagues en un brouillard mystérieux.*

Geler le mouvement

Utiliser des vitesses d'obturation courtes permet de geler l'action, d'obtenir des images parfois spectaculaires et d'enregistrer des scènes invisibles à l'œil. Des vitesses d'obturation de l'ordre de 1/1000 s sont couramment utilisées en photo de sport.

Astuce

Si le sujet se déplace vers vous (ou s'éloigne de vous), cela risque de poser des difficultés de mise au point. Utilisez le mode autofocus AI Servo permet de détecter le mouvement et d'effectuer la mise au point en conséquence.

Le filé

Cette technique permet de photographier un sujet en mouvement en déplaçant le boîtier parallèlement et à la vitesse du sujet. La vitesse d'obturation à utiliser dépend de la vitesse de déplacement du sujet, de la distance par rapport au sujet et de la focale utilisée. Les vitesses situées entre 1/8 et 1/60 s sont les plus utilisées.

- Suivez le sujet dans le viseur et assurez-vous qu'il reste au même endroit dans le viseur avant de déclencher.
- Évitez les gestes brusques et préférez les mouvements amples que vous poursuivrez quelques fractions de seconde après le déclenchement.
- Multipliez les prises de vue en mode rafale.

- Désactivez le stabilisateur d'image, il pourrait compenser le mouvement de l'objectif. Si le stabilisateur possède un mode « filé », activez-le : dans ce cas, seuls les mouvements verticaux seront compensés.
- Assurez-vous que l'arrière-plan se prête au filé : photographier un oiseau sur fond de ciel bleu ne produira aucun effet de filé. L'arrière-plan doit être assez simple, afin que le sujet s'en détache.
- Un flash en fill-in associé à une vitesse lente permet de figer le sujet et de garantir une certaine netteté tout en enregistrant le mouvement.

Canon EOS 5D, zoom 70-200 mm, polarisant, 100 ISO, f/11, 1/20 s.

➤ *J'ai suivi le mouvement de la motoneige dans le viseur quelques secondes avant de déclencher pour mieux réussir ce filé.*

Info

La technique du filé peut être utilisée à bord d'un véhicule en mouvement : dans ce cas l'appareil est fixe (et peut même être fixé) et enregistre le déplacement du paysage.

Canon EOS 5D, zoom 24-105 mm, polarisant, 100 ISO, f/11, 1/20 s.

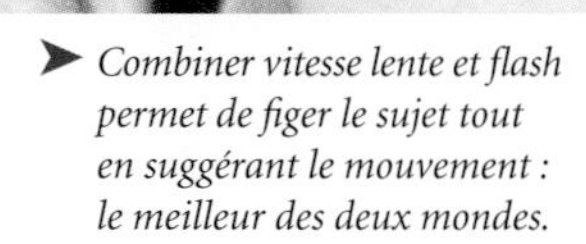

➤ *Combiner vitesse lente et flash permet de figer le sujet tout en suggérant le mouvement : le meilleur des deux mondes.*

Canon EOS 5D, zoom 24-105 mm, polarisant, 125 ISO, f/9, 1/15 s.

➤ *Cet effet de filé a été obtenu en essayant de rester immobile sur le traîneau en mouvement.*

Intégrer un élément dans le paysage

Intégrer dans la composition un élément *a priori* « extérieur » au paysage, comme une personne, un animal ou un véhicule, permet d'enrichir l'image. C'est parfois ce qui fait la différence entre une photo réussie et une photo banale, surtout si la scène est très photographiée.

Un élément extérieur peut apporter :

- **Un point d'accroche.** Ce petit détail qui attire le regard et permet d'intéresser le spectateur et de capter son attention.
- **Une échelle, un point de repère.** Cela permet de rendre compte de la grandeur du lieu. Vous avez certainement en tête les séquoias du parc national de Séquoia aux États-Unis, souvent représentés à côté d'un véhicule, témoin du gigantisme de ces arbres.
- **Du dynamisme.** Cela donne vie à un paysage qui autrement pourrait paraître figé ; en particulier si le sujet se déplace. Il peut aider le spectateur à rentrer dans l'image... mais aussi à en sortir. L'élément rentre activement dans la composition de l'image et doit être positionné avec soin.
- **Une émotion, une atmosphère particulière.** L'émotion éprouvée par le personnage (ou celle que le photographe suggère) est transmise à l'image : le même paysage photographié vide, avec un marcheur solitaire ou un groupe de personnes immobiles transmet des émotions différentes. Une même combinaison peut être ressentie différemment selon le spectateur.

La taille de l'élément en question dans une photo de paysage est importante. Il doit être suffisamment grand pour être « remarquable » et ne pas avoir l'air d'être là par hasard ; et suffisamment petit pour ne pas être considéré comme le sujet de la photo.

➤ *Moi-même fasciné par cette ville, j'ai photographié ces personnes contemplant Hong-Kong.*

Canon EOS 30, Velvia 50 ISO, zoom 16-35 mm, env. f/5.6, 1/20 s.

Canon EOS 30, Velvia 50 ISO, zoom 100-400 mm, polarisant, env. f/5.6, 1/125 s.

➤ *Cette photo, prise à l'écart des circuits touristiques, confronte l'Histoire avec le quotidien. (Vallée du Nil, Égypte).*

Canon EOS 30, Velvia 50 ISO, zoom 100-400 mm, polarisant, env. f/5.6, 1/125 s.

➤ *Quelques minutes d'attente ont été nécessaires pour qu'un (seul) personnage vienne remplir le côté droit de l'image. J'ai déclenché au moment où celui-ci a les jambes écartées pour plus de dynamisme. (Île aux Cerf, Maurice.)*

Intégrer un animal dans le paysage

Intégrer un animal dans le paysage apporte des renseignements sur l'environnement, le biotope du paysage. Quand un animal est intégré à la scène, vous ne photographiez plus un simple paysage, mais le territoire de l'animal.

Comme certains animaux sont difficiles à voir ou à approcher, vous pouvez toujours photographier leurs traces : une empreinte laissée dans la neige peut être photographiée pour elle-même ou utilisée comme premier plan. De même pour les bois de l'animal… ou son squelette.

➤ *Il est souvent plus facile de photographier les traces de l'animal dans le paysage que l'animal lui-même. (McCarthy, Alaska.)*

Canon EOS 30, Velvia 100 ISO, zoom 100-400 mm, env. f/5.6, 1/100 s

Photographier la neige

La neige transforme le paysage de manière spectaculaire : les couleurs, le relief, la végétation disparaissent pour laisser place à un paysage lumineux, monochrome, simplifié et au relief adouci. C'est une invitation au graphisme.

La neige possède une grande capacité de diffusion de la lumière, ce qui permet d'éclaircir les ombres et d'y préserver les détails. Les ombres possèdent une dominante bleue quand le ciel est bleu car la neige reflète le ciel.

Info

La température de couleur de la lumière d'un paysage enneigé par ciel bleu est d'environ 10 000 K, ce qui est la température la plus élevée possible en lumière naturelle.

La valeur de luminosité de la neige (sur l'échelle 0-255) est comprise entre 230 et 245 par temps clair.

➤ *La neige, qui se présente sous de multiples formes, permet de photographier les textures et de s'essayer au graphisme.*

Exposer un paysage enneigé

Obtenir une exposition correcte est la seule « difficulté » de la prise de vue d'une scène enneigée. La raison tient au fonctionnement de la cellule chargée de mesurer l'illumination de la scène : elle *estime* la quantité de lumière arrivant sur le sujet (lumière incidente) en mesurant la quantité de lumière que le sujet reflète et prend pour hypothèse que ce dernier est gris moyen (128,128,128)... ce qui n'est pas le cas de la neige ! Cette dernière réfléchit plus de lumière que la moyenne des sujets, ce qui fait croire à la cellule que la lumière incidente est plus forte qu'elle n'est en réalité, et cela provoque une sous-exposition.

Voici quelques conseils d'exposition :

- Appliquez +1 IL en correction d'exposition.
- Utilisez un flashmètre pour mesurer la lumière incidente plutôt que la lumière réfléchie.
- Effectuez une mesure d'exposition sur une charte grise ou sur le ciel bleu.
- Photographiez en Raw et compensez l'exposition en postproduction.
- Faites confiance à votre boîtier : la mesure d'exposition évaluative (associée au mode matriciel) reconnaît les scènes enneigées et compense l'exposition.

Info

La surexposition de + 1IL, qu'il est conseillé d'appliquer à une scène enneigée, est une moyenne. La correction réellement nécessaire dépend de l'intensité lumineuse et de la direction de la lumière (une lumière rasante crée des ombres contrairement à la lumière du zénith)... et bien sûr de la quantité de neige présente dans l'image.

Autres conseils :

- Évitez d'utiliser le polarisant en position maximum. Exposer pour la neige assombrit le ciel, ce dernier risque d'être trop sombre si un polarisant est utilisé, qui plus est en position maximum.
- Attention aux traces de pas dans la neige : photographiez quand la neige est encore fraîche et évitez de marquer le paysage de vos propres pas.
- Attention aux flocons, montez le pare-soleil pour protéger l'objectif.

Photographier les chutes d'eau

Les chutes d'eau figurent parmi les éléments du paysage les plus vivants. En ville, les fontaines et autres jets d'eau sont nombreux dans les parcs et sur les places publiques.

Un ciel couvert est idéal pour photographier les chutes d'eau car il permet de diminuer le contraste entre l'eau en mouvement (blanche) et la roche humide la plupart du temps très sombre. Les chutes d'eau constituent une solution de repli idéale pour les journées maussades.

La durée d'exposition :

- Il est préférable de choisir une durée d'exposition longue (1/4 s ou plusieurs secondes). Cela permet d'obtenir un filé de l'eau en mouvement. Dans ce cas, un filtre ND 8 ou ND 400 peut être utile pour bloquer la lumière et allonger la durée de l'exposition.
- Au contraire, choisir une durée d'exposition courte (1/125 s ou moins) permet de geler l'action. Les gouttes d'eau apparaissent alors comme en suspension.
- Une exposition moyenne (1/25 s ou 1/60 s) donne des résultats « entre-deux » moins pertinents.

Info

Le débit des chutes d'eau varie en fonction de la saison (souvent plus faible en été et en hiver) et de l'activité humaine (barrage, dérivation). Un débit important est plus spectaculaire, mais un débit réduit peut révéler les détails de la roche, faire baisser le niveau de l'eau et découvrir des rochers utilisables comme premier plan.

Astuce

Un filtre polarisant est le bienvenu pour supprimer les reflets sur la surface de l'eau et sur les rochers. Cela permet d'augmenter le contraste de la scène.

Canon EOS 30, Velvia 50 ISO, zoom 28-135 mm, env. f/8, 1/125 s.

➤ *La puissance de la chute d'Aldeyjarfoss, en Islande, contraste avec la délicatesse des colonnes basaltiques qui l'entourent.*

➤ *La technique du filé d'eau est facile à mettre en œuvre mais l'intérêt de l'image dépend principalement de l'intérêt de la chute d'eau.*

Canon EOS 30, Velvia 50 ISO, zoom 28-135 mm, env. f/5.6, 2 s.

Photographier la foudre

La foudre révèle la puissance de la nature. Le phénomène est impressionnant à vivre mais également quand il est couché sur papier photo.

La foudre est un arc électrique qui part de la base du nuage et frappe le sol. Le phénomène se produit pendant les orages, dans de gros nuages en forme d'enclume appelés cumulonimbus dont la base se situe entre 500 m et 3 km d'altitude et le sommet entre 8 à 15 km d'altitude sous nos latitudes. Au sein de ces nuages coexistent plusieurs zones de charges contraires : des charges négatives à la base, et positives au sommet.

Prévoir les orages et la foudre

La foudre frappe la Terre 100 fois par seconde, 32 millions de fois par an ; les occasions de la photographier ne manquent donc pas !

Les orages (et donc la foudre) se produisent plus fréquemment dans les régions chaudes et humides ainsi que dans les zones montagneuses.

La foudre est provoquée par la rencontre d'une couche d'air froid avec une couche d'air chaud. Ces conditions sont créées soit par un phénomène de convection naturelle (généralement en fin d'après-midi quand la journée a été chaude et suffisamment humide), soit par l'arrivée d'un front d'air froid ou chaud.

Les prévisions météo courantes annoncent l'arrivée des orages. Vous pouvez néanmoins consulter des sites Internet spécialisés comme **www.lightningradar.net**, qui génèrent les cartes des impacts de la foudre en temps réel et vous permettent d'anticiper son apparition dans votre région.

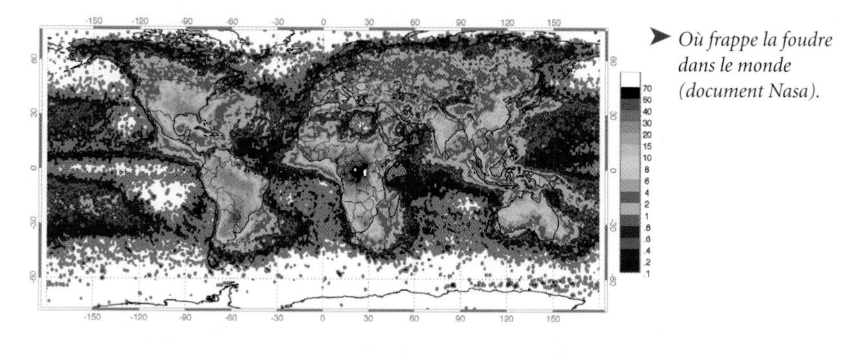

Où frappe la foudre dans le monde (document Nasa).

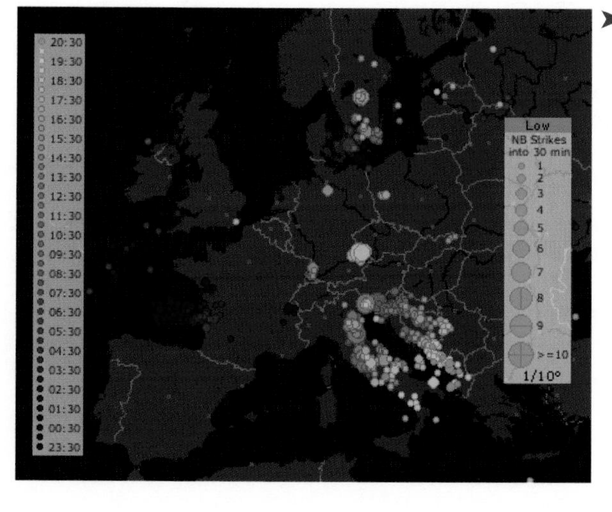

Suivez les impacts de la foudre en temps réel sur ***www.lightningradar.net****.*

Attention

La foudre est un phénomène dangereux qui frappe plusieurs dizaines de personnes en France chaque année. Environ 10 % des foudroiements sont mortels. La lumière se déplace plus vite que le son : vous verrez l'éclair avant d'entendre le tonnerre. Chaque seconde qui sépare l'un de l'autre représente 300 mètres de distance. Si 3 secondes séparent la foudre du tonnerre, c'est qu'elle est tombée à 1 kilomètre et que vous êtes dans la zone de danger. Les chasseurs de foudre se réfèrent aussi à la zone de précipitation : la foudre tombe près ou dans le rideau de pluie, et le danger est donc maximal quand la pluie commence à tomber. Vous devez alors prendre les mesures suivantes :

- *Éloignez-vous des sommets et restez à bonne distance des objets proéminents comme les poteaux ou les grands arbres.*
- *Rangez votre trépied, il risque d'attirer la foudre.*
- *Un véhicule offre une bonne protection et agit comme une cage de Faraday.*
- *Si vous vous trouvez dans un espace découvert, ne restez pas debout mais ne vous allongez pas non plus (l'électricité de la foudre se propage dans le sol). Mettez-vous en position accroupie, bras et jambes repliés.*

Conseils de prise de vue

- Un repérage préalable est nécessaire car un orage ne dure généralement que 1 ou 2 heures. Recherchez un point de vue dégagé, comme un flanc de montagne surplombant une ville.
- Le trépied ou un autre dispositif de stabilité sont indispensables car les expositions sont longues.
- La qualité de la composition est primordiale : les plus belles images tiennent plus à la qualité de l'environnement qu'à la foudre elle-même.
- Le cadrage ne peut généralement pas se faire en fonction de la foudre car l'endroit où elle frappe n'est bien sûr pas connu à l'avance. Comme elle a tendance à frapper les points proéminents du paysage, vous aurez intérêt à placer le sommet d'un immeuble (et son paratonnerre) selon les règles de la composition.
- Choisissez une durée d'exposition longue. La foudre est un phénomène bien trop bref pour que vous ayez le temps de déclencher avant qu'il ne disparaisse. Une pose longue comprise entre 1 et 8 s (en pleine journée ou au-dessus d'une ville) et 20 à 30 s pendant la nuit permettent de photographier l'éclair s'il frappe pendant l'exposition. Un filtre ND 400 aide à allonger la durée d'exposition pour les images prises en pleine journée mais risque de faire disparaître les ramifications de la foudre. Préférez le filtre ND 8.
- Des détecteurs optiques reliés au boîtier permettent de déclencher dès l'apparition de l'éclair.

- Définissez les paramètres d'exposition de manière à exposer correctement le paysage sans tenir compte de la luminosité d'un éventuel éclair. D'une part, celui-ci n'éclaire pas le paysage de manière significative ; d'autre part son intensité lui permet d'exposer le capteur quels que soient les réglages.
- Fermez le diaphragme à *f*/8 ou *f*/22 de jour et entre *f*/4 et *f*/10 de nuit, sélectionnez la sensibilité la plus faible possible (50 ou 100 voire 200 ISO) et effectuez la mise au point à l'infini.
- Multiplier les prises de vue augmente vos chances de saisir la foudre et surtout de la placer au bon endroit de l'image.

Nikon D300, 200 ISO, focale 48 mm (équivalent 24 × 36), f/10, 30 s.

➤ *Une exposition de plusieurs secondes a permis d'enregistrer un premier éclair puis un deuxième au-dessus de la ville de Genève. (Photo © Christophe Suarez.)*

Astuce

En photographiant les orages, vous serez souvent amené à photographier sous la pluie, et dans ce cas à utiliser… le pare-soleil pour protéger l'objectif. Mais comme la pluie tombe le plus souvent de manière oblique, des gouttes d'eau risquent de frapper la partie inférieure et intérieure du pare-soleil et d'éclabousser l'objectif. Pour éviter ce problème, coupez le bas du pare-soleil.

Info

Pour tout savoir sur la foudre (prévoir les orages, photographier la foudre, s'en protéger, etc.), consultez le forum www.chasseurs-orages.com créé par Christope Suarez. Vous pouvez aussi consulter les images réalisées par les membres.

Info

Le diamètre de la foudre ne dépasse généralement pas 3 ou 4 cm, mais son extraordinaire intensité lumineuse lui permet d'être vue à plusieurs dizaines de kilomètres de distance.

Considérations matérielles

Photographier la foudre ne nécessite pas de matériel particulier. L'équipement conseillé pour la photographie de paysage et en particulier pour la photo en basse lumière convient parfaitement.

Notez cependant les points suivants :

- Un intervallomètre permet de réaliser plusieurs séries d'expositions sans intervenir sur le boîtier.
- Le boîtier doit avoir un bon rapport signal/bruit.
- Un objectif grand-angle permet de saisir une plus grande partie du paysage et d'augmenter les chances de saisir le phénomène.
- L'objectif doit être si possible de qualité car la forte luminosité de la foudre pourrait créer des aberrations chromatiques (voir la section « Les aberrations chromatiques », au Chapitre 8).

La couleur de l'éclair change

La couleur de l'éclair varie en fonction de la densité du courant électrique, de la distance de l'éclair et de la composition de l'air ambiant :

- *Un éclair rouge indique de la pluie dans l'atmosphère, que l'éclair se trouve à une grande distance ou encore que la lumière qu'il dégage est filtrée par l'atmosphère comme pendant un coucher de soleil.*
- *Un éclair blanc est signe d'un air sec.*
- *Un éclair bleu indique la présence de grêle.*
- *Un éclair jaune est le signe d'une quantité importante de poussière dans l'atmosphère.*

Photographier depuis un moyen de transport

En voyage, vous prendrez certainement plusieurs moyens de transport pour rejoindre vos différentes destinations. Les avions, bateaux, voitures, trains et peut-être hélicoptères que vous emprunterez sont autant d'occasions photographiques à saisir pendant le trajet mais aussi avant le départ dans la gare ou l'aéroport.

Le moyen de transport, c'est :

- Un point de vue unique sur le paysage : une vue aérienne, une vue depuis la mer.
- L'occasion de traverser des régions inaccessibles, notamment en train, ou de survoler des régions inexplorées.
- Un sujet particulièrement graphique (formes et couleurs) : notamment les bateaux, en particulier les ferrys.
- La possibilité de compléter une série d'images avec un sujet original.
- Parfois le sujet de la photo elle-même : un avion, un bateau sont chargés d'une symbolique forte : départ, voyage, aventure... C'est un sujet idéal pour débuter un reportage.

Photographier depuis un moyen de transport nécessite la prise en compte de trois contraintes principales :

- **La vitesse de déplacement.** Adaptez la vitesse d'obturation à la vitesse de déplacement du véhicule mais aussi à la distance du sujet photographié. Sélectionnez le mode Priorité vitesse ou choisissez une grande ouverture et/ou une sensibilité ISO plus élevée que d'ordinaire. Une vitesse de 1/250 s voire 1/500 s est conseillée. Si le sujet photographié est éloigné, la vitesse de déplacement du véhicule a moins d'influence.
- **L'instabilité du terrain.** La houle, les imperfections de la route, les virages rendent la prise de vue difficile. Vous devez adapter la vitesse d'obturation à l'instabilité.
- **Les vibrations du moteur.** Comme elles sont transmises à tout le véhicule, elles ne permettent pas l'utilisation du trépied. La photo à main levée est obligatoire dans la plupart des cas. Ne vous appuyez pas contre la carlingue ou le bastingage et profitez de l'arrêt éventuel et momentané du moteur pour photographier.

Astuce

Vous pouvez utiliser le déplacement du véhicule pour pratiquer un filé. Dans ce cas, utilisez une vitesse lente (essayez avec 1/30 s) et tâchez d'inclure le moyen de transport dans l'image.

Astuce

S'il s'avère nécessaire de les utiliser, vous pouvez limiter les vibrations du moteur transmises au trépied ou au monopode en recouvrant le ou les pieds avec un bout de tapis de sol fixé avec du gaffer.

Canon EOS 5D, zoom 16-35 mm, polarisant, 800 ISO, f/9, 1/100 s

➤ *L'aspect très graphique du ferry structure l'image et crée, avec le sillage du navire, des lignes fuyantes qui mènent l'œil du spectateur aux îles Lofoten (Norvège), le véritable sujet de cette photo.*

Canon EOS 30, Provia 400 ISO, zoom 17-40 mm, dégradé neutre, env. f/8, 1/15 s.

➤ *Le départ matinal des ferries est souvent l'occasion d'observer des levers de soleil spectaculaires. (Isle of Lewis, Écosse.)*

Canon EOS 5D, zoom 24-105 mm, 800 ISO, f/5.6, 1/60 s

➤ *Les opportunités de photos sont nombreuses dans les aéroports. J'ai demandé au jeune garçon de se retourner et de regarder la peau d'ours. (Aéroport de Kulusuk, avant de prendre l'hélicoptère pour Tasiilaq, la capitale de l'est du Groenland.)*

La photographie aérienne

La photographie aérienne est particulièrement spectaculaire tant le point de vue est inhabituel. Une photo prise d'avion, d'hélicoptère, d'ULM, parapente ou tout autre objet volant ne manquera pas d'impressionner le spectateur. C'est une image forte dans un reportage.

Les conditions ne sont pas souvent réunies pour réussir le cliché : on ne passe généralement que quelques heures dans un avion et le plus souvent à des altitudes trop élevées pour obtenir de bons résultats.

Voici quelques conseils pour prendre les bonnes décisions et être performant le moment venu.

Avions et hélicoptères

Vous aurez peut-être l'occasion d'organiser un vol privé, seul ou à plusieurs, de faire un vol touristique ou un baptême de l'air ; la plupart des aérodromes proposent ces activités. Vous aurez le choix entre plusieurs types d'avions et pourrez parfois opter pour l'hélicoptère.

Quelques conseils et observations :

- L'avion est moins coûteux que l'hélicoptère.
- Préférez les avions à ailes hautes (au-dessus des portes) aux avions à ailes basses car elles rendent les vues verticales difficiles.
- L'hélicoptère vibre davantage en vol stationnaire qu'en déplacement.
- Il est préférable d'ouvrir la fenêtre ou une porte pour photographier ; les vitres sont plus souvent en plastique qu'en verre et ne sont pas toujours propres. Demandez au pilote (et aux autres passagers !) si cela est possible. Attention, la température descend très vite en altitude, couvrez-vous et prévoyez des gants.

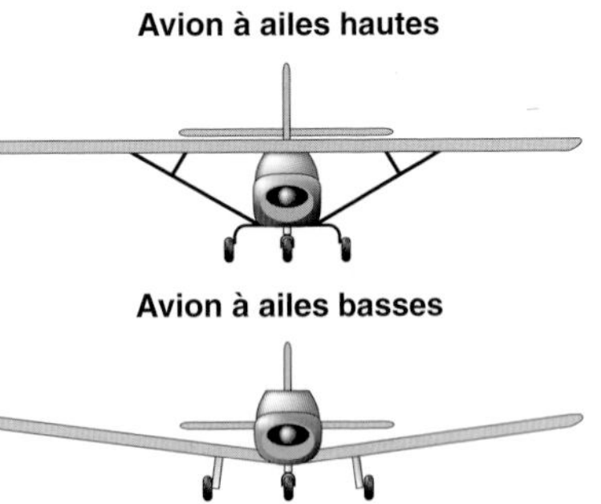

➤ *Si vous avez le choix, préférez un avion à ailes hautes pour la photographie aérienne.*

- Profitez des vols circulaires. Photographier lorsque l'appareil effectue un virage permet d'obtenir un angle de vue proche de la verticale. Un vol circulaire permet en outre de photographier le sujet sous plusieurs angles et plusieurs orientations de lumière.
- L'itinéraire est le plus souvent imposé. En revanche, si vous effectuez un vol privé, vous aurez le choix de l'itinéraire : expliquez au pilote les images que vous voulez réaliser et pointez sur une carte les sujets en question.

➤ *Évitez d'utiliser un filtre polarisant quand vous photographiez à travers le hublot d'un avion : il risque de faire apparaître un effet d'arc-en-ciel, comme sur cette image prise lors d'un vol Islande-Groenland.*

➤ *Point de vue rare pour cette scène de pêche au trou prise en arrivant à Tasiilaq, capitale de l'est du Groenland.*

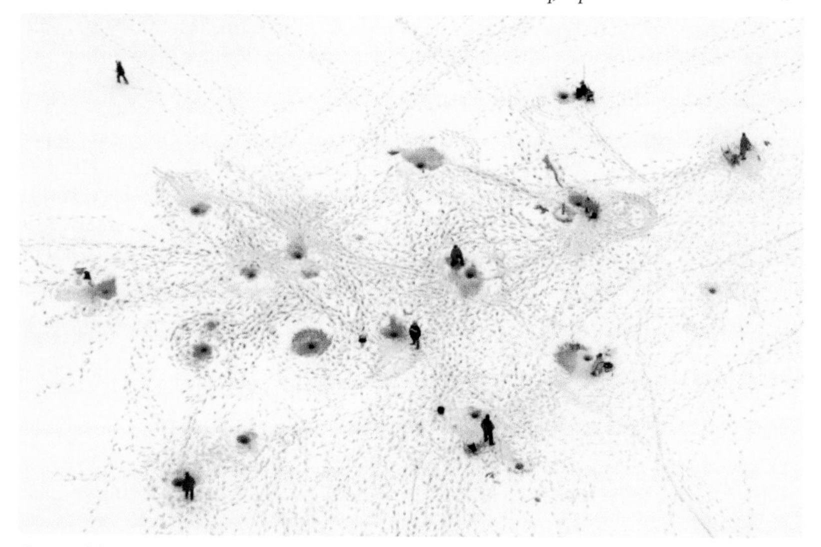

Canon EOS 5D, zoom 16-35 mm, polarisant, 320 ISO, f/5.6, 1/2500 s.

Astuce

La photo aérienne en parapente ou en ULM est possible mais vous risquez d'être aux commandes de l'engin. Un dispositif spécifique peut être nécessaire pour fixer l'appareil (pince, gaffer ou autre) et déclencher sans l'usage des mains (télécommande fixée près des commandes, intervallomètre).

Certains photographes équipent des ballons captifs ou des minidirigeables d'un système de commande inspiré des voitures radioguidées qui leur permet non seulement de déclencher mais aussi de cadrer à distance en visualisant le résultat sur un écran.

PHOTOGRAPHIER LES PAYSAGES URBAINS

Vous pouvez photographier les paysages urbains comme les paysages naturels ; de fait, la ville est l'habitat naturel de l'homme moderne. Photographiez la ville dans son ensemble ou isolez quelques détails, intégrez l'homme et les activités humaines ou bien concentrez-vous sur l'architecture. Dans tous les cas, les règles de la photographie du paysage naturel s'appliquent.

L'environnement urbain possède néanmoins des caractéristiques spécifiques qu'il faut avoir à l'esprit pour optimiser sa présence sur le terrain.

Planifier les paysages urbains

Les paramètres naturels (saison, lumière, conditions atmosphériques…) s'appliquent aussi à la ville, mais dans une moindre mesure. L'activité humaine peut être une contrainte supplémentaire à gérer, mais elle donne un rythme, une respiration à la ville. Il faut prendre en compte ce rythme pour exploiter au mieux le temps passé en ville.

Les meilleurs moments pour la photographie en ville :

- Les heures les plus appropriées à la prise de vue en milieu urbain sont les mêmes qu'en pleine nature (un peu avant et après le coucher ou le lever de soleil). Elles coïncident avec une forte activité humaine (heures de pointe) et à la mise en route de l'éclairage public. En ville, vous pourrez photographier le soir et la nuit grâce à l'abondance de la lumière artificielle. La lumière du zénith permet de photographier certaines rues ou avenues encaissées.
- Les heures de pointe, le matin et le soir, peuvent rendre difficile la prise de vue mais offrent de nombreuses opportunités photographiques.
- La ville est différente la semaine et le week-end, le jour et la nuit ; l'activité des citadins varie.
- Pensez aux fêtes nationales, aux festivals, etc. Passez la Saint-Patrick à Dublin (en fait plutôt à Boston ou à New York), le 14 Juillet à Paris, la Saint-Sylvestre à Times Square (New York)…
- Tenez compte des horaires d'illumination de la ville : l'heure à laquelle l'éclairage public s'allume, l'illumination des bureaux et des monuments (le scintillement de la tour Eiffel, le spectacle lumineux tous les soirs à Hong Kong par exemple). Les villes sont plus éclairées au crépuscule qu'à l'aube ; les illuminations sont multipliées à la période de Noël dans les pays occidentaux.

Astuce

Notez sur une carte les lieux intéressants pour y revenir plus tard, indiquez l'heure la plus favorable, les points et angles de vue ou les conditions météo appropriés.

Canon EOS 30, Velvia 50 ISO, zoom 28-135 mm, env. f/7.1, 4 s.

➤ *Si vous photographiez la ville à l'aube ou au crépuscule, faites en sorte que l'intensité de l'éclairage urbain et celle de la lumière naturelle soient équilibrées.*

Canon EOS 30, Velvia 50 ISO, zoom 28-135 mm, env. f/5.6, 15 s.

➤ *Les photos de paysages urbains de nuit ne sont pas toujours efficaces : cette vue de New York ne rend pas bien compte de la ville, car l'obscurité supprime les repères nécessaires à l'appréhension des distances et du relief.*

Quelques sujets à photographier en ville

Les points de vue reconnaissables et emblématiques d'une ville : la présence de la tour Eiffel ou de Big Ben dans une série d'images urbaines laisse peu de doutes quant à la ville photographiée. Ces éléments incontournables se passent de légende et transmettent à votre reportage leur propre force symbolique.

Canon EOS 30, Velvia 100 ISO, zoom 28-135 mm, polarisant, env. f/5.6, 1/100 s.

➤ *Iron District est un quartier de New York rendu populaire par les séries policières américaines des années 1970. La présence du drapeau américain donne à cette image une grande force symbolique.*

Les bâtiments courants (immeubles d'habitation, ponts, lieux de culte) : si les monuments sont les témoins de la grande Histoire, les bâtiments courants renseignent sur la ville, le mode de vie de ses habitants et ils sont souvent d'un grand intérêt architectural et historique, surtout dans les quartiers anciens et populaires.

Les activités humaines : elles révèlent le côté humain de la ville et contrastent fortement avec le côté froid et statique des lieux. La ville respire et se transforme au rythme de l'activité humaine. Comme le sang dans les veines, la foule envahit les rues et les couloirs du métro pour leur donner vie. Vous pouvez choisir de photographier la frénésie de la ville ou au contraire préférer les périodes plus calmes.

Quelques activités à anticiper :

- le trafic routier, la foule dans les transports en commun aux heures de pointe ;
- les marchés : lieux privilégiés pour rencontrer les citadins et aussi très colorés ;
- les pique-niques dans les parcs en été.

Info

Les photos se démodent, en particulier les photos de villes : les panneaux publicitaires, les véhicules ou la mode vestimentaire trahissent l'époque de la prise de vue. Évitez d'intégrer de tels signes si vous voulez que vos images soient d'actualité plus longtemps.

Canon EOS 30, Velvia 50 ISO, zoom 24-105 mm, env. f/8, 3 s

➤ *Cette rue commerçante de Kowloon, quartier populaire de Hong-Kong, est pleine de vie, contrairement au quartier des affaires à la même heure.*

Les parcs et jardins (parfois « botaniques ») : ils sont les « poumons des villes » et des lieux de calme et de loisirs où les citadins aiment se retrouver. Ils contrastent fortement avec l'architecture de la ville, évoluent au gré des saisons et offrent de nombreuses opportunités photo.

Ces espaces naturels urbains sont rarement très... naturels. Pour bien les photographier, il est important de comprendre les intensions du paysagiste : les jardins anglais tentent de reproduire la nature et ont un air faussement sauvage. Au contraire, les jardins à la française célèbrent la domination de l'homme sur la nature et sont très géométriques : recherchez un point de vue élevé qui mettra en valeur le travail du paysagiste.

Canon EOS 30, Velvia 50 ISO, zoom 17-40 mm, polarisant, env. f/10, 1/15 s.

➤ *Les jardins botaniques et tropicaux sont l'occasion de photographier des espèces rares et parfaitement mises en valeur. (Jardin de Pamplemousse, Maurice.)*

Info

Certains jardins ont été conçus pour être admirés d'un point de vue très précis et offrent alors des perspectives et une composition idéale, comme le jardin du Palais de Blenheim à Oxford, en Angleterre. Renseignez-vous sur place ou pendant la phase de préparation et recherchez ce point de vue.

Les lumières de la ville

Comme pour le paysage naturel, l'aube et le crépuscule sont les meilleurs moments pour photographier la ville : la combinaison de la lumière artificielle et de la lumière naturelle est particulièrement séduisante.

Grâce à la lumière artificielle, il est possible de photographier plus longtemps après le coucher du soleil qu'en pleine nature : recherchez les zones de lumière comme les monuments, les bâtiments, les enseignes lumineuses.

Les traînées lumineuses blanches et rouges laissées par les phares et les feux arrière des véhicules photographiés en vitesse lente remplissent les rues d'une lumière particulièrement attractive.

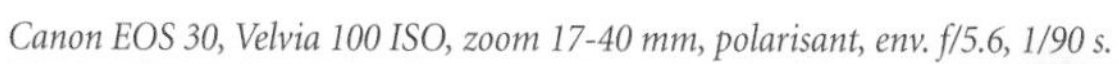

Canon EOS 30, Velvia 100 ISO, zoom 17-40 mm, polarisant, env. f/5.6, 1/90 s.

➤ *Central Park à New-York contraste fortement avec les gratte-ciels qui l'entourent.*

LES LUMIÈRES DE LA VILLE

Canon EOS 30, Velvia 50 ISO, zoom 16-35 mm, env. f/11, 1 s.

Hong-Kong n'est pas réputée pour la qualité de sa lumière naturelle. Mais le soir, la ville se métamorphose et offre un véritable spectacle lumineux au visiteur.

Canon EOS 30, Velvia 50 ISO, zoom 16-35 mm, env. f/8, ½ s.

À Hong Kong, l'absence de réglementation a permis aux enseignes lumineuses de se développer sans contraintes, notamment sur Nathan Road dans le quartier de Kowloon.

Canon EOS 30, Velvia 50 ISO, zoom 16-35 mm, env. f/9, 4 s.

La brume met bien en valeur les lumières du quartier de Causeway Bay à Hong-Kong.

Canon EOS 30, Velvia 50 ISO, zoom 17-40 mm, env. f/8, 1/30 s.

➤ *La tour Eiffel photographiée depuis la butte Montmartre, à Paris.*

Canon EOS 30, Velvia 50 ISO, zoom 17-40 mm, env. f/8, 1/30 s.

➤ *L'éclairage met en valeur les monuments et permet au photographe de continuer à travailler malgré la nuit tombante. (Pont Alexandre III et les Invalides, Paris.)*

Photographier les rails lumineux

La circulation automobile, omniprésente en ville, offre un superbe sujet pour qui veut photographier le mouvement et les lumières de la ville. Photographiées au crépuscule ou la nuit, les images obtenues sont également très colorées.

Quelques conseils :

- Un dispositif de stabilisation, de préférence un trépied, est indispensable.
- La bonne durée d'exposition dépend de l'importance de la circulation (plus elle est importante, plus l'exposition peut être courte), de la vitesse de déplacement et de la distance des véhicules.
- Les rails ne sont pas visibles à l'œil : imaginez le trait lumineux d'après la trajectoire des véhicules et utilisez les lignes imaginées dans la composition (fuyantes, courbes).
- Si le trafic n'est pas dense, attendez le bon moment pour déclencher.
- Les points de vue élevés ou à hauteur d'homme conviennent aussi bien.

Canon EOS 30, Velvia 50 ISO, zoom 16-35 mm, env. f/16, 10 s.

➤ *À Hong-Kong, l'abondance du trafic routier à toute heure et la présence de nombreuses passerelles pour les piétons offrent de nombreuses occasions de photographier des rails lumineux.*

Pour photographier les paysages urbains

Conseils de prise de vue

Les quelques conseils de prise de vue suivants vous aideront à réussir vos photographies de paysage urbain :

- **Composition.** La ville est riche de contrastes (ancien/récent, humain/bâtiment, nature/béton, etc.), de formes et de couleurs. Profitez-en pour réaliser des images graphiques, pour jouer avec les lignes droites, peu présentes en milieu naturel.
- **Vue d'ensemble.** Un point de vue élevé est essentiel pour les vues d'ensemble. Recherchez les immeubles, les collines dominant la ville ou prenez de la distance : allez dans un parc, gagnez l'autre rive du fleuve pour obtenir un point de vue dégagé.
- **Monuments.** Cherchez un point de vue original car les monuments ont déjà été photographiés des milliards de fois. Utilisez un fish-eye, photographiez en noir et blanc ou en infrarouge. Prenez du recul et photographiez le monument comme le voient les habitants : intégrez la vie quotidienne dans l'image.

➤ *Il est préférable de photographier les immeubles de bureaux en hiver car les bureaux sont encore occupés quand la nuit tombe.*

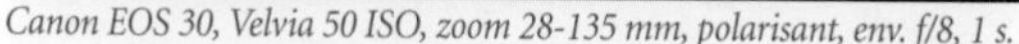

Canon EOS 30, Velvia 50 ISO, zoom 28-135 mm, polarisant, env. f/8, 1 s.

➤ *Le quartier financier au sud Manhattan depuis Brooklyn, de l'autre côté de la East River, au lever du jour. Prendre du recul est souvent essentiel pour photographier la ville.*

Canon EOS 30, Velvia 50 ISO, zoom 28-135 mm, polarisant, env. f/8, 1/60 s.

Astuce

Demandez au gardien ou aux habitants l'autorisation de monter sur la terrasse de leur immeuble. Expliquez ce que vous voulez faire, leur réponse sera souvent positive. Vous obtiendrez ainsi un point de vue original car rarement photographié.

Canon EOS 30, Velvia 50 ISO, zoom 24-105 mm, env. f/4, 1/15 s.

➤ *La tour Montparnasse offre la meilleure vue d'ensemble sur Paris.*

Astuce

Un bloque-porte est très utile pour maintenir une porte ouverte et vous évitera l'embarras d'être coincé sur le toit d'un immeuble. Astuce soufflée à mon oreille par le photographe de voyage Walter Bibikow, qui le tient lui-même d'un pompier de Boston.

Info

Les restaurants panoramiques tournants sont nombreux à travers le monde (Seattle, Le Caire, Hong Kong...) et offrent une vue imprenable sur la ville. Avant de les choisir comme point de vue photo, vérifiez qu'ils possèdent une terrasse (pour éviter de photographier à travers une vitre) et qu'ils ne tournent pas en permanence, la prise de vue en basse lumière deviendrait difficile !

Droit à l'image

Si vous photographiez les habitants, gardez à l'esprit que les personnes photographiées possèdent un droit à l'image : vous ne pouvez pas publier une image sans demander leur autorisation. Emportez avec vous quelques fiches d'autorisation de publication (model release en anglais) ou photographiez avec une exposition longue pour flouter les visages.

Considérations matérielles

- La déformation (coussinet/barillet) des objectifs utilisés pour la photo urbaine doit être aussi limitée que possible à cause de l'omniprésence de lignes droites.
- Un objectif à décentrement et basculement (voir la section « Objectifs spéciaux », au Chapitre 2) permet de redresser les lignes fuyantes et d'obtenir des droites bien parallèles.
- Variez les objectifs : un grand-angle permet de saisir une grande partie de la ville, un téléobjectif de saisir les détails, d'écraser les perspectives et de renforcer l'impression d'empilement.
- Attention à la lumière parasite : le risque de *flare* est important compte tenu de l'abondance de sources lumineuses. Utilisez le volet d'oculaire pour éviter que de la lumière parasite ne rentre par le viseur et ne perturbe la prise de vue.
- L'usage des trépieds est parfois limité (voir la section « Les dispositifs de stabilisation », au Chapitre 2) : prévoyez un minitrépied ou un beanbag comme dispositif de stabilisation alternatif.

Analyse d'image

La réussite d'une photographie tient à une série de décisions que le photographe se doit de prendre et d'une somme de détails qu'il doit gérer.

Cette image est le résultat de visites répétées sur les lieux, d'une observation attentive des éléments en présence et de conditions atmosphériques et de lumière favorables.

Canon EOS 30, Velvia 50 ISO, zoom 17-40 mm, polarisant, dégradé neutre, env. f/22, 5 s.

➤ *L'une des statues du pont Alexandre III et la tour Eiffel.*

La composition a été étudiée avec précision. J'ai placé cette partie de la statue entre les piles du pont mais sans la superposer à ce dernier. Plusieurs minutes ont été nécessaires pour trouver le cadrage optimal. La dorure est mise en valeur par l'éclairage à incandescence du pont, allumé depuis peu.

La Tour Eiffel est éclairée toute la nuit mais les 20 000 flashes qui la font scintiller ne sont actifs que 5 minutes toutes les heures. Une profondeur de champ élevée (*f*/22) permet d'obtenir une netteté du premier plan (la statue est située à environ 60 cm de l'appareil) à l'infini (la Tour Eiffel). La mise au point a été faite sur le premier plan. Ce pont est construit en poutres métalliques et il bouge au passage des véhicules, ce qui provoque un flou de bougé. Il a fallu attendre que la circulation cesse momentanément pour déclencher.

Le trafic est important sur la Seine, de nombreuses péniches y circulent en permanence et risquent de perturber la prise de vue. Attendre qu'elles disparaissent sous le pont et déclencher avant qu'elles n'apparaissent est nécessaire. La pose longue donne un aspect plus homogène et évite que la scène (la Seine) ne soit trop chargée. Le fleuve reflète l'éclairage des nombreux lampadaires, ce qui donne du rythme à l'image.

La nuit n'est pas encore complète, ce qui permet au ciel de pas être trop sombre. La couverture nuageuse est relativement uniforme tout en présentant une certaine texture. Le bleu du ciel met en valeur les points forts de l'image (dorures, lumières, tour Eiffel).

LA PHOTO DE NUIT ET EN BASSE LUMIÈRE

Si la lumière de la journée a été décevante, la nuit donne souvent une seconde chance. Une photo est dite « de nuit » quand la lumière du soleil (directe ou diffuse) n'est plus visible.

Les opportunités photo qu'offrent un quart de lune ou un ciel dégagé au milieu de la nuit permettent, moyennant une bonne maîtrise technique, de réaliser des images inhabituelles et parfois spectaculaires.

Info

La lumière du clair de lune ne diffère de celle du soleil que par son intensité, la lune ne faisant que réfléchir la lumière du soleil vers la Terre. La surface de la lune étant gris neutre, la réflexion n'induit pas de dérive de couleur. Le spectre de la lumière lunaire est le même que celui de la lumière du jour.

Considérations matérielles

La photographie de nuit pousse le matériel dans ses limites techniques. Assurez-vous de ce qui suit :

- Le boîtier doit permettre les expositions longues (pose B) et ne doit pas générer trop de bruit. Les boîtiers récents sont plus performants de ce point de vue, de même que les full frame. Un boîtier argentique est préférable pour les expositions de plusieurs dizaines de minutes car les boîtiers numériques génèrent trop de bruit.
- L'objectif doit être aussi lumineux que possible (*f*/2.8 ou moins), ce qui permet de limiter la durée de l'exposition. Un grand-angle permet de couvrir une grande partie de ciel.
- Le trépied est indispensable et doit être parfaitement stable. Un déclencheur à distance est utile et un intervallomètre permet de multiplier les prises de vue sans intervention humaine. Pensez à sélectionner la fonction Verrouillage du miroir si votre boîtier en est pourvu.
- L'option Réduction de bruit est conseillée.
- Chargez les batteries à l'avance et prévoyez des batteries de rechange, surtout si vous photographiez dans le froid.
- N'oubliez pas votre lampe frontale et pensez à vous couvrir.

Info

L'œil humain voit moins bien les couleurs en faible lumière qu'en plein jour et se concentre sur la reconnaissance des formes. Ce n'est pas le cas du capteur, qui enregistre les couleurs intenses et profondes que l'œil n'a pas vues.

La photo au clair de lune

La pleine lune au zénith et par temps clair est environ 250 000 fois moins lumineuse que le soleil (soit 18 stops). Sa luminosité varie en outre de 8 IL en fonction des facteurs suivants :

- Les distances Terre-Lune (variation de plus ou moins 15 %) et Terre-Soleil (plus ou moins 3,5 %) occasionnent un écart de 1/3 de stop (ce qui est finalement négligeable).
- La pleine lune est 10 fois plus lumineuse qu'un quartier de lune, soit environ 3,5 stops.
- L'angle de la lune par rapport à l'horizon et les conditions atmosphériques (humidité, poussières…) sont les facteurs les plus importants. Ils occasionnent un écart de plus ou moins 8 stops.

Vous pouvez vous fier à la cellule de votre boîtier pour exposer une scène éclairée par la lune, mais vous serez limité si la durée d'exposition est supérieure à 30 s. À titre indicatif, une exposition de 5 minutes à 100 ISO et à *f*/2.8 donne de bons résultats pour une pleine lune. Augmentez ou diminuez les temps d'exposition par 2 ou 3 pour accroître vos chances de succès et vérifiez l'exposition en consultant l'histogramme.

Canon EOS 5D, zoom 16-35 mm, 100 ISO, f/8, 25 s.

➤ *Clair de lune au Groenland*

Astuce

Déterminer l'exposition d'un paysage au clair de lune peut être problématique. La méthode suivante donne une bonne base de départ : fixez la sensibilité ISO à 6 400 et relevez le temps d'exposition conseillé par la cellule. La durée d'exposition indiquée (3, 5 ou 10 secondes) est celle à utiliser en nombre de minutes quand le boîtier est réglé à 100 ISO (car une minute fait presque 64 secondes).

Inclure la lune dans l'image

Inclure la lune dans l'image permet d'améliorer la composition et d'apporter une touche romantique, de conte de fée ou de mystère à l'image. Vous devrez régler quelques contraintes pour obtenir de bons résultats.

La taille de la lune est le problème principal car elle n'est souvent plus qu'un point lumineux dans le ciel. La lune apparaît plus petite sur l'image qu'en réalité quand la photo est prise au grand-angle. Deux approches permettent de corriger ce problème :

- Utilisez un objectif de plus longue focale comme un 200 ou un 400 mm : les téléobjectifs donnent en effet l'impression que les plans sont plus rapprochés qu'ils ne le sont en réalité. C'est l'effet de compression.
- Éloignez-vous du sujet principal autant que possible (de plusieurs kilomètres si nécessaire). Cela permet de réduire la différence de taille entre le sujet et la lune.
- Combinez deux images : prenez une première image de la scène avec la focale souhaitée puis photographiez la lune en zoomant avec un téléobjectif. Combinez ensuite les deux images sous Photoshop.

La lune est surexposée, elle apparaît toute blanche et dépourvue de détails car elle est beaucoup plus lumineuse que le ciel sombre ou noir. Pour régler ce problème, prenez deux expositions : une pour la lune, l'autre pour la scène et combinez les deux images dans Photoshop. Faire un simple copier-coller de la lune sera plus simple que d'utiliser une des techniques exposées au Chapitre 8.

Info

La lune apparaît plus grande quand elle se trouve près de l'horizon que lorsqu'elle est vue haut dans le ciel. Il n'y a pas d'explication physique à ce phénomène (l'atmosphère ne « grossit » pas la lune comme le pensait Aristote), il s'agit d'une illusion d'optique. À ce jour, cette illusion reste mal comprise, aucune des explications avancées ne fait consensus.

Photographier la lune dans la journée

Contrairement à une idée reçue, la lune ne se photographie pas seulement au cours de la nuit : elle est visible en début ou en fin de journée. L'exposition est plus facile à réaliser car la différence de luminosité lune/ciel est réduite.

Combiner un lever ou un coucher de lune sur un ciel de crépuscule peut créer des images particulièrement réussies.

Canon EOS 5D, zoom 24-105 mm, 400 ISO, f/4, 1.3 s.

➤ *La lune a été mise à contribution dans la composition de cette image. La pluie annoncée par la lune « cerclée » (voir « Previsions météo » au Chapitre 4) est arrivée le lendemain matin.*

Photographier la lune elle-même

Vous pouvez choisir de photographier la lune elle-même et ses éclipses, mais vous devrez utiliser de très longues focales pour obtenir une taille de lune suffisante. La lune ne mesure en effet que 3,7 mm sur un capteur plein format (36 mm de large) à 400 mm de focale. Il faut utiliser une focale de 2000 mm, c'est-à-dire un petit télescope, pour une lune « plein cadre ». Il s'agit d'astrophotographie.

Le ciel étoilé

Il y a deux manières de photographier le ciel : le filé d'étoiles (durée d'exposition de quelques minutes ou quelques heures) et la photo du ciel étoilé (durée d'exposition de quelques secondes). Dans les deux cas, vous pouvez inclure un élément du paysage dans le bas de l'image.

Au préalable, assurez-vous des deux choses suivantes :

- Le lieu choisi pour la prise de vue doit être éloigné de toute source de lumière parasite, des lumières de la ville en particulier.
- Le ciel doit bien entendu être dégagé, l'atmosphère aussi pure que possible et en particulier exempte de pollution et d'humidité. L'altitude joue en votre faveur.

Les filés d'étoiles

Les étoiles sont vues à l'œil nu comme des points lumineux dans le ciel sombre. Si un temps d'exposition allant au-delà de 3 ou 4 minutes est choisi, les étoiles apparaissent comme des traits plus ou moins courbes sur l'image, car la voûte céleste bouge pendant l'exposition. Cette dernière peut être de 10, 30, 60 voire 120 minutes en fonction du résultat recherché et de la luminosité du ciel.

Quelques observations :

- Dans l'hémisphère nord, les étoiles tournent autour de l'Étoile polaire (celle du Berger, la plus lumineuse du ciel, visible au nord). Cette dernière tourne sur elle-même et apparaît immobile sur l'image. Vous pouvez la positionner dans un coin de l'image pour obtenir une composition dynamique.
- Plus les étoiles sont proches du nord (de l'Étoile polaire), plus leur trajectoire est courbe et plus leur déplacement dans le ciel est limité (arc de cercle de faible rayon). En regardant vers le sud au contraire, la trace laissée par les étoiles, presque une droite, est beaucoup plus étendue pour une même durée d'exposition.

➤ *Filé d'étoile et lumière crépusculaire forment ici une combinaison très riche. La voûte céleste tourne autour de l'étoile polaire, la seule à rester immobile. (Photo © Guillaume Laget.)*

- La couleur du ciel dépend de la présence d'une source lumineuse même lointaine et hors champ : bleu nuit ou bleu clair (nuit noire) ; verdâtre ou jaunâtre (lumières de la ville) ; rose, violet ou orangé peu après le coucher du soleil (ou avant le lever).

Astuce

La mise au point doit être effectuée sur l'infini, ce qui peut s'avérer difficile en pleine nuit. N'utilisez pas la bague de mise au point (repère ∞), trop peu précise. Faites la mise au point Autofocus sur la lune, une source lumineuse lointaine ou en zoomant sur une étoile, puis basculez l'objectif en mode Manuel pour éviter tout changement intempestif de mise au point.

Le ciel étoilé

En choisissant un temps d'exposition court (et un réglage ISO élevé), il est possible de photographier le ciel et la voie lactée tels qu'ils sont vus à l'œil nu.

Le temps d'exposition ne doit pas dépasser 1 minute, voire 30 secondes ; au-delà, le mouvement des étoiles commence à apparaître, surtout si la scène photographiée est orientée vers le sud. Une sensibilité de 1 600 ou 3 200 ISO est nécessaire.

Photographier une heure trente après le coucher du soleil ou avant le lever du soleil permet d'enregistrer la lueur du jour et de colorer l'image.

➤ *La voie lactée est facile à photographier quand le ciel est clair et exempt de la pollution lumineuse des villes. (Photo © Guillaume Laget.)*

Les aurores boréales

Les aurores boréales sont parmi les phénomènes les plus spectaculaires et parmi les plus beaux cadeaux de la nature. Il est difficile de ne pas être ému en observant une aurore boréale. Photographier ce phénomène est à la portée de tous. Respectez les recommandations qui suivent, vous ne le regretterez pas !

Où observer le phénomène ?

Contrairement à une idée reçue, les aurores ne sont pas les plus fréquentes aux pôles mais plutôt dans une bande comprise entre 65 et 75° de latitude (la moitié nord de la Norvège). Les pays nordiques sont particulièrement bien placés. Ils sont en outre facilement accessibles et offrent de nombreuses infrastructures routières et hôtelières.

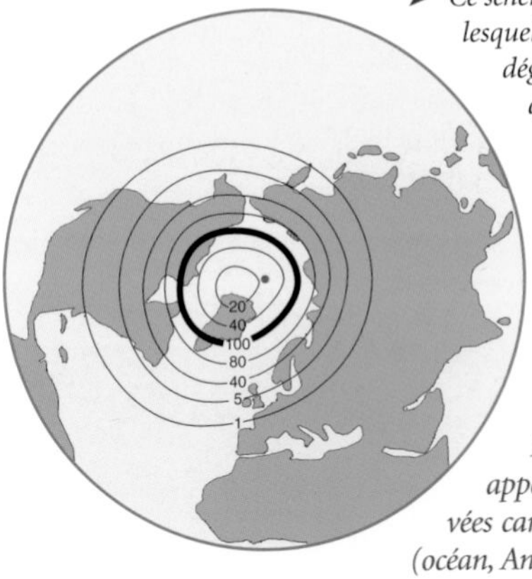

➤ *Ce schéma montre les statistiques du nombre de nuits pendant lesquelles une aurore boréale peut être observée si le ciel est dégagé. Les aurores boréales sont beaucoup plus fréquentes que vous ne pouvez l'imaginer : le phénomène se manifeste presque tous les jours dans la région de Tromso dans le Nord de la Norvège (un des meilleurs endroits pour observer les aurores boréales en Europe), mais seulement une à deux fois par mois dans le Sud du pays (© John Naylor).*

Info

Les aurores observées dans l'hémisphère sud sont appelées aurores australes. Elles sont plus rarement observées car elles se produisent au-dessus de régions désertiques (océan, Antarctique).

Les aurores sont également visibles plus au sud (jusqu'à la Côte d'Azur !) si elles se produisent en très haute altitude. Le phénomène est extrêmement rare ; les aurores observées à ces latitudes sont le plus souvent rouges.

Planifier la photographie des aurores boréales

Augmentez vos chances d'observer des aurores en planifiant votre voyage et en organisant votre séjour :

- L'activité solaire (et donc les aurores) suit un cycle de 11 ans au cours duquel les éruptions solaires sont plus ou moins nombreuses. Le prochain pic d'activité est prévu en 2013-2014.
- Les aurores se forment tout au long de la journée mais ne sont observables que lors du crépuscule et en pleine nuit. La meilleure période d'observation, de septembre à avril, correspond à la période pendant laquelle les nuits sont les plus longues.

- Prenez en compte le cycle lunaire : un quart ou une demi-lune illumine avantageusement le premier plan.
- Les aurores surviennent deux ou trois jours après une éruption solaire : c'est le temps qu'il faut au vent solaire pour parvenir jusqu'à la Terre. Consultez la météo du vent solaire sur **http://www.swpc.noaa.gov/** pour anticiper le phénomène. Si rien d'important n'est prévu… restez quand même aux aguets !
- Si le ciel est dégagé ou si une éclaircie nocturne est prévue, vous augmenterez vos chances en… ne dormant pas et en scrutant le ciel, le plus souvent vers le nord. Si vous voyagez à plusieurs, pensez à faire des tours de garde. Les aurores sont le plus souvent observées entre 18 h et 1 h du matin dans l'hémisphère nord.

Info

Le soleil tourne autour de lui-même en 27 jours et certaines éruptions solaires peuvent durer plusieurs mois. Les apparitions d'aurores boréales 27 jours après un premier épisode sont fréquentes.

Photographier les aurores boréales

Les règles de base de la photographie de nuit valent pour les aurores boréales, à un détail près : comme les aurores sont mobiles dans le ciel, vous devrez opter pour une durée d'exposition de quelques dizaines de secondes. Au-delà, l'aurore perdra de sa texture et ses formes et illuminera le ciel d'une couleur verte (ou rouge) uniforme plutôt banale et neutre.

Voici quelques conseils de prise de vue :

- Suivez les conseils de la photographie de nuit exposés plus haut.
- Assurez-vous de la parfaite stabilité du trépied. Tassez la neige au préalable (s'il y en a) ou enfoncez les jambes du trépied jusqu'au sol.
- En mode Priorité ouverture, maintenez impérativement la durée d'exposition en dessous de 30 ou 40 secondes, quitte à choisir une sensibilité de 800 ISO ou plus. La durée d'exposition varie de 10 à 40 secondes en fonction de l'intensité de l'aurore et de l'état de la lune.
- Effectuez une mise au point sur l'infini (voir plus haut).
- Si vous faites confiance à la cellule, surexposez de 1 stop au moins et vérifiez l'histogramme. En cas de doute, une légère surexposition est préférable : « exposez à droite ».

Canon EOS 5D, zoom 16-35 mm, 400 ISO, f/2.8, 15 s.

➤ *Cette photo n'est pas le fruit du hasard, mais d'une série de décisions prises plusieurs mois à l'avance et d'une improvisation sur le terrain : voyage prévu début mars pour bénéficier de nuits encore longues et d'une lune favorable ; achat d'un objectif lumineux 16-35 mm ouvrant à f/2.8 ; location d'une voiture à la dernière minute à l'aéroport en arrivant en Islande car le ciel était dégagé ; plusieurs dizaines de kilomètres parcourus dans la nuit sur les routes enneigées des hauts plateaux près de Reykjavik pour éviter les lumières parasites de la ville.*

Minimiser le risque de bruit

Le bruit est une contrainte importante apparue avec le numérique et qui peut ruiner une image. Même si les dérawtiseurs, Photoshop et les logiciels spécialisés permettent de traiter le bruit, vous leur faciliterez la tâche en limitant le bruit dès la prise de vue :

- Évitez les ISO élevés et dans une moindre mesure les expositions longues.
- Activez la fonction Réduction de bruit du boîtier.
- Évitez de sous-exposer l'image car la correction d'exposition du Raw amplifie considérablement le bruit.
- Prenez plusieurs images de la même scène et utilisez le filtre Masque médian de Photoshop pour soustraire le bruit. C'est la méthode utilisée par la fonction Réduction de bruit du boîtier. Le sujet doit être parfaitement immobile.

Éclairage d'appoint dans la photo de paysage

Contrairement à la photographie de portrait, de mode ou d'architecture, l'apport de lumière artificielle dans la photographie de paysage ne va pas de soi. C'est pourtant un excellent moyen de continuer à travailler malgré l'absence de lumière naturelle (nuit noire) et d'apporter une touche personnelle. Les effets sont inhabituels et parfois spectaculaires.

Les sources de lumière artificielle d'appoint sont nombreuses (flash, lampe torche, lampe frontale, phares de voiture ou autre). Les possibilités d'utilisation sont illimitées, laissez parler votre imagination. Voici quelques idées :

- éclairer un bâtiment ou une tente de l'intérieur pour simuler une présence ;
- déboucher les ombres en particulier en contre-jour ;
- figer le mouvement ;
- faire porter la source de lumière par le sujet ou par le photographe qui se promène dans le paysage ;
- créer une ombre, une silhouette ;
- dessiner une forme (un cœur, un personnage), écrire une phrase avec la lampe torche pointée vers l'appareil.

Canon EOS 5D, zoom 16-35 mm, 800 ISO, f/5.6, 13 s.

➤ *Un compagnon de voyage se tient sans bouger sur cette passerelle le temps des 13 secondes d'exposition. (Quelque part en Laponie suédoise.)*

Canon EOS 5D, zoom 16-35 mm, 1 000 ISO, f/3.5, 30 s.

➤ *Un flash en mode test tenu à la main a été utilisé pour « déboucher » les ombres. Je n'avais pas prévu d'apparaître sur cette image, première d'une série de dix. J'ai changé mon positionnement sur les autres clichés mais cette image est finalement la plus forte de la série.*

Utilisation du flash

La portée du flash est bien entendu insuffisante pour illuminer l'arrière-plan du paysage mais il peut servir à illuminer le premier plan. Vous pouvez vous déplacer dans la scène et porter le flash au niveau du détail à éclairer même si vous êtes éloigné du boîtier. Utilisez une durée d'exposition importante, le retardateur et si possible une télécommande non filaire.

Utilisez le flash en mode test et déclenchez autant de fois que nécessaire selon l'effet voulu. Faites attention de ne pas apparaître sur la photo si ça n'est pas votre intention !

Le *light painting*

Les adeptes du light painting ont pris l'expression « peindre avec la lumière », expression couramment utilisée à propos de la photographie, au sens propre du terme. Ils se servent des sources de lumière artificielle (lampe torche et flash) comme de pinceaux et peignent le sujet lors d'une pause longue, ils créent des formes avec les faisceaux de lumière. L'usage de filtres colorés permet de varier les effets et d'enrichir l'image.

Visitez www.lostamerica.com pour voir les superbes photographies de light Painting par Troy Paiva.

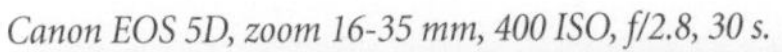
Canon EOS 5D, zoom 16-35 mm, 400 ISO, f/2.8, 30 s.

➤ *De nombreux essais m'ont permis de déterminer que trois coups de flash sous la tente étaient nécessaires pour l'illuminer correctement.*

REPORTAGE ET PORTRAITS

Le photographe paysagiste ne doit pas passer à côté des opportunités photographiques autres que le paysage. L'essence des lieux se trouve autant sur les marchés, sur les visages que dans la vue d'ensemble, le paysage.

Canon EOS 30, Velvia 100 ISO, zoom 100-400mm, env. f/5.6, 1/200 s

Moine indou dans un temple à Mathura (Inde).

Canon EOS 30, Velvia 100 ISO, zoom 100-400 mm, env. f/5.6, 1/60 s

Ces moines bouddhistes visitant le Taj Mahal, en Inde, contrastent avec la géométrie du sol.

Le travail des champs dans la vallée du Nil (Égypte).

Canon EOS 30, Velvia 100 ISO, zoom 17-40 mm, polarisant, env. f/8, 1/30 s

Les portraits et les scènes de rue complètent formidablement une série de paysages et forment un tout homogène. Les images se répondent les unes aux autres et sont plus fortes ensemble qu'individuellement.

Canon EOS 30, Velvia 100 ISO, zoom 24-105 mm, env. f/4, 1/20 s

➤ *Man Mo Temple à Hong-Kong.*

Canon EOS 30, Velvia 100 ISO, zoom 100-400 mm, polarisant, env. f/5.6, 1/125 s

➤ *Jeune fille à la mosquée Jama Masjid, la plus grande mosquée de Delhi (Inde).*

➤ *Cache-cache sous la luzerne dans la vallée du Nil (Égypte).*

Canon EOS 30, Velvia 100 ISO, zoom 17-40 mm, polarisant, env. f/8, 1/30 s

De belles rencontres

Le Vieil Homme et l'Enfant

Une de mes photos préférées (les Menhirs de Callanish, voir la Section « Les prévisions météo » au Chapitre 4) a été faite sur l'île de Lewis au large de l'île de Skye en Écosse, le matin d'une journée qui commença par la naissance d'un enfant et se termina avec un vieil homme qui réalisa un rêve.

J'eus de la chance ce matin-là : la lumière est venue illuminer les menhirs de Callanish de la plus belle manière. Une heure après, je reçus un texto d'un de mes meilleurs amis qui m'annonçait la naissance de son fils, il était né au moment où je prenais la photo. Le soir au même endroit, je fis la rencontre d'un drôle de personnage : un vieil homme à la barbe blanche qui installait un trépied de travaux publics entre deux menhirs et y fixait un appareil photo avec quelques ficelles. Intrigué, je l'abordai. Il m'expliqua que sa femme, archéologue, avait démontré que les pierres étaient alignées en fonction du calendrier lunaire et que, depuis plusieurs années, il cherchait à photographier le lever de lune pour illustrer cette théorie. Malheureusement, les conditions météo l'en avaient toujours empêché ; il ne lui restait que deux tentatives (le soir même et le lendemain) avant de devoir attendre le prochain cycle lunaire dans… 18 ans. Alors qu'il me faisait comprendre que ce ne serait probablement pas pour ce soir, je le saluai et repris la route. Et là, au détour d'une colline, je fus ébloui par une pleine lune d'une taille impressionnante. Je compris alors que le vieil homme avait enfin réalisé son rêve !

➤ *Le vieil homme de Callanish.*

INTERVIEW

David Noton

David Noton est un des meilleurs photographes paysagiste au monde.

Vous pouvez consulter son profil à l'adresse **http://www.davidnoton.com/**.

La passion que vous avez pour la lumière transparaît dans vos photos. Savez-vous d'où elle vient ?

Je pense que tous les photographes ont cette passion. Je continue d'apprendre de l'infinie variété et subtilité de la lumière et comment la lire, la prévoir et l'utiliser en préparant un cliché. Regarder, au sommet d'une colline, les premières lumières de la journée peindre le paysage ne cesse de me fasciner. Tout comme l'impression d'avoir passé la moitié de ma vie à faire les cent pas autour de mon trépied en attendant que les nuages se dissipent.

Vous avez gagné trois récompenses au célèbre concours Wildlife Photographer of the Year. Quel est votre secret ?

On ne peut pas deviner les choix et les goûts des autres. Alors je m'efforce d'évoluer en tant que photographe. Concrètement, je vais, jour après jour, au-delà de ma propre zone de confort photographique en essayant d'autres techniques, d'autres types d'images, de nouvelles destinations et en tentant de nouveaux challenges. Cela permet au travail de rester différent et agréable car c'est très facile de tomber dans la routine. En fait, la photo doit rester un plaisir. Si ça n'est pas le cas, c'est que quelque chose ne va pas.

S'il y avait un seul endroit sur Terre où faire de la photographie de paysage, quel serait-il ?

Le Canada. C'est un grand pays avec des espaces infinis pour la photographie et l'aventure, avec des paysages dantesques et une vie sauvage à couper le souffle. J'ai un attachement particulier pour ce pays car c'est là-bas que j'ai grandi.

Les photographes se souviennent toujours de leurs meilleures images, mais ils sont aussi hantés par leur plus bel échec. Avez-vous en tête une image que vous n'avez pas prise alors que les conditions étaient parfaites ?

Ahhh, il faut que je me rappelle de choses que j'ai délibérément effacées de ma mémoire ! À mes débuts, j'ai fait beaucoup d'erreurs, ça fait partie du processus d'apprentissage. Ces photos ratées ont été des expériences douloureuses que j'ai appris à surmonter. À l'époque, j'en étais presque dépressif, mais j'ai appris à être flegmatique et philosophe. L'erreur la plus fréquente et la plus exaspérante est de se trouver au mauvais endroit pour tirer le meilleur de conditions parfaites de lumière. Ça m'arrive bien trop souvent quand j'arrive sur un site sans avoir eu le temps de repérer les lieux.

Quel conseil donneriez-vous à un photographe amateur qui veut progresser ? Et à un photographe confirmé qui voudrait devenir professionnel ?

Soyez vous-même, original. Ne soyez pas trop influencé par ce que font les autres. On tombe très vite dans ce piège et on finit par faire ce qui a déjà été fait. Bien sûr, recherchez l'inspiration où vous pouvez la trouver, mais faites évoluer votre regard et développez un style, trouvez un créneau.

Pour ceux qui veulent devenir professionnels, il va falloir vous montrer déterminé, efficace, faire preuve de persévérance, être pragmatique, réaliste et garder le cap. Passer professionnel n'est pas chose facile : cela prend au moins cinq ans, plutôt dix… si ça doit arriver. C'est comme ça. Il y a trente ans, je rêvais de parcourir le monde en tant que photographe professionnel. Si vous êtes prêt à en payer le prix, c'est à votre portée.

Quelle est votre prochaine destination ? Votre prochain projet ?

Paris. Une ville que je connais et que j'aime mais que je n'ai pas visitée depuis longtemps. Je vais y faire de la photo panoramique par assemblage en infrarouge.

Partie III
Une fois de retour

7
Avant de commencer

DÈS LE RETOUR

Sauvegarde des fichiers sur disque dur interne ou externe

Une des premières choses à faire dès votre retour : sauvegarder vos images. Il s'agit de copier vos cartes mémoire, videurs de carte et autres disques durs externes sur des supports destinés au stockage de longue durée.

Vous pouvez télécharger directement les fichiers du boîtier vers l'ordinateur (en utilisant le boîtier comme lecteur de carte) mais il est préférable d'utiliser un lecteur de carte séparé car vous risquez de perdre le contenu de la carte mémoire si la batterie du boîtier rend l'âme pendant le transfert des données.

Le principe de redondance étant toujours de mise, copiez les fichiers sur deux supports différents : deux disques durs internes, ou un disque interne et un disque externe. N'effacez le contenu de vos cartes ou du videur que lorsque vos images sont copiées sur les deux supports.

Prenez du recul

Vous serez certainement tenté de travailler sur vos images dès votre retour. Un premier aperçu est bienvenu mais si vous en avez la possibilité, il est conseillé de prendre du recul et d'attendre quelques jours avant de commencer le travail. Vous aurez en effet plus d'objectivité, un œil plus critique quant à la qualité et à la valeur de vos photos et vous prendrez de la distance par rapport au plaisir ou à la difficulté éprouvée lors de la prise de vue. La sélection de vos images n'en sera que meilleure.

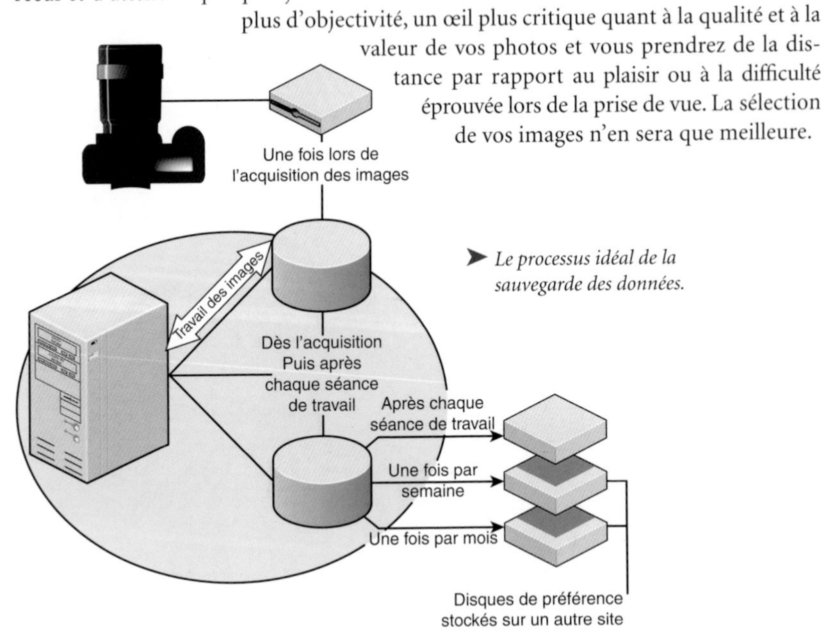

➤ *Le processus idéal de la sauvegarde des données.*

LE MATÉRIEL INFORMATIQUE

L'ordinateur

Fixe ou portable ? Beaucoup d'arguments prêchent en faveur de l'ordinateur fixe. Il coûte 20 à 30 % moins cher qu'un ordinateur portable à performances égales. Les écrans des portables ne sont pas adaptés au traitement photo ; la capacité et la performance des disques durs internes des portables sont inférieures ; il est impossible de construire un portable sur mesure avec la configuration idéale ; le portable n'est pas évolutif, etc.

Cela dit, le gros avantage du portable est qu'il est... portable justement ! Il pourra vous accompagner sur le terrain ou dans différentes pièces de la maison. De plus, sa batterie le protège des coupures de courant et des microcoupures. Si sa carte graphique le permet, vous pourrez brancher un écran convenable et travailler vos photos avec plus de précision.

Configuration requise. Bonne nouvelle : il n'est pas nécessaire d'acquérir la plus puissante des machines pour obtenir d'excellentes performances lors du traitement des images car après tout, et quel que soit le poids d'une image, celle-ci reste en 2D. Les jeux (3D) demandent beaucoup plus de puissance.

La configuration du PC photo :

- Beaucoup de mémoire vive (RAM), un minimum de 4 Go est recommandé.
- Un processeur moyen suffit : un biprocesseur ou plus.
- Plusieurs disques durs et de grande capacité car vous serez vite envahi par les gigaoctets.
- Une carte mémoire 2D suffit : privilégiez la mémoire vive de la carte à sa puissance de calcul.

Il est préférable de conserver une grosse partie de votre budget pour un écran de qualité.

Les dispositifs de stockage de masse

Comme pour les cartes mémoire, il est vivement conseillé d'investir dans du matériel reconnu pour sa fiabilité. Le coût du gigaoctet ayant fortement baissé, investir dans un disque dur de marque générique serait une fausse économie.

La capacité de stockage doit correspondre à votre production. Faites le calcul des images produites par an et déterminez la capacité nécessaire. N'oubliez pas que vous ferez peut-être de la vidéo avec votre reflex (environ 3,3 Go pour 10 min de film sur un EOS 7D) et que la taille des images augmente avec la définition des boîtiers.

➤ *Ce boîtier contient deux disques durs qui effectuent une sauvegarde automatique selon la norme RAID 1.*

La redondance est de prime, il faut au moins deux disques durs (dont l'un peut être externe). Pour une redondance ultime, une solution RAID peut être envisagée. Elle permet d'effectuer automatiquement et régulièrement une copie d'un disque dur sur un autre.

Astuce

En fonction de l'importance que vous accordez à vos photos, vous pourrez également faire en sorte qu'au moins un support se trouve à un endroit différent : en cas de cambriolage, de dégât des eaux ou d'incendie, vos données seront sauves. Un ami photographe de voyage professionnel confie tout naturellement… à la banque les disques durs contenant ses quelque 250 000 photos.

Les disques durs externes servent avant tout de dispositifs de stockage et ne font en principe pas tourner d'application. Outre la capacité de stockage, la connectique est une caractéristique essentielle car elle définit la vitesse du transfert entre le PC et le disque. L'USB est la connectique la plus répandue tandis que l'eSATA, présente sur certains disques (mais pas sur tous les PC), permet des performances proches des transferts des disques internes. Comme ils peuvent aussi vous accompagner sur le terrain, pensez aux disques durs nomades.

Un logiciel permettant de faire une sauvegarde de manière plus ou moins automatique vous évitera des copier-coller laborieux et source d'erreur. Les options de synchronisation sont particulièrement utiles puisqu'elles comparent les dossiers sources et destination et ne sauvegardent que les fichiers rajoutés entre deux sauvegardes, comme le logiciel gratuit Syncback.

L'écran

Les écrans à tube cathodique (CRT) ne sont pratiquement plus fabriqués et ont été remplacés par des écrans plats à cristaux liquides (LCD) ; il existe de grandes disparités entre les écrans. Tenez compte des caractéristiques suivantes au moment de choisir, vous éviterez les erreurs.

- **Homogénéité et stabilité de la luminosité.** Contrairement aux écrans CRT, la luminosité des écrans LCD peut ne pas être homogène sur tout l'écran. C'est le cas des écrans à rétroéclairage par tube fluorescent. De plus, la luminosité de la plupart des écrans change en fonction de l'angle de vision, ce qui rend leur étalonnage difficile. Certains écrans haut de gamme modulent la luminosité en fonction de la clarté de l'environnement de travail.
- **La capacité de reproduction des couleurs (le « gamut »).** La plupart des écrans n'affichent que les couleurs sRVB alors que le boîtier et les imprimantes de qualité fonctionnent dans l'espace RVB Adobe 98. Les couleurs vives seront alors mal reproduites à l'écran, en particulier les verts. Les meilleurs écrans affichent des couleurs proches de l'espace RVB Adobe 98. Ces écrans sont dits Wide Gamut.

Parmi les technologies, les dalles TN qui équipent pratiquement tous les ordinateurs portables sont particulièrement déconseillées car trop peu fidèles à l'image. Les dalles VA sont correctes, mais ne valent pas les dalles IPS : cette technologie offre les performances les plus adaptées à la retouche photo.

- **La taille et le format de l'écran :**
  - Une taille de 22 ou 24 pouces apporte un plus grand confort d'utilisation.
  - Un format plus large que le traditionnel format 4:3 des écrans de PC, voire un format 16:9, est un plus, surtout pour les photos panoramiques, et laissera aussi de la place pour les palettes d'outils de Photoshop.

Si vous investissez dans un bon écran LCD, et si votre carte graphique permet d'utiliser deux écrans simultanément, gardez votre vieil écran pour afficher les palettes d'outils de Photoshop.

La sonde de calibrage

Une sonde permettra de régler correctement votre écran et de lui créer un profil.

Les sondes Spyder de Datacolor, les ColorMunki Photo et Eye One de X-Rite sont des modèles de qualité.

Si vous avez un Wide Gamut, assurez-vous que la sonde gère la totalité des couleurs de l'écran ; les sondes d'entrée de gamme ne gèrent que les couleurs sRVB.

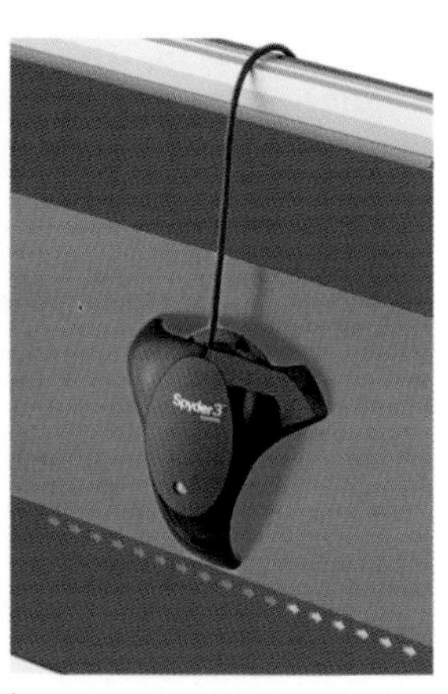

➤ *La sonde de calibrage Spyder 3 de Datacolor permet de régler les écrans Wide Gamut, contrairement à sa petite sœur la Spyder 2.*

La palette graphique

La palette graphique permet de déplacer le curseur avec plus de précision et de confort qu'avec la souris. La palette reconnaît aussi la pression exercée par le stylet et parfois l'inclinaison. Son maniement, qui nécessite un temps d'adaptation, se rapproche des outils traditionnels du dessin et permet de réaliser facilement des tracés impossibles à obtenir avec une souris, comme des lignes d'épaisseurs variées.

Les souris optiques sont beaucoup plus précises que les anciennes souris mécaniques « à boule » et suffisamment performantes pour les applications courantes de la retouche photo ; la palette n'est pas indispensable. Si vous avez un ordinateur portable, vous pouvez envisager l'acquisition d'une tablette plutôt que d'une souris. Une tablette de petite taille (A6) même d'entrée de gamme est suffisante.

➤ *La petite tablette Intuos 4S de Wacom, le leader des tablettes graphiques, convient parfaitement à la retouche photo.*

Le choix des logiciels

Le dérawtiseur

Un dérawtiseur est un logiciel qui transforme un fichier Raw en fichier TIFF ou JPEG. Durant cette conversion, appelée « dématriçage », le dérawtiseur analyse et interprète les données brutes du fichier Raw et les transforme en un fichier au format standard. Le choix d'un dérawtiseur se fait selon les critères suivants :

- **Les fonctionnalités.** Elles sont très variables d'un logiciel à l'autre et en constante évolution. Tous les logiciels comprennent au minimum les fonctionnalités de base comme le contraste, l'exposition, la balance des blancs, le recadrage, le redressement et des outils pour la correction des défauts optiques des objectifs...

  La tendance est à la multiplication des fonctionnalités, ce qui permet au photographe pressé de traiter convenablement ses images avec un seul logiciel.

- **La qualité de conversion.** Il existe plusieurs façons de traiter les données : le même fichier brut donne des images différentes (plus ou moins contrastées, saturées ou accentuées) et parfois meilleures en fonction du dérawtiseur utilisé. Il est difficile d'évaluer les performances des logiciels tant ils dépendent de la nature de l'image, du boîtier utilisé, du goût et des préférences de l'utilisateur.

  De ce point de vue, les dérawtiseurs propriétaires ont l'avantage d'avoir accès aux « codes sources » des fichiers Raw et des caractéristiques des objectifs, informations souvent encryptées et inconnues des éditeurs tiers... mais ils ne sont pas pour autant meilleurs !

- **La vitesse de conversion.** Si la vitesse de conversion pure est à prendre en compte, les possibilités de traitement par lot et de conversion en arrière-plan sont plus importantes car elles ont une réelle influence sur la productivité du photographe, ce qui est important pour un professionnel.

- **Le prix.** Qu'ils soient « propriétaires » ou issus d'éditeurs tiers, le prix des dérawtiseurs varie de gratuit à quelques centaines d'euros. Chaque boîtier est livré avec au minimum un logiciel permettant la conversion, mais ils sont parfois rudimentaires, comme Nikon View.

Astuce

Assurez-vous d'avoir toujours la dernière version du dérawtiseur car les améliorations apportées peuvent être importantes. Ainsi la version 3.6 de Digital Photo Professional (DPP), le dérawtiseur (gratuit) de Canon, intègre une fonction Tons foncés/Tons clairs » similaire à Photoshop, une avancée particulièrement significative.

Le logiciel de traitement d'image : y a-t-il une alternative à Photoshop ?

Photoshop est LA référence de l'industrie de l'image. Ce logiciel possède toutes les fonctionnalités dont le photographe a besoin pour traiter ses images… et même beaucoup plus car il est depuis l'origine destiné aux graphistes. À tel point que le photographe n'utilise qu'une petite partie des outils disponibles ! Le coût élevé de Photoshop peut alors paraître peu justifié.

Y a-t-il une alternative à Photoshop ? Si l'on met de côté les applications hébergées sur Internet (« web based ») comme Aviary, Splashup ou… Photoshop Express trop peu puissantes, on peut se tourner vers PaintShop Photo Pro pour quelques dizaines d'euros ou les logiciels gratuits comme PhotoFiltre.

La référence de l'alternative à Photoshop reste incontestablement Gimp qui, malgré une interface pas toujours ergonomique, offre des possibilités de traitement hors du commun pour une application gratuite. À découvrir.

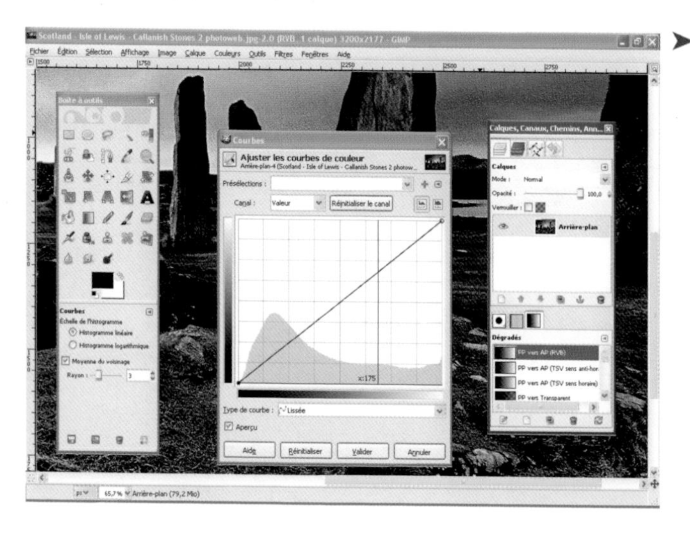

➤ *Gimp, logiciel gratuit, est l'une des meilleures alternatives à Photoshop.*

Les logiciels spécialisés

Des éditeurs proposent des logiciels spécialisés dans le traitement de certaines tâches : DxO Optics ou PTLens pour la correction optique ; Autopano Giga, Stitcher ou PTGui pour l'assemblage panoramique; Noise Ninja ou Neat Image pour la réduction du bruit.

Ces logiciels indépendants, livrés sous forme d'application autonome ou de plug-in, affirment obtenir de meilleurs résultats que les logiciels intégrés. C'est parfois vrai mais rarement de manière spectaculaire et c'est le plus souvent au prix d'un alourdissement de la chaîne de traitement des images… et de l'allègement de votre portefeuille.

Si vous êtes satisfait des résultats obtenus avec votre dérawtiseur et votre logiciel de traitement d'image, il est parfaitement possible de vous en tenir là.

LA GESTION DE LA COULEUR

Qui n'a pas déjà eu la mauvaise surprise d'obtenir une impression trop sombre ou des couleurs « inattendues » à partir d'un fichier pourtant travaillé avec soin sur l'écran de son ordinateur ?

Les périphériques de la chaîne de l'image, du boîtier à l'imprimante, ne voient pas la même chose et ne parlent pas la même langue. Une bonne gestion de la couleur met de l'ordre dans tous ces éléments et permet d'obtenir un résultat fidèle à coup sûr.

Désigner une couleur

- **Le modèle RVB (ou RGB en anglais).** Il identifie chaque couleur selon la quantité de rouge, vert et bleu qu'elle contient. Ce modèle est proche du mode de fonctionnement des périphériques (boîtier, écran…), généralement basés sur le Rouge, Vert et Bleu.

  Chaque couleur (canal) a une valeur comprise entre 0 et 255. Par exemple, le rouge pur (255,0,0) a pour valeur Rouge 255, 0 pour le Vert et 0 pour le Bleu. Le noir (0,0,0) ne possède aucune couleur alors que le blanc (255,255,255) possède la quantité maximum de chaque canal. Un gris neutre possède une quantité égale dans chaque canal (80,80,80).
- **Le modèle CMJN.** Il prend en compte les couleurs Cyan, Magenta, Jaune et Noir utilisées dans l'imprimerie.
- **Le modèle Lab.** Il sépare les données de luminosité « L » des axes de couleur « a » pour l'axe Rouge-Vert et « b » pour l'axe Bleu-Jaune. Il est utilisé en post-traitement pour modifier le contraste et la luminosité sans modifier les couleurs.

Gamut

Au Moyen Âge, le « Gamma-ut » désigne l'ensemble des notes de musique jouables, de gamma (la note la plus grave) à ut (la plus aiguë). En photographie, le gamut d'un périphérique désigne l'ensemble des couleurs que ce périphérique peut enregistrer/reproduire.

La couleur et sa représentation

Les modèles théoriques absolus

Le diagramme de chromaticité CIE XY représente l'ensemble des couleurs visibles par l'œil humain.

Le diagramme CIE XY présente une gamme de couleurs de même luminosité, les couleurs plus sombres (ou plus claires) n'apparaissent pas. Le diagramme de CIE XYZ rajoute l'axe de luminosité (Z) pour donner un diagramme en trois dimensions. Cette modélisation 3D des couleurs visibles par l'œil est exhaustive mais plus difficile à lire.

Le diagramme Lab représente également l'ensemble des couleurs visibles par l'œil humain d'après le modèle Lab.

Pour une luminosité donnée, le diagramme Lab ci-après prend la forme d'un carré. Il prend la forme d'un cube si l'on rajoute l'axe des luminosités et représente alors l'ensemble des couleurs à toutes les luminosités.

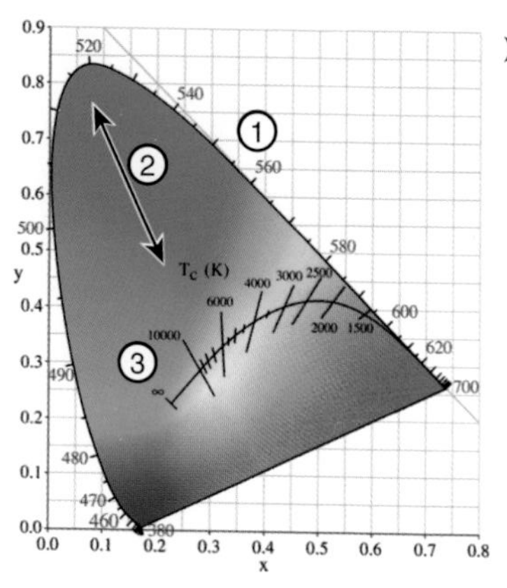

➤ *Le diagramme de chromaticité CIE xy. (1) L'axe des longueurs d'onde de la lumière visible de 380 à 700 nm. (2) Les couleurs sont pures en limite extérieure et de moins en moins saturées vers le centre. (3) L'échelle de températures de couleur en kelvin (K).*

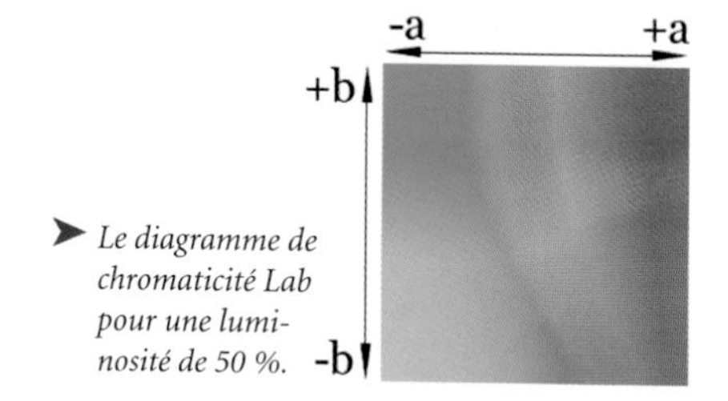

➤ *Le diagramme de chromaticité Lab pour une luminosité de 50 %.*

D'autres modèles théoriques

Comme aucun périphérique ne peut reproduire autant de couleurs que l'œil, il est plus pertinent d'utiliser des modèles plus proches des couleurs reproductibles par un appareil photo ou un écran.

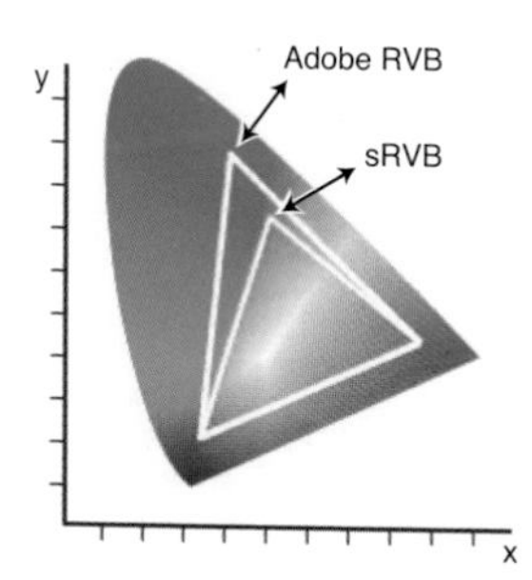

L'espace colorimétrique le plus connu et le plus utilisé est l'espace Adobe RVB 1998. Le sRVB, moins étendu, convient cependant mieux aux écrans d'ordinateur et à Internet.

➤ *L'espace de couleurs Adobe, bien que plus large que l'espace sRVB, ne représente que 50,6 % des couleurs visibles par l'œil humain. Toutes les couleurs possibles sont inscrites dans un triangle dont chaque extrémité correspond aux valeurs du Rouge, Vert et Bleu les plus saturés.*

Astuce

Pour Windows XP, téléchargez l'application Microsoft Color Control Panel (en anglais uniquement, faites une recherche Internet sur wincolorsetup.exe). Cette extension du panneau de configuration permet de gérer les préférences de la gestion de la couleur de Windows mais surtout de comparer deux espaces de couleur grâce à une visualisation 3D. Excellent et gratuit !

Périphériques : chacun son espace colorimétrique

Les modèles ou espaces colorimétriques décrits ci-dessus sont des modèles théoriques ; ils sont indépendants des capacités techniques des périphériques.

Chaque périphérique d'acquisition (appareil photo, scanner) et de sortie (écran, imprimante) ne peut enregistrer ou restituer qu'une partie des couleurs du paysage, du document ou du fichier qu'il doit reproduire. Chaque périphérique a son propre gamut, son propre espace de couleurs.

Les espaces de couleurs sont souvent positionnés sur le diagramme CIE XY ou Lab, ce qui permet de comparer les caractéristiques (disons les performances) des périphériques entre eux.

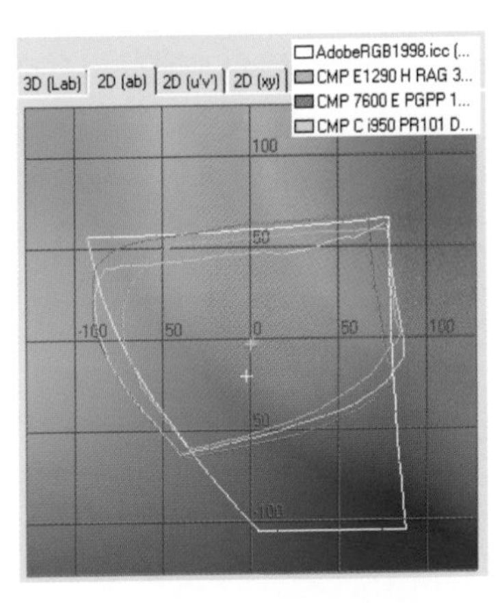

➤ *L'espace de couleurs de trois imprimantes comparé à l'espace Adobe RVB (en blanc) dans l'espace Lab 2D (***www.cmp-color.fr***).*

Les profils colorimétriques

Chaque périphérique voit et gère les couleurs à sa façon. Si l'écran dit « rouge », l'imprimante ne sait pas forcément de quel « rouge » il s'agit.

Le profil, sorte de mode d'emploi ou de carte d'identité, décrit les caractéristiques du périphérique et lui permet d'être compris par le périphérique suivant. Il met aussi en évidence les défauts du périphérique (comme la dominante magenta d'un écran par exemple) et permet de les compenser.

Profil ICC

L'International Color Consortium (ICC) a été fondé par Adobe, Agfa, Apple, Kodak et Microsoft dans le but de faciliter la gestion de la couleur entre les différents acteurs de l'industrie de l'image. Ce consortium a notamment défini les normes pour la création des profils colorimétriques : le profil ICC. Ces normes sont devenues la règle.

Info

On obtient le profil d'un boîtier en photographiant une mire de couleurs, le profil d'un écran avec une sonde colorimétrique et celui d'une imprimante avec un spectrophotomètre.

Ne rompez pas la chaîne

Une image créée par un périphérique d'entrée ou affichée par un périphérique de sortie hérite des caractéristiques de celui-ci et donc de son profil.

- **Attribuer un profil.** Pour faire savoir aux autres éléments de la chaîne de quel périphérique l'image est issue et quel espace elle utilise, il faut attribuer le profil ICC au fichier image (Édition > Attribuer un profil). De cette manière, le périphérique destinataire (l'écran ou l'imprimante) sait comment interpréter les valeurs RVB reçues et peut afficher/imprimer fidèlement l'image sans modification des valeurs du fichier image. L'image est alors dépendante du profil du périphérique d'origine.
- **Convertir une image.** Puisque l'image doit maintenant être gérée par un nouveau périphérique, il vaut mieux « convertir » l'image vers l'espace de couleur du nouveau périphérique (Édition > Convertir en profil). Cette étape de conversion permet en quelque sorte d'oublier les origines du fichier et de le convertir à son nouvel environnement, en l'occurrence l'espace de travail défini dans les préférences de Photoshop. Cela permet d'effectuer le traitement d'image dans un espace neutre, indépendant de tout périphérique et souvent plus large que l'espace d'origine et, par la suite, de convertir l'image vers le profil destinataire (imprimante offset, sRVB pour le Web, etc.).

  Dans la pratique, il n'est pas indispensable de créer les profils des périphériques d'acquisition sauf s'ils sont affectés de gros défauts (ce qui n'est pas le cas des périphériques récents et encore moins des appareils photo) ou si le strict respect de la couleur est primordial pour vous. Apportez en revanche un soin particulier à l'écran et à l'imprimante.

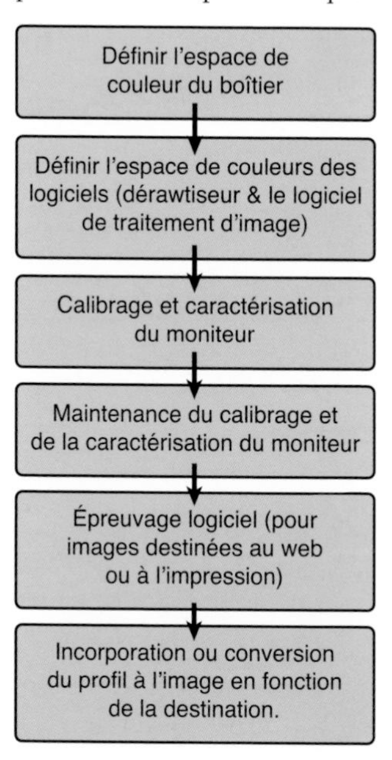

➤ *Tâches à effectuer pour garantir une bonne gestion de la couleur.*

Calibrage et caractérisation de l'écran

Inutile de faire de longs discours : votre écran doit être bien réglé !

C'est d'autant plus important que les réglages d'usine (notamment des écrans d'entrée de gamme) sont loin de convenir à la retouche d'image. Trop lumineux et aux couleurs trop froides (9 300 K), ils sont peut-être flatteurs, mais ils reproduisent mal les couleurs et les lumières.

La première étape consiste à calibrer l'écran, la deuxième à le caractériser.

Calibrage

Le calibrage (ou étalonnage) consiste tout simplement à régler la luminosité, le contraste et la température de couleur à l'aide des touches de réglage de votre écran.

Vous pouvez utiliser Adobe Gamma : ce logiciel gratuit fait défiler des mires noire et blanche, puis des mires Rouge, Verte et Bleue. Cette méthode est très simple mais elle manque de précision car elle est basée sur votre propre jugement et parce que les instructions sont parfois ambiguës. De plus, vous ne pourrez pas définir le profil de votre écran.

Préférez le calibrage à l'aide d'une sonde colorimétrique. Les prix ont considérablement baissé ces dernières années alors faites cet investissement, vous ne le regretterez pas. Vous en aurez besoin pour créer le profil de votre écran.

La procédure de calibrage avec la sonde est analogue à celle utilisée par Adobe Gamma. Vous serez guidé dans le réglage de la luminosité, du contraste et des couleurs à l'aide de patches noir, blanc et de couleur. La différence est que la sonde remplace votre œil.

Caractérisation : élaboration du profil colorimétrique de l'écran

La procédure de caractérisation permet de définir les caractéristiques de l'écran, à savoir sa capacité à reproduire les couleurs (définition de l'espace de couleurs) et ses éventuels défauts (dominante colorée, manque de luminosité). Les informations sont consignées dans le profil ICC qui servira à garantir un affichage fidèle.

L'ordre et le nom des étapes changent en fonction du logiciel utilisé. Voici les étapes du logiciel Monaco Optix.

Phase de calibrage :

1. Réglage du point blanc. Choisissez la température de couleur qui correspond le plus à votre environnement de travail, généralement 5 000 K (ou 6 500 K) et réglez votre écran à la même température. L'écran paraîtra jaune mais vous vous y habituerez.
2. Détermination du noir le plus clair puis le plus foncé. Cette étape permet de déterminer la dynamique de l'écran. Vous devrez régler la luminosité au maximum puis au minimum. Sur les écrans LCD, vous devrez également régler le contraste.
3. Réglage de la luminosité. La sonde mesure la luminosité de l'écran. Réglez la luminosité de votre moniteur pour faire correspondre les mesures de la sonde avec la cible définie par le logiciel.

Phase de caractérisation :

1. Mesure des plages de couleur. Le logiciel affiche une série de patches de plusieurs nuances de rouge, vert et bleu puis de nuances de gris. La sonde analyse les valeurs RVB de chaque patch, envoie le résultat au logiciel qui mesure l'écart avec les valeurs RVB réelles des patches et déduit les caractéristiques de l'écran (espace de couleurs et défauts éventuels). Ces informations sont consignées dans le profil ICC.
2. Sélection du gamma. Le gamma décrit la façon dont l'écran affiche les valeurs du noir au blanc. Certains périphériques affichent mieux les valeurs claires que les valeurs sombres. Choisissez 2.2, c'est la valeur standard des écrans récents.
3. Enregistrement du profil. À la fin du processus, le logiciel crée le profil ICC et vous propose de le nommer : donnez-lui le nom de l'écran, des paramètres (température de couleur notamment) ainsi que la date. Par exemple, « HP 2475 – 5000K – Juillet 2010 ».

Après l'enregistrement, le profil est pris en compte par la carte graphique (l'affichage se modifie) et est lancé à chaque démarrage.

Info

Pensez à calibrer votre écran régulièrement pour tenir compte d'un éventuel vieillissement et notez la date dans le nom du profil. Un calibrage mensuel, voire bimensuel, n'est pas de trop.

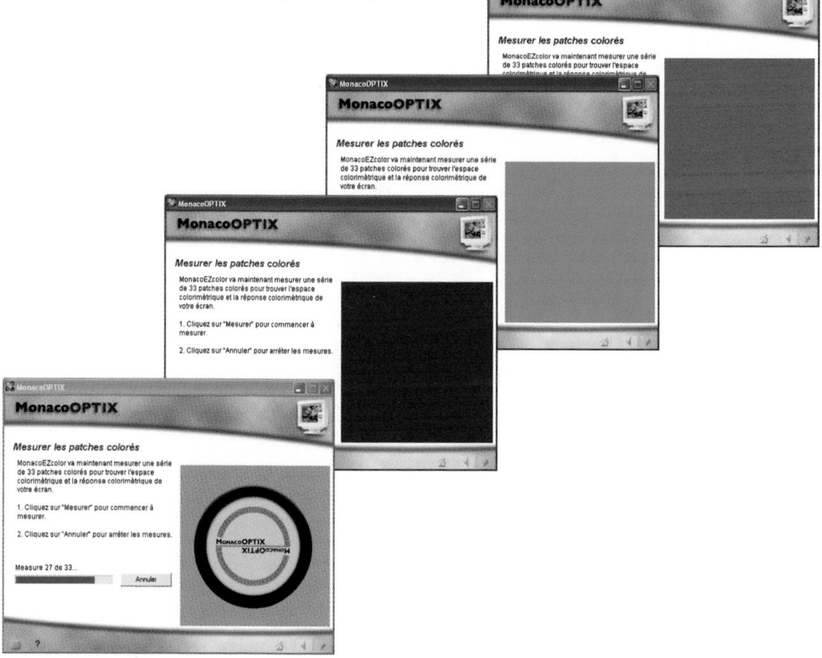

Préparer l'environnement de travail

L'environnement de travail a son importance dans la retouche photo. La lecture des images peut être perturbée par un environnement trop lumineux ou des murs trop colorés. Si les murs de votre pièce de travail sont rouge vif, les couleurs à l'écran paraîtront fades. De même pour l'intensité lumineuse de la pièce : les images à l'écran auront l'air trop sombres si votre pièce est très claire et vous serez tenté d'éclaircir votre image ; inversement dans les pièces trop sombres, que l'écran soit calibré ou pas.

La stabilité de l'environnement de travail doit si possible être constante : travaillez une image le soir dans la pénombre et regardez-la le lendemain à la lumière du jour. Vous verrez qu'elle paraîtra plus sombre.

Évitez la lumière directe sur l'écran et les reflets en tout genre. À cet égard, un vêtement sombre est préférable.

8
Postproduction

Vous êtes prêt pour la retouche de vos images. Avant de commencer, vous devez garder à l'esprit que les meilleures photos sont souvent celles qui ont le moins besoin d'être retouchées : non seulement elles ont été faites avec de bons outils et montrent une bonne maîtrise des techniques de prise de vue, mais elles témoignent aussi d'une scène baignée d'une bonne lumière, d'un sujet bien choisi et d'éléments bien gérés que vous n'aurez pas besoin de modifier *a posteriori*.

En effet, il est possible de réaliser des images très réussies dès la prise de vue, ce qui est d'ailleurs beaucoup plus gratifiant pour le photographe. Les règlements des concours les plus prestigieux n'autorisent que les corrections mineures comme l'exposition et le contraste. Sans compter que le résultat sera bien plus naturel qu'une image lourdement travaillée.

➤ *Il est possible de réussir des photos dès la prise de vue.*

Le flux de traitement : un ordre à respecter.

Les retouches doivent être faites dans un certain ordre pour garantir une qualité optimale. Cet ordre est somme toute logique : il va de soi de corriger l'exposition avant le contraste, de réduire le bruit numérique avant de procéder à une accentuation.

Les dérawtiseurs sont organisés pour faciliter le respect de cette logique comme le montre la palette d'outils de Camera Raw.

Les étapes décrites ci-après sont présentées dans l'ordre logique de retouche des images.

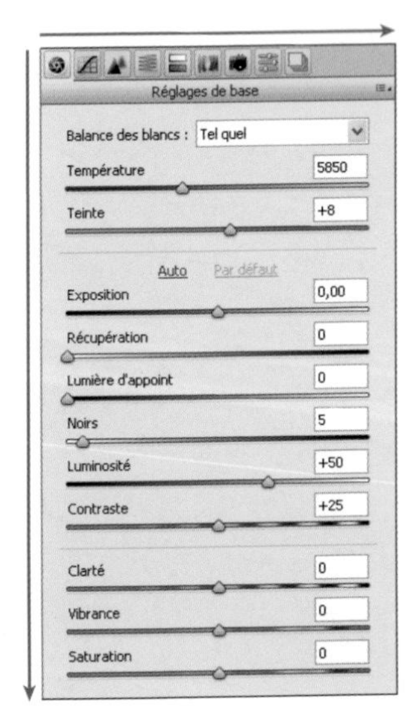

➤ *Les commandes de Camera Raw sont organisées selon l'ordre logique du traitement des images. Commencez par l'onglet de gauche (Réglages) et utilisez si besoin les commandes proposées en commençant par le haut. Pratiquez de même pour les autres onglets (Courbe, Détails, Teinte-Saturation-Luminance-Niveaux de gris, Virage partiel et Corrections de l'objectif).*

DÉVELOPPEMENT DES FICHIERS RAW

Diagnostiquer une image : corriger ou ne pas corriger ?

Avant de corriger une image, il faut commencer par la diagnostiquer. Que faut-il corriger dans cette image, quelles sont ses faiblesses ? Manque-t-elle de contraste, est-elle sur ou sous-exposée ? Distinguer les caractéristiques de chaque image par rapport aux autres est nécessaire car il ne s'agit pas de corriger toutes les images de la même façon.

Vous avez deux possibilités de traitement :

- **Un traitement subtil.** Il vise à corriger les défauts de la prise de vue et à restituer fidèlement le paysage rencontré. Cette étape est indispensable en numérique même avec une prise de vue sans défaut particulier, les fichiers numériques étant réputés pour être « mous » et neutres.
- **Un traitement plus poussé.** Parfois appelé « manipulation », il change radicalement l'aspect de l'image : recadrage important, passage en noir et blanc… Ce traitement est décrit à la section « La postproduction (ré)créative », plus loin dans ce chapitre.

Nous n'aborderons pas les techniques de montage qui permettent de créer un paysage à partir de plusieurs images et encore moins les filtres artistiques car ce n'est plus vraiment (du tout) de la photographie.

Comprendre et lire un histogramme

L'histogramme est très utile à l'étape du post-traitement mais aussi à la prise de vue pour juger de l'exposition d'une image.

Principe théorique

L'histogramme est une représentation statistique et objective de la répartition des niveaux de luminosité présents dans l'image sur une échelle de 0 à 255 (du noir au blanc). Chaque barre représente les pixels d'un certain ton en % de l'ensemble, autrement dit la surface qu'ils occupent dans l'image.

Analyser l'histogramme

Une image statistiquement moyenne a une répartition des tons en forme de cloche ou courbe de Gauss. Une déviance par rapport à cette « norme » peut signifier un problème d'exposition… ou une image bien exposée mais hors normes.

Commencez par analyser les bords gauche et droit de l'histogramme. Si trop de valeurs sont « entassées » à gauche, l'image est sous-exposée ; elle est surexposée quand les valeurs sont entassées à droite.

Si les tons s'entassent à gauche et à droite (mais pas au milieu), il s'agit d'une image très contrastée. Si les valeurs sont concentrées au milieu, l'image est peu contrastée et comporte principalement des tons moyens.

➤ *Image bien exposée présentant des tons répartis entre les noirs et les blancs.*

➤ *Image surexposée présentant des tons entassés à droite. Une image très claire, dite high key, possède un histogramme similaire.*

➤ *Image sous-exposée présentant des tons entassés à gauche. Une image très sombre, dite low key, possède un histogramme similaire.*

➤ *Une image fortement contrastée présente peu de tons moyens.*

➤ *Une image faiblement contrastée présente beaucoup de tons moyens mais peu de tons clairs et sombres.*

Astuce

Pour faciliter l'apprentissage de l'histogramme : dans Photoshop, ouvrez l'outil Courbe et déplacez la souris sur l'image (le pointeur se transforme en pipette ✎. Cliquez sur une valeur au hasard : la pipette mesure le ton et indique son emplacement sur l'histogramme.

Histogrammes à problème

L'histogramme peut également faire apparaître des problèmes « techniques » souvent indécelables à l'œil.

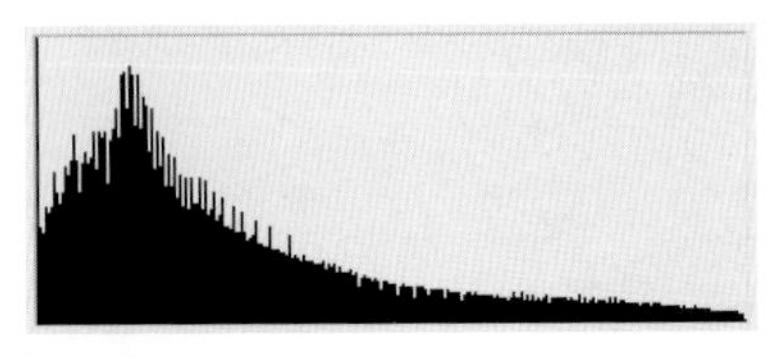

➤ *Cet histogramme est le signe d'une image très bruitée.*

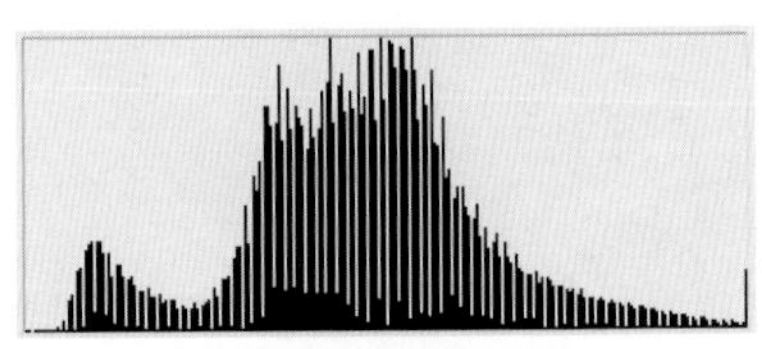

➤ *Cet histogramme montre que l'image a été trop travaillée. Il est significatif des images 8 bits peu contrastées dont l'histogramme aurait été « resserré » (voir plus bas dans cette section).*

Réglages préliminaires du dérawtiseur : configuration des préférences

Avant d'utiliser le dérawtiseur, vous devez définir les préférences. Le panneau, l'onglet ou le menu Préférences permettent généralement de définir par défaut :

- **Les paramètres généraux :** langue de l'interface, emplacement du dossier utilisateur, qualité de la conversion des Raw, valeur de résolution de sortie, taille de la mémoire cache, etc.
- **Les paramètres d'affichage :** taille des fenêtres et des vignettes, couleur de l'arrière-plan, niveaux de déclenchement de l'avertissement de hautes et basses lumières, etc.
- **La palette d'outils :** mode d'affichage des outils Courbe, Réduction de bruit, application de ces outils aux vignettes ou non, etc.
- **La gestion de la couleur :** en particulier choix du profil de couleur de l'espace de travail et du profil écran.

La plupart des paramètres par défaut conviennent, il n'y a *a priori* pas de raison de vouloir les changer. Soyez en revanche tout particulièrement attentif aux paramètres de la gestion de la couleur : sélectionnez l'espace de travail Adobe RVB ou en tout cas celui que vous utilisez dans Photoshop et choisissez les paramètres de conversion des Raw qui maximisent la qualité (comme « qualité élevée » dans DPP).

Tri des images

La facilité du déclenchement en numérique a poussé les photographes à multiplier les prises de vue, rendant parfois l'étape de sélection plus difficile.

Les images que vous allez sélectionner sont destinées à être développées. Les autres sont soit supprimées, soit mises de côté pour une utilisation… « ultérieure ».

Les critères de sélection sont essentiellement la qualité technique et l'intérêt du sujet.

Attention

Les logiciels évoluent et pourront peut-être corriger des défauts jusque-là irrécupérables, comme une image très bruitée ou un léger flou de bougé. Laissez une seconde chance aux images imparfaites si vous pensez qu'elles le méritent.

Procédez d'abord par élimination en supprimant des fichiers ou en attribuant une mauvaise note (ou pas de note du tout) aux fichiers qui ne méritent pas d'être développés. Passez en revue les fichiers rescapés et sélectionnez les meilleurs en attribuant une note de 1 à 3 ou de 1 à 5 selon les logiciels. Si le nombre d'images sélectionnées est encore trop important, refaites cette sélection plusieurs fois, si possible plus tard dans la journée ou le lendemain.

➤ *Les dérawtiseurs permettent d'attribuer une note aux images de manière plus au moins sophistiquée. DPP permet d'attribuer une note de 1 à 3, Bibble (ci-contre) une note de 1 à 5 ainsi qu'une couleur.*

Astuce

Les images ratées représentent une source d'informations importantes et utiles si vous parvenez à comprendre les erreurs commises. Apprendre de ses erreurs est la meilleure façon de progresser. Sélectionnez une dizaine d'images ratées et analysez les causes possibles. Si besoin, postez votre image sur un forum Internet pour recueillir l'avis des internautes photographes.

Ajuster

La balance des blancs

Il existe deux raisons principales de vouloir changer la balance des blancs :

- Vous voulez retrouver les couleurs réelles (les photographies d'architecture ou de décoration d'intérieur exigent un respect strict des couleurs) ou retrouver les caractéristiques de la lumière vue sur le terrain, comme la lumière d'un beau coucher de soleil.
- Vous voulez changer la température de couleur pour obtenir une image plus froide ou plus chaude que dans la réalité.

Tous les dérawtiseurs possèdent l'option Balance des blancs, cette fonction est simple à utiliser.

Mode opératoire :

- Ouvrez dans le dérawtiseur l'image à traiter ou l'image de la charte grise/de couleur. Affichez l'outil Balance des Blancs et utilisez l'une des méthodes suivantes :
- Sélectionnez l'un des réglages prédéfinis de balance des blancs.
- Sélectionnez manuellement la température de couleur (curseur K) ou la couleur (disque chromatique si votre dérawtiseur en possède un).
- Sélectionnez la pipette d'échantillonnage et cliquez sur un ton gris neutre[1] dans l'image.
- Cliquez sur le gris neutre de la charte de couleur.
- Notez les paramètres donnés par le dérawtiseur et appliquez-les aux images prises dans les mêmes conditions de lumière.

Vous pouvez sauvegarder les paramètres personnalisés de la Balance des blancs pour les appliquer à une série de photos et garantir ainsi une certaine homogénéité. Cette série doit avoir été prise dans les mêmes conditions de lumière.

Info

Déterminer la balance des blancs avec la pipette en sélectionnant un gris neutre (avec ou sans charte grise) permet un respect des couleurs, mais cela élimine la dominante colorée de la lumière naturelle.

L'exposition

Quel que soit le soin apporté à l'exposition lors de la prise de vue (et le talent de la cellule matricielle), les erreurs surviennent, surtout lorsque les conditions de lumière sont difficiles.

Heureusement, si vous avez photographié en Raw, vous avez la possibilité de corriger jusqu'à +/–1 IL sans perte de qualité. La correction d'exposition agit de manière linéaire, c'est-à-dire que tous les tons sont modifiés de la même manière.

1. Il s'agit de choisir un sujet gris neutre (comme si vous utilisiez une charte grise et bien qu'il puisse ne pas apparaître neutre sur l'image à cause de la dominante de couleur de la lumière), par exemple un nuage gris ; et non pas un gris dont les valeurs, analysées à la pipette, sont neutres. Il est également préférable de choisir un gris clair (plutôt qu'un gris moyen), voire un blanc, car le bruit numérique pollue davantage les tons foncés que les tons clairs.

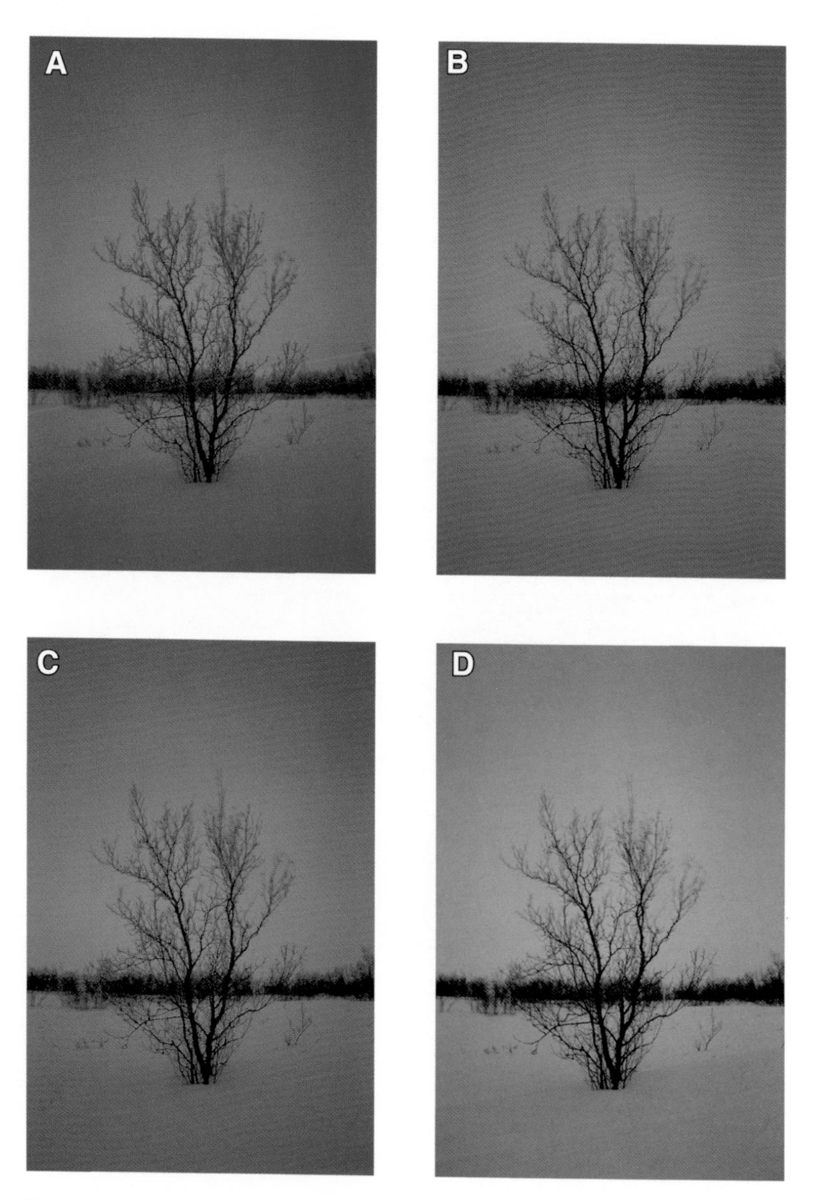

➤ *Différents réglages prédéfinis ont été appliqués à cette image. (A) Lumière du jour (env. 5 200 K). (B) Ombre (env. 7 500 K). (C) Nuageux (env. 6 000 K). (D) Définition manuelle avec la pipette. Cette méthode supprime ici totalement la dominante colorée de la lumière.*

Le maniement de la commande Exposition est très simple :

1. Accédez à la commande Exposition.
2. Si votre dérawtiseur le permet, affichez l'avertissement d'exposition pour les hautes lumières et les ombres.
3. Glissez le curseur de l'exposition à gauche pour assombrir l'image, à droite pour l'éclaircir. Évitez d'écrêter des valeurs de hautes ou basses lumières. Pour cela, choisissez l'une des options suivantes :
   – Surveillez l'apparition des couleurs d'alerte de l'avertisseur d'exposition. Si votre image possède déjà des valeurs écrêtées, modifiez l'exposition pour les faire disparaître.
   – Surveillez le déplacement de l'histogramme : les valeurs écrêtées disparaissent du cadre de l'histogramme.
   – Analysez l'image elle-même. Vous pouvez zoomer sur les zones de hautes et basses lumières.

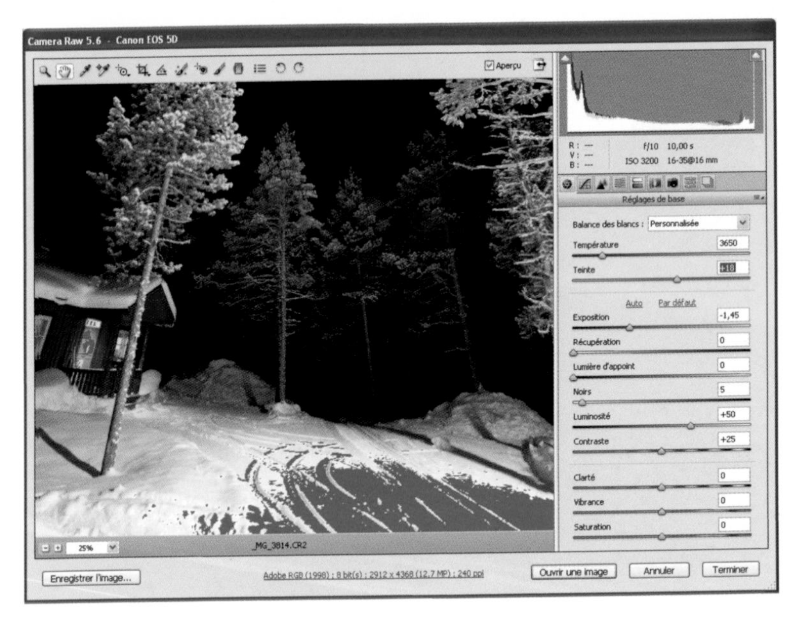

➤ *L'alerte d'exposition de Camera Raw affiche en rouge les hautes lumières écrêtées.*

Vous pouvez corriger l'exposition en privilégiant les hautes lumières puis les basses lumières et ainsi obtenir deux versions d'un même fichier, sorte de bracketing *a posteriori*. Les deux fichiers pourront ensuite être fusionnés selon la procédure expliquée à la section « L'utilisation de calques : combiner deux images », plus loin dans ce chapitre.

Les tons et le contraste

Une fois l'exposition réglée, l'image aura certainement besoin d'un peu de « pêche ». Les dérawtiseurs proposent des outils comparables aux commandes Niveaux, Courbes et Tons foncés/Tons clairs de Photoshop.

Vous pouvez utiliser ces outils pour corriger grossièrement les fichiers Raw si vous comptez les retravailler dans Photoshop ou passer plus de temps si vous ne comptez pas utiliser Photoshop après le dématriçage.

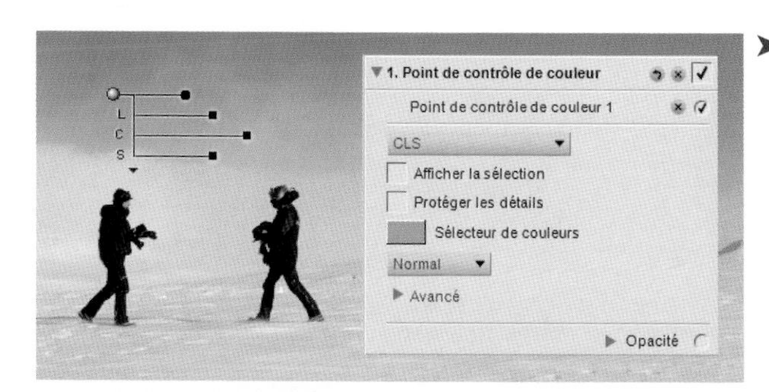

➤ *Les points de contrôle de Nikon Capture NX permettent de corriger facilement la luminosité (L), le contraste (C) et la saturation (S) de la valeur sélectionnée.*

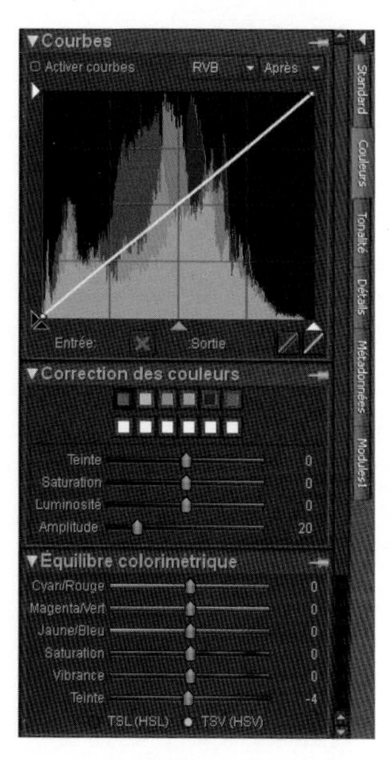

➤ *Les outils Couleurs de Bibble.*

Les outils similaires à Tons foncés/Tons clairs de Photoshop sont d'un grand intérêt à l'étape du dérawtiseur car le fichier Raw est plus riche en informations qu'un fichier converti. Vous pourrez parfois récupérer plus de détails dans les ombres et dans les hautes lumières qu'après le dématriçage.

Les couleurs

La balance des blancs est probablement la modification de couleur la plus importante que vous aurez à réaliser dans le dérawtiseur. Il est en effet préférable de traiter les couleurs dans Photoshop car vous aurez accès à des options plus nombreuses (comme la correction sélective des couleurs) et plus puissantes (comme l'utilisation du mode Lab).

La commande Saturation est cependant couramment utilisée par les photographes avertis car elle permet (les fichiers numériques étant réputés neutres) d'obtenir un résultat plus proche de la réalité. Une valeur de +1 ou +2 maximum (sur une échelle de –4 à +4) peut être appliquée par défaut sur l'ensemble des fichiers à convertir.

Corriger les défauts optiques

Les dérawtiseurs des constructeurs offrent les meilleures performances et le meilleur confort d'utilisation pour la correction des défauts optiques. En effet, qui connaît mieux les caractéristiques des objectifs (et du couple boîtier-objectif) que le constructeur lui-même ? Certains éditeurs tiers, notamment DxO, sont également réputés pour la qualité de leurs corrections.

Le vignettage

Le vignettage peut être corrigé automatiquement ou manuellement à l'aide du curseur d'intensité ou encore à l'aide de la pipette.

Le mode automatique, même s'il prend en compte les défauts optiques connus, peut ne pas suffire si vous utilisez des filtres car ils peuvent augmenter le vignettage.

Le vignettage peut avoir un aspect esthétique, il n'est pas indispensable de systématiquement le corriger.

➤ *Le vignettage est corrigé automatiquement par DPP, qui connaît le vignettage de l'objectif Canon 16-35 m L II. L'onglet de correction des objectifs permet également de corriger les aberrations chromatiques et la distorsion.*

Info

La suppression d'un vignettage important peut éclaircir considérablement l'image, une nouvelle correction de l'exposition peut alors être nécessaire.

La distorsion

Comme le vignettage, la distorsion peut être corrigée soit automatiquement, si les données EXIF sont présentes et prises en compte par le dérawtiseur, soit manuellement *via* un curseur unique Distorsion barillet/coussinet.

Si la distorsion n'est pas visible ou gênante, ce qui est souvent le cas pour les photos de paysages naturels, il est préférable de ne pas la corriger. Contrairement au vignettage, la distorsion nécessite une modification lourde de l'image qui peut avoir un impact sur la qualité. Sans compter qu'elle nécessite un recadrage de l'image.

Les aberrations chromatiques

Ces franges bicolores apparaissent autour des hautes lumières et dans les coins de l'image. Si les aberrations chromatiques ne sont pas visibles sans un agrandissement important de l'image, elles diminuent néanmoins l'impression de netteté (car les contours sont moins bien délimités) et diminuent l'efficacité de l'outil Accentuation.

Mode opératoire :

1. Sélectionnez la partie de l'image susceptible de contenir des aberrations chromatiques (les coins de l'image et les zones de fort constraste).
2. Zoomez l'image à 400 % ou regardez dans la fenêtre d'aperçu.
3. Activez l'option Correction des aberrations chromatiques et choisissez l'intensité.
4. Au besoin, jouez avec les curseurs Rouge/Cyan puis Bleu/Jaune pour décaler les franges et obtenir un meilleur résultat.

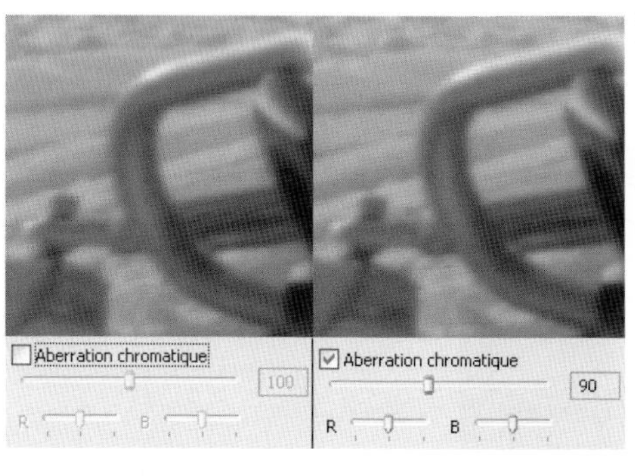

➤ *L'outil Aberration chromatique de DPP. Notez les deux curseurs Rouge/Cyan et Bleu/Jaune sous le curseur d'intensité.*

Info

Notez que déplacer le curseur pour éliminer la frange d'un côté peut avoir pour effet d'en créer une du côté opposé !

Attention

Il se peut que des franges violettes apparaissent, qu'il est possible de confondre avec des aberrations chromatiques (franges rouge/cyan ou bleu/jaune). Ces franges appelées halo ou coma, qui n'apparaissent généralement que d'un côté d'un détail, sont créées par la saturation des photosites du capteur qui « débordent » sur les photosites voisins. Ces défauts ne sont pas bien corrigés par l'outil Correction des aberrations chromatiques.

Réduction du bruit

Le bruit perturbe la netteté de l'image en se mêlant aux détails fins et diminue la saturation et la densité de l'image. Il est préférable de le réduire aussi tôt que possible dans la chaîne de traitement et dans le dérawtiseur plutôt que dans Photoshop.

Le bruit dépend du comportement de chaque boîtier, on peut donc légitimement penser que les dérawtiseurs propriétaires sont mieux à même de le traiter. Cela dit, les éditeurs des logiciels spécialisés tels que Neat Image et Noise Ninja prennent également en compte le profil de votre boîtier et sont réputés très efficaces.

Il existe deux types de bruit :

- **Le bruit de luminance.** Il est comparable au grain argentique et se manifeste par des pixels incolores plus ou moins foncés. La correction de ce type de bruit est problématique car il est difficile de le différencier des détails fins de l'image. Le traitement de ce bruit consiste à appliquer une quantité de flou plus ou moins importante, ce qui a pour effet de réduire la netteté générale de l'image.
- **Le bruit de chrominance.** Il prend la forme de pixels colorés rouges, bleus et verts. Ce type de bruit se traite plus facilement.

➤ *On imagine bien la joyeuse pagaille qui peut régner à la surface du capteur. Détail (+300 %) d'une photo prise de nuit en exposition longue. La photo a été surexposée de +3 IL, ce qui a permis d'amplifier le bruit pour mieux le mettre en évidence.*

Le détail agrandi à 200 % de cette image prise à 3 200 ISO montre que l'image est très bruitée.

La répartition du bruit peut prendre la forme de bandes (phénomène de « banding »), ce qui est particulièrement gênant. Le banding est difficile à corriger car il est réparti de façon inégale sur l'image.

Info

Bibble permet aux détenteurs d'une licence Noise Ninja de l'intégrer à son interface (plug-in).

Les paramètres de réglages disponibles dans les fonctions de réduction du bruit sont plus ou moins nombreux. Vous trouverez :

- au moins un curseur pour régler l'intensité de la correction du bruit ou deux curseurs (bruit de luminance et chrominance) ;
- parfois un curseur Netteté ou Préserver les détails pour atténuer les effets du lissage de la réduction du bruit ;
- plus rarement des modes (fusion/opacité) d'application du filtre permettant une correction optimale.

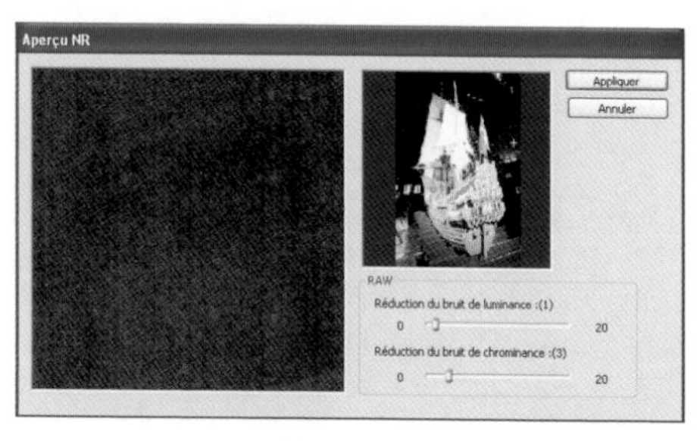

L'outil de réduction du bruit de DPP.

Il est illusoire (et inutile) de vouloir éliminer toutes les traces de bruit. Comme pour les autres traitements, restez modéré dans l'usage de cet outil car il cause vite plus de dommages à l'image qu'il ne permet de l'améliorer.

Autres outils

- **Recadrage et redressement.** Le recadrage est également possible (avec parfois un choix de ratios prédéfinis comme avec DPP : format 3/2, 4/3...) de même que le redressement. DPP ne permet de redresser l'horizon que depuis la version 3.8 de mars 2010. Ci-dessous, l'outil de recadrage de Bibble.

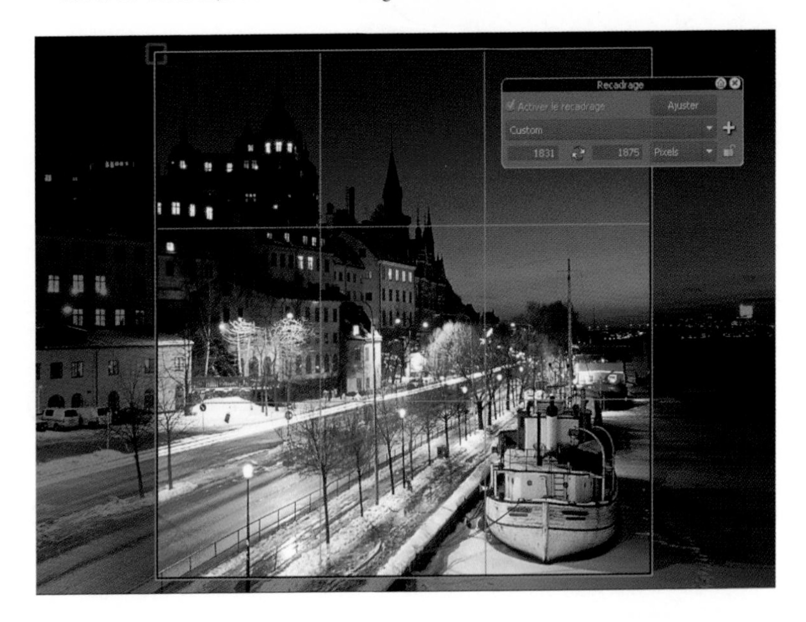

- **Nettoyage des poussières.** Un outil de type tampon est parfois disponible dans le dérawtiseur mais, souvent, il n'a pas l'efficacité et la flexibilité de celui (ceux) de Photoshop. C'est dommage car certains dérawtiseurs comme Nikon Capture et DPP cartographient les pixels, ce qui permet de les retirer sur une série d'images.
- **Accentuation.** Les options d'accentuation (augmentation de la netteté) existent sur la plupart des dérawtiseurs. Compte tenu de sa nature plutôt destructrice, il est préférable d'appliquer l'accentuation à la fin du traitement de l'image. D'autant plus qu'une bonne accentuation doit tenir compte du format et du support de destination de l'image.

Les dérawtiseurs ayant tendance à multiplier les fonctionnalités, ils deviennent de plus en plus proches des logiciels de retouche d'image sans pour autant les égaler.

À moins que vous ne soyez dans l'obligation de traiter rapidement vos fichiers, il est préférable d'utiliser les dérawtiseurs pour convertir les fichiers Raw de manière à fournir à Photoshop un fichier le plus propre possible pour la suite du traitement.

➤ *La barre d'outils de Nikon Capture NX.*

Conversion

C'est à l'étape de la conversion que s'effectue le dématriçage du fichier Raw. Le fichier brut devient alors un fichier enregistré en un format standard reconnaissable par tous les logiciels d'image.

À cette étape, vous devrez définir les paramètres de l'enregistrement, à savoir l'emplacement et le nom du fichier, la qualité de l'image (8 ou 16 bits), le degré de compression (pour le JPEG), l'intégration ou non des données EXIF et d'un profil ICC, éventuellement les paramètres de sortie en vue d'une impression (redimensionnement, nombre de DPI) et parfois les mots-clés.

Le traitement par lot est une option indispensable qui permet de traiter un certain nombre d'images en même temps, d'obtenir parfois deux versions d'un seul fichier (une version TIFF haute définition et une version basse définition en JPEG par exemple). Vous pouvez normalement travailler pendant que le dérawtiseur travaille en arrière-plan ou créer des files d'attente et lancer le dématriçage plus tard.

CORRIGER ET AMÉLIORER L'IMAGE DANS PHOTOSHOP : LES OUTILS DE BASE

Paramétrer les préférences de couleur de Photoshop

Avant de commencer à traiter vos images, il est essentiel de configurer les préférences couleur de Photoshop, comme vous l'avez fait pour votre boîtier et le dérawtiseur.

Photoshop possède une fenêtre de paramétrage des préférences couleur particulièrement complète, voici comment la configurer.

Astuce

Gardez toujours une version non retouchée d'une image car les modifications apportées sont destructrices pour la plupart et il n'est pas toujours possible de revenir en arrière. Marquez le fichier de manière à le distinguer des autres, par exemple « mon image NE.tiff », avec NE pour « Non Edité ».

Configuration de l'espace de travail

Bien que n'étant pas un périphérique d'acquisition ni de restitution, Photoshop, comme le boîtier, un scanner ou une imprimante, possède aussi un profil colorimétrique. On l'appelle « espace de travail ». Les documents créés dans Photoshop possèdent par défaut le profil colorimétrique choisi comme espace de travail.

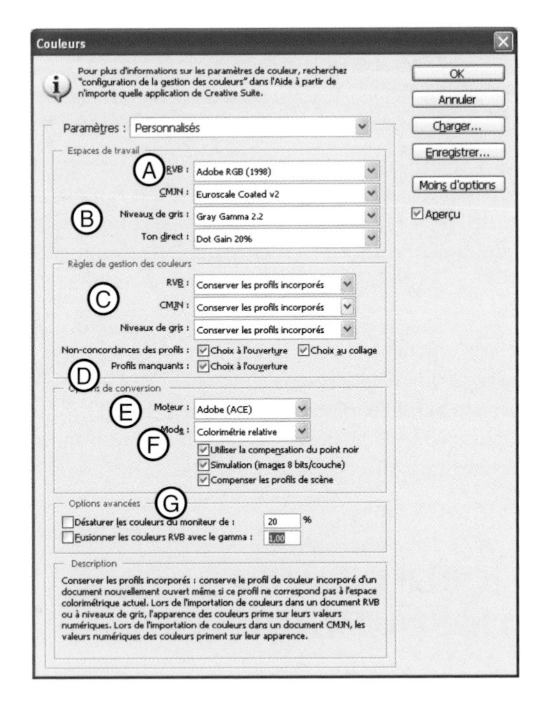

Info

Passez la souris au-dessus de l'option pour obtenir les explications.

A. Choisissez l'espace de travail qui correspond à celui de votre boîtier ou de votre scanner, de préférence Adobe RVB 1998, plus large que l'espace sRVB.

B. L'espace CMJN (et les deux options suivantes) correspond au profil colorimétrique des imprimantes offset des imprimeurs. Vous n'avez à utiliser cet espace que pour préparer une image pour la presse ou l'édition. Dans ce cas, l'un des deux profils Euroscale fait généralement l'affaire.

Règles de gestion des couleurs

Ces options définissent les règles d'alerte et d'attribution des profils colorimétriques à adopter pour les documents importés dont le profil est différent de l'espace de travail de Photoshop et pour les documents ne possédant pas de profil.

C. Choisissez Conserver les profils incorporés pour RVB, CMJN et Niveaux de gris.

D. Cochez les trois cases pour être prévenu en cas de profil non concordant ou manquant.

Options de conversion

E. Le moteur de conversion (ou CMM) convertit les couleurs d'un espace vers un autre. Le moteur Adobe (ACE), l'option par défaut, est conseillé car il est meilleur que le moteur Microsoft également proposé en option.

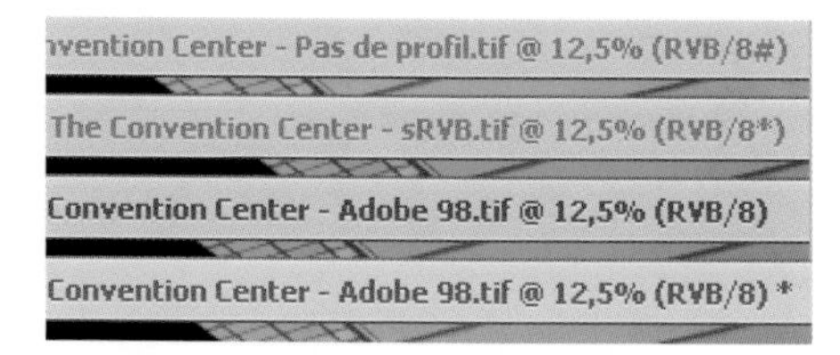

➤ *(RVB/8 #) apparaît à droite du nom du fichier quand l'image est dépourvue de profil couleur ; (RVB/8*) quand le profil de l'image est différent de l'espace de travail, ici Adobe RVB ; (RVB/8) quand l'espace de l'image et l'espace de travail sont identiques. Le signe * est ajouté après la parenthèse pour signifier que le fichier a été modifié depuis le précédent enregistrement.*

F. Le mode de conversion utilisé par le moteur : le mode Colorimétrie relative correspond à la majorité des cas ; le mode Perception fonctionne mieux quand l'espace de couleurs cible est plus limité que l'espace source. Les deux autres options sont plutôt réservées aux graphistes. Laissez les trois cases cochées.

G. Options avancées : laissez les cases décochées.

Les outils de sélection

Les outils de sélection servent à plusieurs étapes de la correction des images, en particulier la correction de la luminosité, du contraste ou de la couleur d'une image. Bien maîtriser ces outils permet aux corrections apportées aux zones sélectionnées de passer inaperçues et d'obtenir une image plus naturelle.

- Le Rectangle et l'Ellipse de sélection permettent de sélectionner des formes rectangulaires et carrées ou rondes et ovales. Ces outils ne sont pas fréquemment utilisés dans la correction des paysages naturels.
- Le Lasso permet de dessiner le contour de la sélection à main levée ; utile pour les sélections difficiles.
- Le Lasso polygonal permet d'effectuer la sélection de zones à bords rectilignes comme dans un paysage urbain par exemple.
- Le Lasso magnétique permet de sélectionner une zone complexe à condition que les bords de celle-ci soient bien contrastés.
- La Sélection rapide, comme son nom l'indique, permet de sélectionner rapidement une zone… mais sans grande précision.
- La Baguette magique sélectionne les pixels de la même couleur que le pixel sur lequel vous cliquez. Cet outil s'utilise quand la couleur (ou le ton) de la zone à sélectionner contraste nettement avec les parties voisines.
- L'outil Plage de couleur (Sélection > Plage de couleur) permet de sélectionner une couleur ou un ton sur toute l'image comme l'outil Baguette magique le fait localement. C'est particulièrement utile pour les sélections complexes, à travers un arbre par exemple.

Astuce

Même en choisissant l'outil le plus approprié, il est souvent impossible d'atteindre une précision suffisante. Vous allez oublier des pixels et sélectionner des pixels de la zone voisine.

Pour ajuster l'étendue d'une sélection, vous pouvez :

- *soustraire des pixels à la sélection en appuyant sur Alt ;*
- *ajouter des pixels à la sélection en appuyant sur Shift.*

Une fois la sélection faite et optimisée, cliquez sur Améliorer le contour dans la barre d'options. Les options suivantes sont alors disponibles :

- **Rayon.** Il définit la taille de la zone concernée, de part et d'autre de la sélection. Un rayon faible convient quand les limites sont bien définies (contraste élevé). Un rayon important convient aux zones de transition, floues ou en dégradé.
- **Contraste.** Cette option augmente le contraste autour de la ligne de sélection à la manière de l'outil Accentuation.
- **Lissages.** Cette option permet de supprimer ou d'atténuer les irrégularités de la sélection.
- **Contour progressif.** Il atténue la transition en créant un dégradé entre la zone sélectionnée et la zone voisine.
- **Contracter, Dilater.** Cette option permet de supprimer ou de rajouter des pixels à la sélection. Ces pixels sont pris ou rendus à la zone voisine.

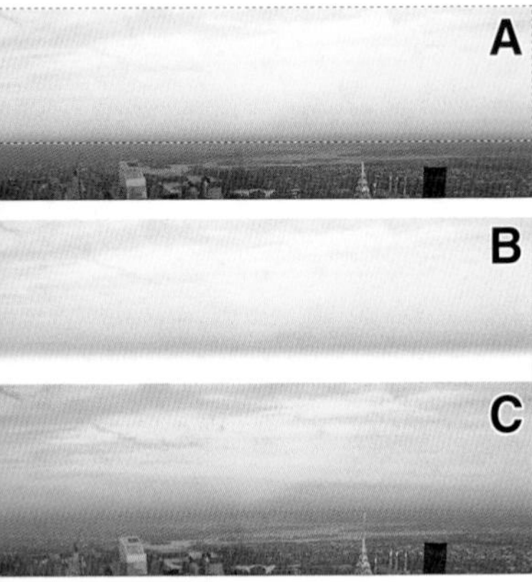

➤ *Exemple d'amélioration de contours avant-après : (A) la sélection initiale de la zone à corriger ; (B) la fonction Améliorer le contour permet ici de rendre le contour progressif ; (C) la correction apportée à la zone passe inaperçue.*

Recadrage, redressement

L'outil Recadrage sert à recadrer mais aussi à redresser une image pour que l'horizon soit bien droit… ou au contraire pour la faire pivoter et obtenir plus de dynamisme.

Il y a peu de choses à dire sur l'outil Recadrage, son utilisation est simple. Cependant, quelques fonctionnalités ne sont pas immédiatement visibles, bien qu'elles soient fort utiles.

- **Ratio.** Vous pouvez définir le ratio de la sélection en complétant les champs Largeur et Hauteur de la barre d'options. Par exemple 1 et 1 pour un format carré, ou 3 et 2 pour le format 24 × 36. Par défaut, la sélection est libre.
- **Repère.** Si vous faites pivoter l'image, aidez-vous d'un repère horizontal ou vertical pour plus de précision (Affichage > Nouveau repère).
- **Correction des perspectives.** Bien qu'un outil spécifique et plus puissant existe (Filtre > Déformation > Correction de l'objectif), vous pouvez redresser la perspective grâce à l'outil Recadrage.

Nettoyage des taches et des poussières

Cette étape n'est pas passionnante mais c'est un passage obligé pour retirer les poussières (sèches ou grasses) qui se trouveraient encore sur l'image.

Les poussières (généralement invisibles à pleine ouverture) sont faciles à repérer : il s'agit de taches sombres présentes dans les zones claires de l'image, en particulier le ciel.

Le filtre Antipoussière (Filtre > Bruit > Antipoussière) est en fait plus utile pour corriger le bruit numérique que la poussière. Il y a deux outils standard (et efficaces) pour corriger la poussière :

- L'outil Correcteur de ton direct sélectionne automatiquement des pixels autour de la poussière à supprimer. Cet outil est particulièrement efficace sur les zones uniformes.
- L'outil Tampon de duplication permet de sélectionner manuellement une zone destinée à remplacer la poussière. L'outil Tampon doit être utilisé dans les zones détaillées.

Mode opératoire :

1. Agrandissez l'image à 100 % ou plus.
2. Sélectionnez l'outil dans la palette d'outils et réglez le diamètre et la dureté. Laissez le mode sur Normal.
3. Outil Tampon de duplication uniquement : sélectionnez la zone qui doit remplacer la poussière puis cliquez pendant que vous appuyez sur la touche Alt.
4. Cliquez sur la poussière.

Vous pouvez utiliser ces outils pour corriger des imperfections de la scène (papier gras, fil électrique ou autre) ou le vignettage dû au porte-filtre par exemple. Le diamètre de l'outil peut alors être très important.

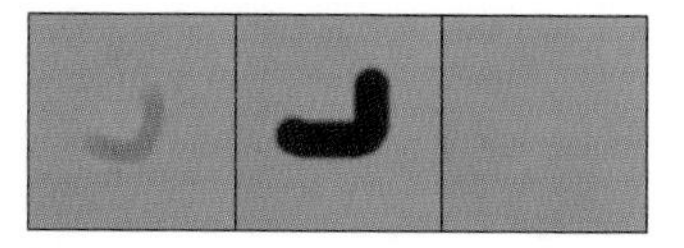

➤ *Utilisation Correcteur de ton direct*

Astuce

Double-cliquez sur l'outil Loupe pour afficher l'image à 100 %. Utilisez les touches Ctrl et + ou Ctrl et – pour zoomer dans l'image.

Réduction du bruit

Outils

Rappelez-vous qu'il existe deux formes de bruit (voir la section « Réduction du bruit », plus haut dans ce chapitre) : le bruit de luminance (pixels gris plus ou moins clairs) et le bruit de chrominance (pixels rouges, verts et bleus).

Évaluez la présence de bruit dans les couches L (bruit de luminance), R, V et B (pour le bruit de chrominance) avant de corriger l'image.

L'outil Réduction du bruit (Filtre > Bruit > Réduction du bruit) permet d'intervenir sur le bruit des couches R, V et B et offre des commandes permettant de conserver les détails.

Les outils de réduction du bruit ont tendance à supprimer des détails en même temps que le bruit, ce qui réduit d'autant plus le piqué de l'image. Compte tenu des dommages potentiels, il est important de ne supprimer que le bruit que l'on considère inacceptable. D'autant qu'une certaine quantité de bruit peut être souhaitable car il donne un peu de texture à une image trop lisse, à la façon du grain argentique.

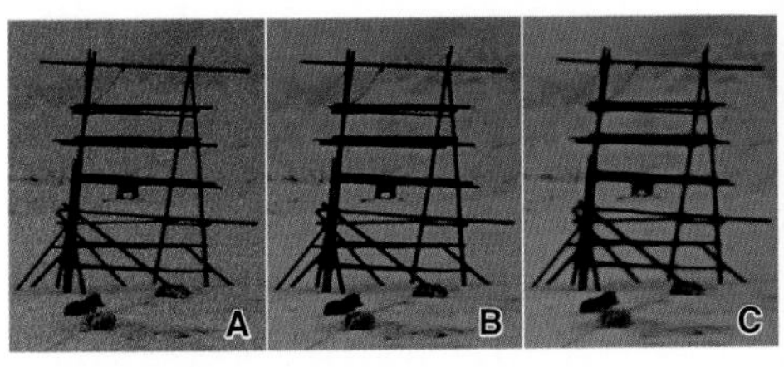

➤ *On constate sur cette image non seulement une disparition de détails mais aussi une création d'aplats.*

Info

Le bruit n'est pas visible à toutes les tailles ni sur tous les supports. Le niveau acceptable de bruit doit être jugé par rapport à l'usage final qu'il sera fait de l'image : affichage web, impression papier de petite ou grande taille...

Luminosité, contraste, exposition, tons

L'objectif de cette étape est de corriger des écarts d'exposition et les conséquences des conditions de lumière difficile sur le terrain (contre-jour notamment), de retrouver du détail dans les ombres et les hautes lumières, bref d'améliorer l'aspect général de la photo pour la rendre plus attractive.

Si ces paramètres ont déjà été corrigés dans le dérawtiseur, l'étape dans Photoshop consiste à ajuster l'image de manière plus précise, à donner la touche finale et à adapter le fichier en fonction de sa destination.

Astuce

Si une image nécessite beaucoup de traitement, effectuez vos réglages avec le panneau Réglages (Fenêtre > Réglages). Chaque réglage donne lieu à la création automatique d'un calque que vous pouvez supprimer à n'importe quel moment dans le panneau Calques (Fenêtre > Calques). Les modifications ne sont réellement appliquées que lorsque les masques sont aplatis.

Astuce

Affichez en permanence l'histogramme de l'image (Fenêtre > Histogramme) pour plus de contrôle pendant le traitement de l'image. C'est notamment utile si vous utilisez des fonctions automatiques et standard qui sont parfois peu transparentes.

Les outils standard

Les modes automatiques. Photoshop possède des fonctions qui permettent de changer de manière automatique les tons (Image > Ton automatique), le contraste (Image > Contraste automatique), et les couleurs (Image > Couleur automatique).

Ces fonctions, auxquelles il faut ajouter les boutons Auto des outils Niveaux et Courbes, sont déconseillées car elles appliquent des valeurs par défaut à toutes les images sans prendre en compte le rendu final. Le résultat est plus qu'aléatoire et va souvent à l'encontre des intentions du photographe en supprimant notamment les dominantes de couleur de l'image, par exemple les tons orangés d'un coucher de soleil.

Luminosité/Contraste. L'outil Luminosité/Contraste permet de régler très simplement la luminosité et le contraste sur l'ensemble de l'image. Ce réglage peut être utilisé efficacement sur des images peu contrastées, présentant beaucoup de tons moyens et peu de hautes ou basses lumières.

Mode opératoire :

1. Ouvrez l'outil Luminosité/Contraste (Image > Réglages).
2. Glissez les curseurs de Luminosité et/ou Contraste jusqu'à obtenir l'image souhaitée.

Le bouton Utiliser la luminosité existante effectue une remise à zéro des curseurs.

Astuce

Cochez et décochez le bouton Aperçu pour comparer les versions (avant/après).

Niveaux. L'outil Niveaux affiche l'histogramme de l'image et permet d'agir sur les tons foncés, moyens et clairs, le point noir et le point blanc pour modifier la luminosité et le contraste, avec plus de contrôle et de précision que l'outil Luminosité/Contraste.

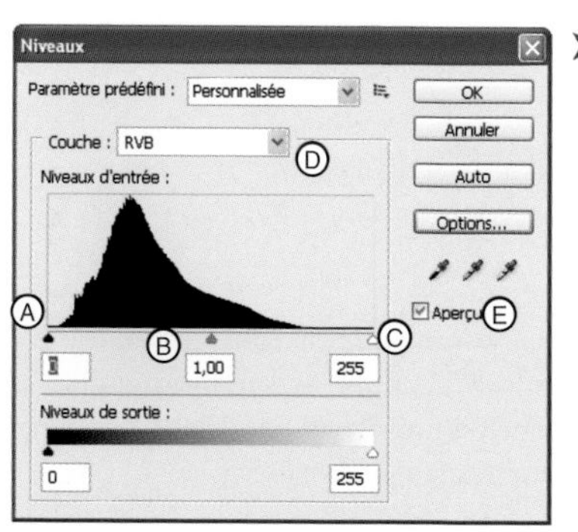

(A) Curseur du point noir et la valeur associée (niveau = 0 par défaut). (B) Curseur des tons moyens et la valeur associée (1.00 = niveau 128 par défaut). (C) Curseur du point blanc et la valeur associée (niveau = 255). (D) Le menu Couche permet d'intervenir sur une des trois couches (Rouge, Vert ou Bleu) ou sur les trois couches simultanément (par défaut). (E) Les pipettes permettant de définir les points noirs, gris et moyens.

Mode opératoire :

1. Ouvrez l'outil Niveaux (Image > Réglages) ou cliquez sur [icône].
2. Si besoin, glissez le curseur du point noir vers le bord de la courbe pour foncer l'image ou le curseur du point blanc vers la gauche pour l'éclaircir. Déplacez les deux curseurs pour augmenter le contraste.
3. Si besoin, glissez le curseur des tons moyens vers la gauche ou la droite pour modifier l'exposition de l'image.

Astuce

Maintenir la touche Alt enfoncée (pour Windows) et Option (sur Mac) tout en déplaçant les curseurs permet d'afficher les tons écrêtés, pour ainsi savoir jusqu'où resserrer les niveaux et juger de l'importance des tons supprimés.

➤ *« Resserrer » les niveaux permet d'augmenter le contraste de cette image.*

Astuce

Transformez l'image en mode Lab et sélectionnez la couche L dans le menu Couche : vous pouvez modifier le contraste et la luminosité de l'image sans altérer les couleurs.

Info

Certaines scènes (paysages de brume ou de brouillard) sont naturellement peu contrastées. Resserrer les niveaux ferait disparaître le voile brumeux, ce qui peut être dommage.

Courbes. La commande Courbes est comparable à la commande Niveaux, mais elle offre encore plus de contrôles. Le vrai « plus » de l'outil est, comme son nom l'indique, la « courbe » superposée à l'histogramme. Cette courbe est une droite par défaut à l'ouverture de l'outil, les données d'entrée et les tons de sortie étant identiques.

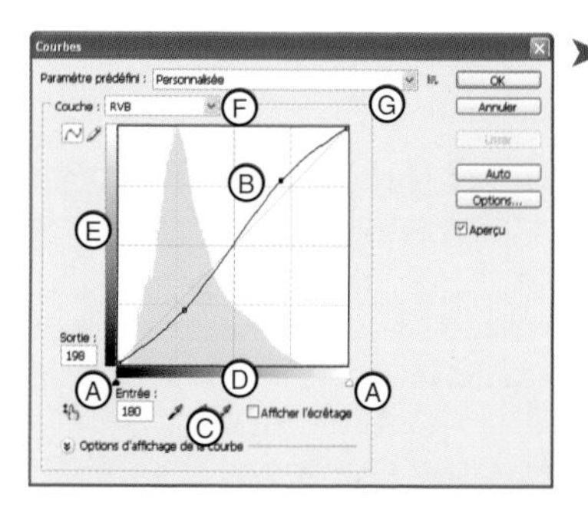

(A) Curseurs du point noir et du point blanc. (B) Courbe (ici après augmentation du contraste). (C) Pipettes permettant de définir les points noir, gris et blanc. (D) Échelle des niveaux d'entrée (tons de l'image avant modification). (E) Échelle des niveaux de sortie (tons de l'image après modification). (F) Menu Couche permettant d'intervenir sur une des trois couches (Rouge, Vert ou Bleu) ou sur les trois couches simultanément (par défaut). (G) Menu des différents types de courbes prédéfinies.

L'augmentation du contraste en mode RVB (au centre) augmente la saturation des couleurs contrairement à la même opération effectuée en mode Lab (en bas). Peu de photographes en ont conscience et c'est souvent la cause d'images trop saturées.

Mode opératoire :

1. Ouvrez l'outil Courbes (Image > Réglages > Courbes).
2. Glissez le curseur du point noir vers la droite pour assombrir l'image et/ou du point blanc vers la gauche pour l'éclaircir. Déplacez les deux curseurs pour augmenter le contraste.
3. Choisissez le ton à modifier (en vous référant à l'échelle des niveaux d'entrée ou en survolant la photo avec la souris) en cliquant sur la diagonale et glissez le point légèrement vers le haut pour l'éclaircir et vers le bas pour l'assombrir (en vous référant à l'échelle des niveaux de sortie). Cliquez sur la ligne sans déplacement empêche les modifications ultérieures de cette valeur.
4. Renouvelez l'opération précédente sur d'autres valeurs si nécessaire.

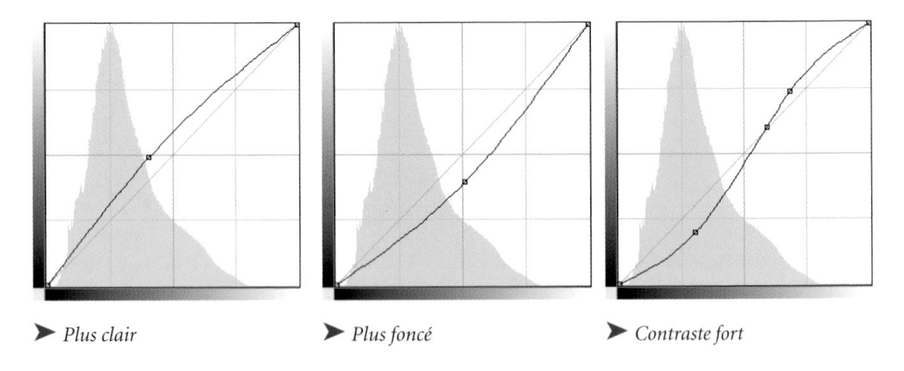

➤ *Plus clair* ➤ *Plus foncé* ➤ *Contraste fort*

Tons foncés/Tons clairs. La commande Tons foncés/Tons clairs (Image > Réglages) est presque aussi puissante que l'outil Courbes et son maniement est plus intuitif.

Cet outil est idéal pour corriger une image prise en contre-jour (éclaircissement des tons foncés) et dans une moindre mesure pour récupérer des détails dans les hautes lumières. Dans les deux cas, la correction n'est appliquée qu'à la gamme de tons choisie et n'affecte pas les autres tons de l'image.

La correction des tons se fait à l'aide des six commandes suivantes :

- **Facteur (ou quantité).** Cette commande définit l'intensité de la correction.
- **Gamme de tons.** Définit la gamme de tons concernée par la modification. Un faible pourcentage ne modifie que les tons les plus foncés (ou les plus clairs) ; un pourcentage élevé modifie tous les tons de l'image considérés comme foncés (ou clairs).
- **Rayon.** Il définit la taille de la zone entourant chaque pixel à corriger. Un périmètre large (50 px) inclut dans la correction tous les pixels compris dans un rayon de 50 pixels autour du pixel cible. Sur une image très détaillée, il est conseillé d'utiliser un rayon faible.

- **Correction colorimétrique.** Renforce la saturation des tons corrigés et compense la perte de saturation liée à l'éclaircissement ou à l'assombrissement.
- **Contraste tons moyens.** Cette commande fait varier le contraste des tons moyens mais assombrit aussi (dans une moindre mesure) les ombres et éclaircit les hautes lumières.
- **Écrêtage noirs et écrêtage blancs.** Spécifie la quantité de tons foncés (ou clairs) supprimés lors de l'application de la commande Tons foncés/Tons clairs. Cela revient à « resserrer » les niveaux de l'histogramme. Il est préférable d'effectuer l'écrêtage éventuel avec la commande Niveaux.

Exposition. La fonction Exposition, à ne pas confondre avec le paramètre du même nom des dérawtiseurs, a été conçue pour travailler les images HDR (*High Dynamic Range*) en 32 bits. Même si elle fonctionne aussi avec les images 8 et 16 bits, il est préférable de laisser cette fonction de côté pour les images traditionnelles.

Les méthodes de correction sélective

Contrairement aux commandes présentées plus haut qui s'appliquent à toute l'image ou à certains tons de l'image entière, les méthodes suivantes permettent de corriger les tons d'une partie de l'image seulement.

Densité – et Densité +. L'outil Densité – et Densité + est l'outil qui se rapproche le plus du laboratoire argentique quand le tireur « retient » ou « donne » de la lumière en passant ses mains sous l'agrandisseur pour faire varier le temps d'exposition du papier à la lumière.

Mode opératoire :

1. Sélectionnez l'outil Densité – ou Densité + + dans la barre d'outils.
2. Choisissez le diamètre, la dureté et la forme de l'outil dans le menu Forme de la barre d'options.

3. Choisissez la gamme de tons à corriger (tons foncés, moyens ou clairs) et l'exposition (l'intensité de la correction).
4. Appliquez la correction sur la zone concernée en maintenant enfoncé le bouton gauche de la souris. Plusieurs passages peuvent être nécessaires.

Astuce

N'utilisez pas de valeur d'exposition supérieure à 5 %, l'effet risque d'être trop visible. Choisissez Tons foncés pour corriger des tons clairs et Tons clairs pour corriger des tons foncés pour un effet plus discret.

Modification des tons après sélection de la zone. Après avoir sélectionné la zone à corriger, utilisez les outils Luminosité/Contraste, Niveaux, Courbes ou Tons foncés/Tons clairs et corrigez la sélection à votre guise.

Cette sélection peut représenter la plus grande partie de l'image pour éclaircir le premier plan sous-exposé ou une petite partie claire qui attire trop l'attention par exemple.

La bonne maîtrise des outils de sélection peut rendre cette méthode très efficace. Dans le cas contraire, le résultat peut être trop voyant et risque de dénaturer l'image.

L'utilisation de calques : combiner deux images

L'avantage de Photoshop, par rapport à beaucoup de logiciels gratuits, est la possibilité de créer des calques. Un calque reproduit l'effet d'un papier-calque plus ou moins transparent que vous pouvez superposer.

Les calques sont particulièrement utiles pour combiner deux images dans le but de préserver les hautes et basses lumières. Cette technique donne souvent de meilleurs résultats que les outils présentés plus haut pour des images très contrastées et complexes.

Si vous n'avez pas pensé ou pas pu réaliser deux images sur le terrain (l'une exposée pour les hautes lumières et l'autre pour les ombres), vous pouvez obtenir deux fichiers à partir d'un seul en développant deux fois le fichier Raw : une fois pour les hautes lumières et une fois pour les ombres. Sauvegardez chaque version pour la distinguer de l'autre, par exemple « Image Hautes Lumières » et « Image Ombres ».

Méthode pour les images complexes

Cette méthode est à utiliser pour les images très détaillées présentant des hautes et des basses lumières réparties sur toute l'image. La sélection des tons à récupérer se fait automatiquement.

Mode opératoire :

1. Ouvrez les deux images dans Photoshop et juxtaposez-les (Fenêtre > Réorganiser > Juxtaposer).
2. **Superposer les deux images.** Dans la barre d'outils, sélectionnez l'outil Déplacement et glissez votre « Image Hautes Lumières » sur l'autre image en maintenant la touche Shift enfoncée pour une superposition parfaite. Puis affichez les calques (Fenêtre > Espace de travail > Les indispensables ou) et cliquez sur l'onglet Calques.
3. **Récupérer les hautes lumières.** Désactivez l'affichage du calque « Image Hautes Lumières » en cliquant sur et si besoin activez l'affichage du calque « Image Ombres » en cliquant sur la case vide à gauche du calque. Cliquez sur la couche RVB de l'onglet Couches tout en appuyant sur la touche Ctrl.
4. **Transférer les hautes lumières.** Ajoutez un masque de fusion en cliquant sur et activez l'affichage du calque. Vous constatez que les hautes lumières ont été transférées sur « Image Ombres ». Si besoin, jouez avec le curseur de l'opacité pour faire varier l'effet. Vous pouvez aplatir l'image (Calque > Aplatir l'image) et continuer de traiter la photo.

Méthode pour les images simples

Cette méthode est préférable à la précédente pour les images plus simples où les hautes et basses lumières sont bien séparées comme sur une photo prise en fort contre-jour ou sur une photo prise à l'intérieur avec une fenêtre donnant sur l'extérieur. La sélection des hautes lumières se fait manuellement avec l'outil Pinceau.

Mode opératoire :

1 et 2. Les deux premières étapes sont identiques à celles de la méthode pour les images complexes.

3. **Appliquer un masque noir.** Cliquez sur le calque « Image Hautes Lumières » et ajoutez un masque de fusion noir en cliquant sur tout en enfonçant la touche Alt.
4. **Révéler les tons foncés.** Cliquez sur le masque noir et sélectionnez le pinceau dans la barre d'outils. Choisissez un diamètre important, une dureté faible et une opacité limitée (30 %) que vous pourrez augmenter par la suite. Appuyez sur la touche D pour sélectionner le blanc comme couleur de premier plan. Commencez à « peindre » pour dévoiler les tons foncés. Corriger les erreurs en sélectionnant le noir comme couleur de premier plan.

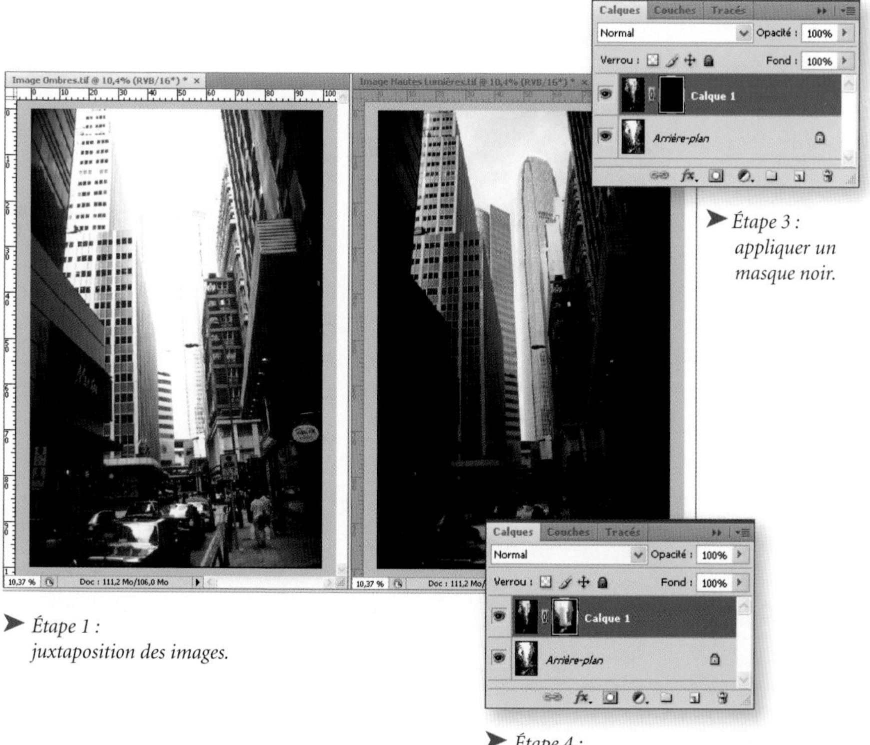

➤ *Étape 3 : appliquer un masque noir.*

➤ *Étape 1 : juxtaposition des images.*

➤ *Étape 4 : révéler les tons foncés.*

➤ *L'image finale comporte des détails à la fois dans les ombres et dans les hautes lumières.*

Simuler un filtre dégradé neutre

Les filtres dégradés neutres restent indispensables au moment de la prise de vue. Si vous n'en avez pas sous la main, il est préférable de prendre une photo en exposant pour le ciel, une autre pour le premier plan et ensuite de les fusionner selon l'une des méthodes décrites ci-dessus.

L'outil Dégradé peut malgré tout rendre service quand il n'a pas été possible d'effectuer deux expositions ou quand un dégradé supplémentaire aurait été nécessaire. Il peut rattraper de faibles écarts de luminosité, mais il ne peut en aucun cas récupérer des hautes lumières perdues.

1. Ouvrez l'image dans Photoshop et créez un masque de réglage en cliquant sur puis sur l'onglet Réglages et l'outil Niveaux ou Courbes .
2. Ouvrez l'outil Niveaux ou Courbes et ajustez l'image pour obtenir un premier plan bien exposé.
3. Affichez les calques en cliquant sur et cliquez sur le masque de fusion (Niveau 1 ou Courbe 1).
4. Sélectionnez l'outil Dégradé dans la barre d'outils (au besoin cliquez du bouton droit sur Pot de peinture pour le faire apparaître). Choisissez le filtre dégradé allant du noir au transparent et une opacité faible pour commencer (20 %).
5. Avec la souris, appliquez le filtre en cliquant-glissant du haut vers le bas, plusieurs fois si nécessaire. La partie la plus foncée du filtre fait disparaître l'effet du réglage Niveaux et fait apparaître l'image non modifiée.

➤ *L'image originale de la plage de Pointe-aux-Pêcheurs (île Maurice) possède un premier plan sous-exposé.*

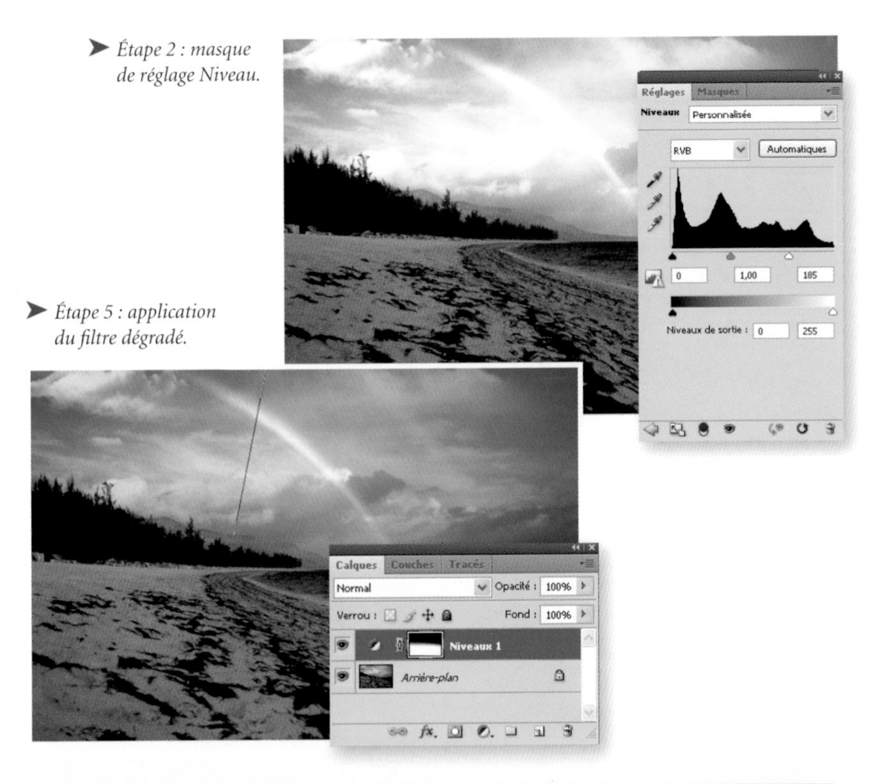

Étape 2 : masque de réglage Niveau.

Étape 5 : application du filtre dégradé.

L'image finale corrigée.

CORRIGER LES TEINTES ET LES COULEURS

La correction des couleurs en photographie de paysage se limite généralement à la correction d'une dominante de couleur, à l'ajustement de la saturation (souvent pour la limiter) et parfois à la correction sélective d'une teinte.

Car, sauf à vouloir modifier l'image profondément pour des raisons créatives, il s'agit ici d'ajuster l'image pour la rendre fidèle à la scène photographiée.

Les différents outils de correction des couleurs utilisent des termes qui font partie du langage courant, et les notions qu'ils recouvrent sont connues de la plupart d'entre vous. Une explication plus technique peut néanmoins en faciliter l'utilisation.

- **Teinte.** La teinte est tout simplement un synonyme de couleur. Une des représentations de la couleur est le cercle chromatique, aussi appelé « disque » ou « roue » dans Photoshop. La teinte est alors désignée par sa position (en degrés, de 0 à 360) sur la roue chromatique.
- **Saturation.** Une couleur très saturée est une couleur vive. Techniquement parlant, la saturation désigne la quantité de gris contenue dans la couleur : de 0 % (gris) à 100 % pour une saturation maximale.
- **Luminosité.** Ce terme désigne l'intensité lumineuse de la couleur, de 0 pour le noir à 100 % pour le blanc.

Corriger une dominante de couleur dans Photoshop

Une dominante de couleur peut être corrigée à l'étape de la dérawtisation avec l'outil Balance des blancs, ce qui est généralement préférable. On peut cependant être amené à la corriger plus tard dans le processus de traitement ou pour la première fois (prise de vue JPEG ou fichier issu d'un scanner).

Outre la modification manuelle et complexe des courbes RVB possible avec les outils Niveaux et Courbes et la commande Couleur automatique (trop peu transparente), il existe deux outils prévus à cet effet :

La commande Balance des couleurs

Corriger une dominante de couleur consiste à appliquer à l'image la couleur complémentaire de la dominante. On renforcera par exemple les jaunes pour corriger une dominante bleue (et inversement), ou les verts pour une dominante magenta.

La commande Balance des couleurs (Image > Réglages > Balance des couleurs) ou dans le panneau Réglages offre ainsi trois curseurs qui permettent chacun de corriger une dominante rouge, bleue ou verte.

En lumière naturelle, on rencontre fréquemment des dominantes bleues, jaunes ou rouges (variation de la température de couleur). En éclairage artificiel, on rencontre des dominantes jaunes (éclairage incandescent) ou vertes (éclairage fluorescent).

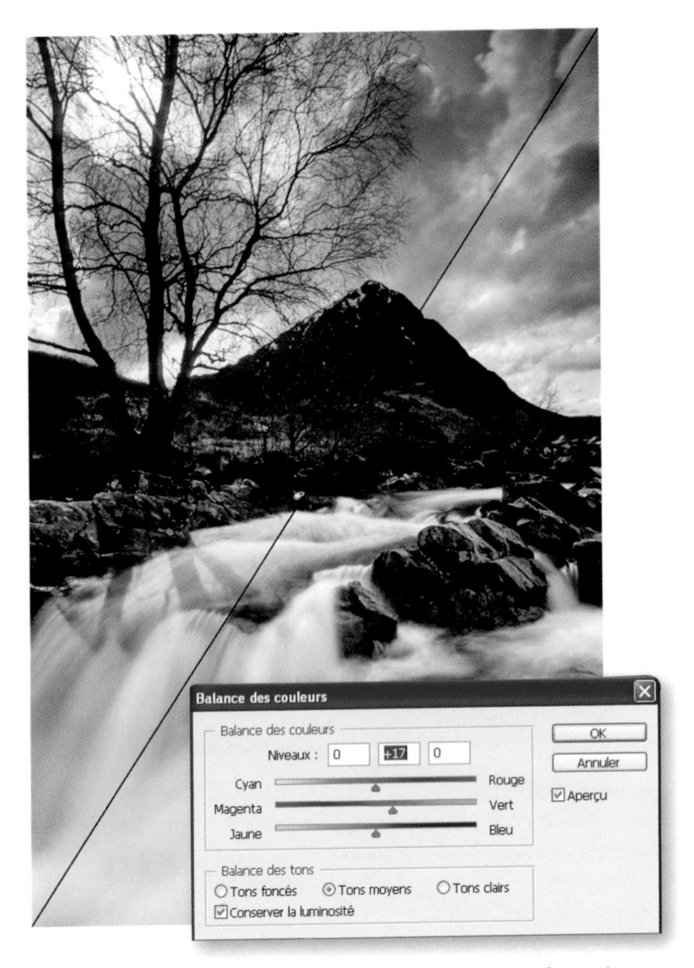

➤ *Renforcer les verts permet de corriger la dominante magenta de cette image.*

Balance des couleurs et Filtre photo

Pour obtenir les meilleurs résultats, il est recommandé d'appliquer successivement les mêmes paramètres de correction aux tons foncés, moyens et clairs et pas seulement aux tons moyens.

La commande Filtre photo

La commande Filtre photo (Image > Réglages > Filtre photo) ou dans le panneau Réglages agit exactement de la même façon que la commande Balance des couleurs, mais elle propose des réglages prédéfinis permettant de simuler un filtre coloré comme s'il avait été mis devant l'objectif au moment de la prise de vue (voir la section « Les filtres de couleur », au Chapitre 2).

Les filtres de couleur corrigent des dominantes et la température de couleur : le filtre réchauffant 81 (jaune) réchauffe la couleur d'un paysage en supprimant une dominante bleue alors que le filtre bleu (82) refroidit la couleur d'une scène.

Les filtres orangés (85) et les filtres bleus (80) plus foncés que les précédents *convertissent* l'image en faisant varier la température de couleur de manière importante : un filtre 80 par exemple augmente la température de couleur de 3 200 K (ampoule à incandescence) à 5 500 K (lumière du jour).

Des filtres de couleurs variées permettent de corriger d'autres variantes, comme le filtre magenta, ou de créer des effets spéciaux (filtre sépia). Vous pouvez aussi définir votre propre couleur en cliquant sur le carré de couleur.

➤ *(A) Image non corrigée. (B) Avec le filtre refroidissant 82 .*
(C) Avec le filtre réchauffant 85 réglé à 60 %.

Correction sélective des couleurs

La commande Correction sélective (Image > Réglages > Correction sélective ou est utile pour modifier la dominante d'une couleur et d'un ton (en particulier le blanc) sans affecter les autres.

Cette commande permet aussi, grâce au curseur Noir d'assombrir ou d'éclaircir une couleur et elle peut être utilisée pour déboucher les ombres ou augmenter le contraste entre deux tons.

Corriger la saturation

L'être humain a une attirance naturelle pour les couleurs saturées. Signes de vitalité mais aussi d'alerte, on trouve notamment ces couleurs dans les fruits et les fleurs. Une image aux couleurs saturées est plus agréable qu'une image terne.

Les deux commandes suivantes permettent de corriger la saturation :

La commande Vibrance

Dans la commande Vibrance (Image > Réglages > Vibrance) ou ▼, le curseur Vibrance augmente en priorité la saturation des couleurs les moins vives, ce qui permet d'augmenter la saturation globale d'une image sans modifier les couleurs déjà proches du niveau maximum de saturation.

Le curseur Saturation de la commande Vibrance augmente la saturation de toutes les couleurs indépendamment de leur niveau de saturation initial.

La commande Teinte/Saturation

Cette commande (Image > Réglages > Teinte/Saturation ou ▤) offre plus de contrôles que l'outil Vibrance mais voit disparaître le curseur Vibrance pourtant bien utile pour limiter les dérives. Vous pouvez sélectionner les couleurs auxquelles vous souhaitez apporter les modifications.

Le curseur Teinte permet de remplacer les couleurs en faisant tourner la roue chromatique. À moins de vouloir créer des effets (très) spéciaux, cette commande est peu utile en photographie couleur et doit être utilisée avec des réglages n'excédant pas +/– 10° pour conserver des couleurs réalistes. Si l'image est monochrome en revanche, le curseur Teinte devient très intéressant car il permet de créer des virages.

Le curseur Saturation fonctionne comme celui de la commande Vibrance.

Le curseur Luminosité fait varier l'exposition des couleurs mais sans permettre la modification du contraste, ce qui le rend difficilement utilisable.

Parfois déjà modifiée dans le dérawtiseur et amplifiée par l'augmentation du contraste, la saturation d'une image a plus souvent besoin d'être réduite qu'augmentée à la fin du post-traitement. Un excès de saturation donne un aspect peu naturel voire agressif à une image et peut rendre l'image difficile à imprimer. Limitez l'augmentation de la saturation aux images anormalement ternes.

Quels repères de couleur ?

Il est parfois difficile de trouver le « ton juste » quand on modifie la dominante de couleur d'une image. Si vous voulez retrouver les couleurs d'origine du sujet, aidez-vous de repères connus : le bleu du ciel, une orange, la couleur de la peau, le logo d'une marque célèbre ou encore un drapeau officiel.

Par exemple, les couleurs officielles du drapeau français en mode RVB sont Bleu (0,85,164), Blanc (255,255,255) et Rouge (239,65,53).

CORRIGER LES DÉFAUTS OPTIQUES ET LA PERSPECTIVE

Le filtre Correction de l'objectif (Filtre > Déformation > Correction de l'objectif) permet de corriger les principaux défauts des objectifs, à savoir la distorsion, le vignettage et les aberrations chromatiques.

Si vous avez effectué ces corrections au niveau du dérawtiseur, il est *a priori* inutile de le refaire dans Photoshop. En revanche, si le fichier est issu d'un scanner ou si vous avez photographié en JPEG, cet outil est des plus utiles. Il a en effet l'avantage de pouvoir être utilisé sur tous les types de fichier et pas seulement le Raw.

L'utilisation du filtre Correction de l'objectif est particulièrement simple, intuitive et comparable aux fonctions équivalentes des dérawtiseurs. Il permet en outre de corriger la perspective et de corriger les lignes droites convergentes, en particulier les verticales.

Astuce

Vous pouvez utiliser le filtre Correction de l'objectif à contre-emploi pour augmenter le vignettage, ce qui permet de « fermer » l'image et de concentrer l'attention du spectateur sur le centre de la photo.

L'ACCENTUATION

L'accentuation de l'image en numérique est nécessaire car l'image dérawtisée est volontairement « molle », ce qui permet d'appliquer *a posteriori* le traitement adapté à l'image sans avoir à faire le choix en début de chaîne.

L'accentuation a pour objectif de rendre l'image plus nette. Elle compense la mollesse native du fichier numérique mais elle permet aussi de corriger un léger défaut de mise au point ou un léger flou de bougé. Ne comptez pas trop sur l'outil pour pallier les défauts du matériel et une prise de vue mal gérée. Paradoxalement, l'accentuation est d'autant plus efficace que l'image est déjà nette car les contours sont bien définis.

Les paramètres de l'accentuation dépendent de la source du fichier (scanner ou APN), de sa nature (quantité de grain pour l'argentique ou de bruit pour le numérique, la quantité de détails fins) et de sa destination (Web, impression jet d'encre, taille finale de l'image). L'accentuation est la dernière étape du post-traitement et doit intervenir après le redimensionnement de l'image et une compression éventuelle (JPEG), et impérativement après la réduction du bruit.

Les outils Plus net, Contours plus nets et Encore plus net, comme les autres fonctions automatiques (contraste, couleurs…), vous privent du contrôle nécessaire à l'obtention de bons résultats. Elles ne tiennent pas compte de la nature de l'image et appliquent des paramètres prédéfinis.

L'outil Accentuation

Cet outil (Filtre > Renforcement > Accentuation) est issu des pratiques d'accentuation de la photographie argentique (le masque flou). C'est l'outil qui vous donne le plus de contrôle et les meilleurs résultats.

Techniquement, l'accentuation procède à un renforcement de l'acutance de l'image (voir la section « Les caractéristiques optiques des objectifs », au Chapitre 2) en augmentant le contraste des contours de l'image.

Mode opératoire :

1. Affichez l'image à 100 %.
2. Ouvrez l'outil Accentuation (Filtre > Renforcement > Accentuation). Assurez-vous que la case Aperçu est cochée. Déplacez la fenêtre de l'outil sur le côté pour mieux contrôler les effets du filtre sur l'image.
3. Choisissez le Rayon pour déterminer la largeur de la bande de pixels autour des contours et dont le contraste sera augmenté. Plus le rayon est élevé, plus large sera la zone accentuée et plus l'effet sera visible.
4. Choisissez la valeur du Gain pour déterminer l'effet d'accentuation, c'est-à-dire l'intensité du contraste appliqué aux pixels proches des contours.
5. Choisissez le Seuil qui définit la notion de contour : sont considérés comme des pixels de contour (et donc concernés par le filtre) deux pixels dont la différence de ton est supérieure à la valeur définie comme Seuil. Une valeur élevée a pour effet de n'accentuer que les contours des formes de l'image ; une valeur faible accentue la plupart des pixels au risque d'augmenter le bruit de l'image et d'affecter les dégradés.

Les valeurs de Gain, Rayon et Seuil à apporter à l'image dépendent de trop de facteurs pour qu'il soit possible de conseiller des réglages adéquats. D'une manière générale et pour une image en haute définition, il est préférable de maintenir le Rayon à un niveau plutôt bas (1 ou 2), d'éviter les Seuils inférieurs à 2 ou 3 et de définir un Gain important (au-delà de 150 %).

Manier l'outil Accentuation demande une certaine expérience. Votre jugement est le meilleur outil à votre disposition pour définir le niveau d'accentuation approprié. L'image doit rester naturelle et l'accentuation être discrète. Une accentuation excessive se manifeste par la présence de halos près des contours.

➤ *(A) Image originale.*
(B) Image accentuée correctement.
(C) Accentuation excessive.

Astuce

On obtient les meilleurs résultats en appliquant l'accentuation uniquement sur la couche Luminosité. Basculez en Mode Lab (Image > Mode > Lab), sélectionnez la couche L, appliquez l'accentuation et revenez en Mode RVB. Cette méthode donne des résultats plus subtils et limite l'augmentation du bruit chromatique.

Info

L'accentuation est plus visible à l'écran que sur l'image imprimée. Vous devrez certainement augmenter l'effet et procéder à quelques tests. Le mode d'épreuvage (voir la section « Simulation d'impression », au Chapitre 9) ne tient pas compte de cette différence de rendu.

L'outil Netteté optimisée

Vous pouvez aussi explorer l'outil Netteté optimisée (Filtre > Renforcement > Netteté optimisée), elle possède des réglages semi-automatiques intéressants et absents de l'outil Accentuation. Vous pourrez :

- **Définir la méthode de renforcement :** Flou gaussien (méthode utilisée par l'outil Accentuation), Flou de l'objectif (renforcement de contours, détails fins plus nets, réduction de la netteté du halo) ou Flou directionnel, censé corriger le flou de bougé.
- **Appliquer l'accentuation de manière sélective sur les tons foncés ou clairs** avec les réglages Estompage (Tons foncés/Tons clairs) ou Gamme de tons, ce qui permet d'éviter d'augmenter le bruit dans les zones où il est le plus visible.

L'accentuation sélective

L'accentuation appliquée à toute l'image aura des effets positifs sur les zones détaillées (herbe, feuillage, plage de galets) mais risque d'augmenter le bruit et changera inutilement l'aspect des zones peu détaillées (ciel, zones floues). Vous pouvez limiter l'accentuation à certaines zones de l'image en utilisant les outils de sélection ou les masques de fusion.

Méthode d'accentuation pour le Web

La méthode suivante permet d'accentuer les images destinées au Web. Les résultats obtenus sont superbes et même surprenants eu égard à la nature plutôt « brutale » du mode opératoire :

1. Ouvrez le fichier image en haute définition (normalement TIFF en 4 000 ou 5 000 pixels dans la plus grande dimension).
2. Changez la taille de l'image en 1 800 px.
3. Appliquez deux ou trois fois de suite le filtre Plus net (Filtre > Renforcement > Plus net). L'accentuation est excessive, des artefacts apparaissent.
4. Redimensionnez l'image à la taille web, 800 px par exemple. Les artefacts disparaissent et l'image est parfaitement accentuée. Pour une image finale de 600 px, choisissez un redimensionnement intermédiaire de 1 500 px. Vous pouvez ensuite enregistrer l'image (Fichier > Enregistrer pour le Web et les périphériques).

Il existe d'autres manières d'améliorer la netteté des images et beaucoup plus de choses à dire sur le sujet. À tel point que des livres entiers y sont consacrés. Bruce Fraser, reconnu mondialement comme l'expert ès accentuation, fait le point des techniques en 277 pages dans son ouvrage *Netteté et accentuation avec Photoshop CS2*.

ASSEMBLAGE PANORAMIQUE DES IMAGES PRISES SUR LE TERRAIN

Voici les étapes qui permettent de traiter les prises de vue faites sur le terrain en vue d'un assemblage ultérieur. Ces étapes sont celles du traitement des images normales, l'étape du logiciel d'assemblage en plus.

Les logiciels d'assemblage

Photoshop possède depuis la version CS2 une fonction d'assemblage d'image appelée Photomerge. Elle permet d'obtenir de bons résultats avec des images simples mais reste en retrait par rapport aux logiciels dédiés pour les cas plus complexes. Investissez dans un logiciel spécialisé si vous comptez faire beaucoup d'assemblages panoramiques.

Les logiciels dédiés sont nombreux. Considérez les caractéristiques suivantes pour choisir celui qui correspond à vos besoins :

- qualité, automatisation et rapidité de l'assemblage ;
- gestion des assemblages multirangés et taille maximum du fichier final (jusqu'à plusieurs gigapixels pour les plus puissants) ;
- prise en charge des formats de fichier : JPEG, TIFF et parfois Raw ;
- génération de panoramas « plats », en 3D et visites virtuelles ;
- capacité de traiter les images dont la ligne d'horizon n'est pas au milieu de l'image, c'est-à-dire prises en plongée ou contre-plongée ;
- prix (entre 50 et 250 €).

Parmi Autopano Giga, Autopano Pro, Stitcher Unlimited, ImageAssembler, Panorama Factory et PTGui, c'est Autopano Pro qui semble recevoir le plus de suffrages de la part des spécialistes. La qualité de l'assemblage, la prise en charge automatique de nombreux réglages et d'une grande variété de formats (y compris Raw) placent ce logiciel loin devant ses concurrents.

La retouche préalable des images

Le but de cette étape est de faciliter la tâche du logiciel d'assemblage (disons l'« assembleur »). Traiter les images avant de les confier à l'assembleur permet d'une part d'éviter les temps de traitement trop longs (voire un refus de prise en charge si la tâche est trop difficile), et d'autre part de bénéficier des avantages du traitement Raw et de la puissance de Photoshop.

Appliquez les réglages suivants :

- **Correction du vignettage.** Les assembleurs gèrent mal le vignettage. Corrigez-le avant l'assemblage et si possible à l'étape Raw pour de meilleurs résultats.
- **Luminosité.** Réservez la correction de la luminosité à l'assembleur, c'est une des tâches qu'ils savent bien gérer automatiquement. À moins de travailler en 16 bits (ou en TIFF) et que le logiciel ne le gère pas. Dans ce cas, essayez d'obtenir manuellement une clarté homogène entre les fichiers.
- **Balance des blancs.** Si la balance des blancs est sélectionnée manuellement (et donc fixe) à la prise de vue, vous pouvez passer cette étape. Dans le cas contraire (balance des blancs auto), assurez-vous que la même température de couleur a été appliquée à chaque image.
- **Taille de l'image.** La taille en pixels des images doit être identique car les logiciels ne prévoient pas de redimensionner les images avant de les assembler.
- **Format d'enregistrement.** Ces images doivent bien entendu être enregistrées au même format (JPEG ou TIFF en particulier). Vérifiez que l'assembleur prend bien en charge ce format et que le niveau de compression (JPEG) éventuel est identique entre les deux images..

L'assemblage dans Photomerge de Photoshop

C'est l'option la plus simple car l'assembleur se charge de l'essentiel.

Mode opératoire :

1. Ouvrez Photomerge (Fichier > Automatisation > Photomerge).
2. Sélectionnez les images à assembler : dans le menu Utiliser, choisissez Fichiers (pour spécifier manuellement les images) ou Dossiers (pour utiliser toutes les images d'un dossier).
3. Choisissez l'un des modes d'assemblage suivants :
   - **Auto.** Photoshop détermine le mode d'assemblage le plus approprié à la nature de l'image.
   - **Perspective.** Déforme les images pour les faire correspondre. Peut nécessiter un recadrage important à cause de l'effet « papillon ».
   - **Cylindrique.** Cette option déforme davantage les images que l'option Perspective, ce qui permet de limiter l'effet « papillon ».
   - **Sphérique.** Concerne les panoramas 360°.
   - **Collage.** Limite les déformations de l'image à une rotation et/ou une mise à l'échelle.
   - **Repositionnement.** Fait correspondre les images en les déplaçant mais sans les modifier.

4. Sélectionnez ou non les options d'assemblage suivantes :
   - **Fusion des images.** Opère une fusion « intelligente » non rectiligne en analysant les contours.
   - **Correction du vignettage.** Corrige les différences de luminosité entre les images.
   - **Correction de la déformation géométrique.** Corrige les déformations de l'objectif et prend en charge les déformations des objectifs fish-eyes.

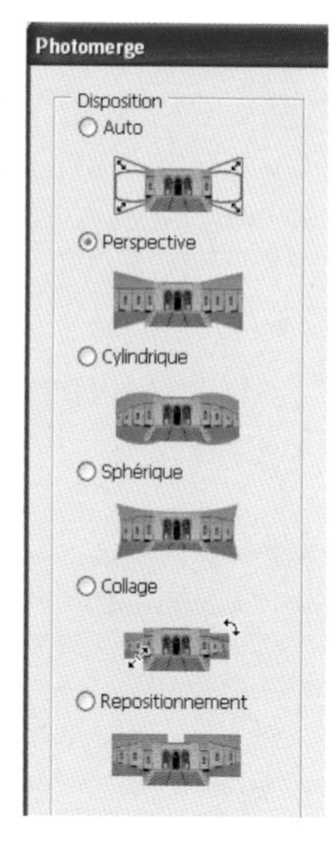

➤ *Les modes d'assemblage de Photomerge.*

Les retouches finales à apporter à l'image assemblée ne diffèrent pas de celles qui sont apportées à chaque image… à part quelques différences :

- Le recadrage est généralement plus important (surtout avec le mode d'assemblage Perspective).
- Il peut y avoir une différence de luminosité au milieu de l'image.
- Il peut y avoir un objet qui s'est déplacé pendant la prise de vue et qui figure sur la série d'images (véhicule ou piéton).

➤ *Trois images à assembler.*

LÉGENDER

Les légendes et dans une certaine mesure le nom du fichier doivent renseigner sur le sujet et les circonstances de la prise de vue : quoi, qui, où, quand… Cela facilite la recherche des personnes amenées à retrouver une image : documentaliste, iconographe, personnel de l'agence photo, client… ou le photographe lui-même.

Les données IPTC *(International Press Telecommunications Council)*

Utilisez les notes que vous avez prises sur le terrain pour compléter les champs IPTC (Fichier > Informations puis onglet IPTC). Faites-le dès que possible et avant de dupliquer l'image. Ces informations sont attachées au fichier image et sont exploitables par les logiciels d'archivage. Les trois champs les plus importants sont le copyright, la légende et les mots-clés.

Les mots-clés doivent permettre de trouver facilement une image dans une photothèque importante, surtout si la recherche est effectuée par une personne autre que l'auteur :

- Choisissez des mots décrivant la scène (lieu, saison, couleurs, sujet, actions…) en allant du plus large au plus spécifique (par exemple pays, région, ville…).
- Pensez aux mots que pourraient utiliser les personnes pour effectuer leur recherche.
- Utilisez le singulier et le pluriel du même mot.
- Utilisez les synonymes.
- Une dizaine de mots-clés suffisent, davantage de mots risque de diminuer l'efficacité de la recherche.

Astuce

Utilisez Bridge (Fichier > Parcourir dans Bridge). Vous pourrez sélectionner plusieurs images et renseigner les champs IPTC communs à ces images (le copyright, le pays, etc.) sans avoir à le faire image par image.

Les données EXIF *(Exchangeable Image File Format)*

Les données EXIF (Fichier > Informations puis onglet Données de la Camera, ou dans le dérawtiseur) sont renseignées par le boîtier lors de la prise de vue. Elles indiquent principalement les données techniques de la prise de vue (vitesse d'obturation, ouverture, sensibilité ISO, balance des blancs…), mais aussi la date, l'heure et éventuellement les coordonnées géographiques si un GPS est connecté à l'appareil.

Elles ne sont pas destinées à être modifiées, mais il peut être nécessaire de le faire pour changer la date et l'heure ou pour définir l'objectif utilisé s'il n'a pas été reconnu par le boîtier. Vous devrez alors vous procurer un éditeur EXIF comme EXIF Manager ou ExifTool.

FORMAT D'ENREGISTREMENT EN FONCTION DE LA DESTINATION

Vous avez fini de travailler votre image et vous disposez maintenant d'un fichier haute définition en Adobe RVB. Vous devez maintenant modifier l'image et l'enregistrer en fonction de sa destination. Voici un tableau récapitulatif des différents paramètres à prendre en compte.

Tableau 8.1 : Format d'enregistrement des images en fonction de leur utilisation

Type d'utilisation/ périphérique de sortie	Format d'enregistrement conseillé	Nombre de bits	Profil couleur	Définition (dpi)
Retouche d'image	PSD[1] ou TIFF	16 bits	Adobe RVB	n/a[2]
Diffusion agence/presse	TIFF	8 bits	Adobe RVB	n/a[2]
Impression jet d'encre	TIFF/JPEG	8 bits	Adobe RVB	300 dpi[3]
Impression minilab	TIFF/JPEG	8 bits	sRVB	300 dpi[3]
Imprimerie quadrichromie	TIFF	8 bits	CMJN	300 dpi[3]
Internet	JPEG	8 bits	sRVB	72 dpi

1. Le format PSD permet de conserver les calques.
2. La notion de dpi *(dot per inch)* fait référence à la définition de sortie et n'intervient pas en début de chaîne.
3. 300 dpi est un chiffre arrondi qui correspond à la définition maximale des périphériques de sortie, dont la définition est plus souvent proche de 250 dpi.

Enregistrer pour le web

L'outil Enregistrer pour le web et les périphériques (Fichier > Enregistrer pour le web et les périphériques) offre la possibilité, en une seule étape, de transformer une image haute définition en une image optimisée pour le Web.

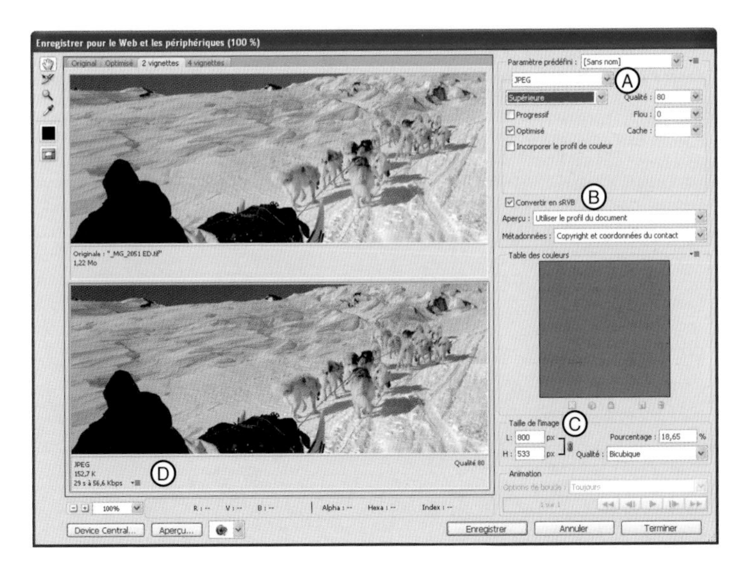

➤ *(A) Définition de la compression : un niveau à 80 divise par 2 la taille de l'image sans faire baisser la qualité de l'image de manière visible (vérifiez que c'est bien le cas dans la fenêtre d'aperçu). (B) Espace de couleurs : cochez la case Convertir en sRVB. (C) Redimensionnez l'image à la taille d'affichage Internet. (D) Constatez le poids final de l'image : ne dépassez pas 150 ou 200 ko pour une image de 800 pixels de large.*

LA POSTPRODUCTION (RÉ)CRÉATIVE

Recadrage créatif

Le recadrage créatif donne une seconde vie à vos images et augmente votre production. C'est aussi un excellent moyen de travailler les techniques de la composition.

Vous pouvez :

- varier les formats en définissant les dimensions Largeur/Hauteur (1/1, 3/2, 2/3, 2/6) ou en restant en format libre ;
- parcourir l'image comme s'il s'agissait d'une scène à photographier en ayant au préalable prédéfini une taille fixe en pixels avec l'outil de recadrage pour plus ou moins zoomer dans l'image ;
- respecter les règles de la composition ;
- rechercher les détails de l'image ;
- appliquer une rotation à l'image pour augmenter son dynamisme.

➤ *Exemples de recadrage.*

Info

L'image recadrée peut nécessiter un post-traitement particulier (contraste, luminosité, bruit, accentuation, etc.) mais aussi une interpolation (augmentation logicielle de la définition de l'image).

Le monde en noir et blanc

Le noir et blanc peut procurer à l'image un aspect plus dramatique, plus atmosphérique, émotionnel que son équivalent en couleurs. C'est la raison pour laquelle les photographes continuent à utiliser le noir et blanc.

Toutes les images ne sont pas adaptées au passage en noir et blanc. Choisissez celles dont la composition repose sur des formes, des lignes fortes et des textures, elles garderont de la force malgré la disparition de la couleur.

Typiquement, les paysages baignés d'une lumière intense et oblique (contraste important) fonctionnent bien.

Astuce

Si vous avez un doute sur les images à convertir en noir et blanc, ouvrez plusieurs images simultanément et utilisez la commande Désaturation (Image > Réglages > Désaturation).

Conversion en noir et blanc et simulation des filtres de couleur

Ce serait trop simple s'il suffisait de désaturer une image en couleurs pour en faire une belle image en noir et blanc. Les fonctions Désaturation (Image > Réglages > Désaturation) et Niveaux de gris (Image > Mode > Niveaux de gris) ont tendance à réduire les contrastes de l'image et à manquer de possibilités de contrôle.

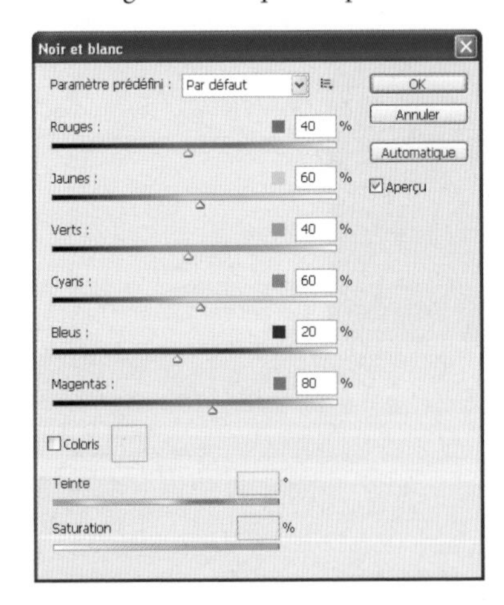

➤ *Le réglage Noir et blanc permet d'améliorer une image en noir et blanc avec beaucoup de précision. Il offre en outre plusieurs paramètres prédéfinis intéressants comme Filtre bleu contraste élevé, Infrarouge, Noir maximal ou Blanc maximal.*

Les filtres de couleur utilisés en photographie noir et blanc argentique (rouge, orange, jaune, bleu et vert) permettent d'augmenter le contraste de certaines couleurs et de donner de l'impact à une image. Ces filtres éclaircissent leur propre couleur et assombrissent les couleurs complémentaires. Par exemple, un filtre rouge augmente la densité du bleu du ciel et le vert des feuillages.

La commande Mélangeur de couches (Image > Réglages > Mélangeur de couches) permet de simuler les filtres de couleur utilisés en noir et blanc. Des préréglages permettent de simuler l'usage de filtres de couleur. En mode manuel, faites en sorte que la somme des valeurs Rouge, Vert et Bleu soient égales à 100.

Le réglage Noir et blanc (Image > Réglages > Noir et blanc), apparu avec la version CS3 de Photoshop, offre encore plus de possibilités et s'avère plus subtil à l'usage.

➤ *Le Réglage Noir et blanc permet d'obtenir une image plus contrastée qu'une simple désaturation et offre la possibilité de tester différents réglages.*

Astuce

Cliquez dans l'image sur la couleur à corriger alors que le réglage Noir et blanc est ouvert pour activer l'outil de réglage sur l'image et déplacez le pointeur latéralement pour éclaircir ou assombrir la couleur choisie.

Rappelez-vous qu'une belle image en noir et blanc est une image dont les noirs sont noirs, les blancs bien blancs et qui possède de riches nuances de gris. Si nécessaire, vous pouvez utiliser des corrections sélectives (décrites ci-dessus) pour améliorer certaines zones de l'image.

Simulation argentique

Les fabricants de pellicules photo ont créé de nombreuses références permettant d'obtenir un rendu différent et adapté à la scène photographiée : forte saturation pour les paysages, douceur pour le portrait, contraste élevé pour obtenir un effet dramatique, rendu fidèle pour la photographie animalière...

Les noms Tri-X et HP5 (pour le noir et blanc), Velvia et Kodachrome (pour la couleur) sonnent merveilleusement à l'oreille des photographes ayant connu les temps héroïques (et pas si lointains) de l'argentique. Le rendu caractéristique de ces pellicules les a rendues célèbres, au point de voir de nombreux photographes redoubler d'efforts pour retrouver la magie de ces films en postproduction.

Il est possible de simuler manuellement le rendu de ces pellicules en modifiant la saturation, le contraste et le grain de l'image (Filtre > Bruit > Ajout de bruit), mais cette opération est fastidieuse et aléatoire.

Préférez les plug-in : ils permettent d'obtenir le rendu argentique en quelques clics. Les meilleurs plug-in sont issus, comme DxO FilmPack, de l'analyse scientifique des films et des tirages argentiques et peuvent reproduire précisément la forme, la taille, l'intensité et la couleur du grain de plusieurs dizaines de films. Vous pouvez également définir librement les réglages pour obtenir un rendu personnalisé.

Virage

La technique du virage permet de donner une dominante colorée au tirage d'une image en noir et blanc. En argentique, le procédé consiste à remplacer une partie des cristaux d'argent du papier photo par d'autres éléments grâce à diverses solutions chimiques.

Les virages classiques sont le sépia (obtenu avec une solution de sulfure de sodium), le bleu (citrate de fer), le brun-rouge (sulfate de cuivre) et le violet (sélénium).

En numérique, on peut obtenir ces virages de plusieurs manières : avec l'outil TSL (Teinte-Saturation-Luminosité), Noir et blanc (option Coloris) ou encore Filtre photo (filtre Sépia).

DxO FilmPack possède également une option pour appliquer l'élégance des virages métalliques sur vos photos, virages qu'il peut être intéressant de combiner avec les rendus des films argentiques.

Mais parce que certains sont gratuits, pourquoi ne pas télécharger un plug-in pour Photoshop ? Virtual Photographer (**www.optikvervelabs.com**), téléchargé des millions de fois et salué par la presse à travers le monde, offre plus de 200 effets personnalisables et permet de modifier le contraste, la luminosité et le grain de l'image.

➤ *Différents virages obtenus avec Virtual Photographer.*

9

Imprimer, diffuser et faire connaître vos images

Avec l'argentique, l'aspect nécessairement matériel de l'image finale (diapositive, tirage papier…) invite au partage sous la forme de soirées de projection de diapo ou de réalisation d'albums photo. Mais avec le numérique, l'image a tendance à rester sur le disque dur et à n'en plus bouger. C'est regrettable car le photographe souhaite partager ses images avec plus grand nombre, d'autant qu'elles sont souvent le fruit d'un travail solitaire sur le terrain. Il aura parfois aussi à cœur de les vendre.

Ce chapitre fait le point sur ce qu'il faut savoir pour imprimer, faire connaître et vendre ses images.

IMPRESSION

Imprimantes jet d'encre ou minilab ?

Minilab

Avantages	Inconvénients
Coût de revient au tirage intéressant notamment avec les labos Internet	Espace couleur proche de sRVB
Pas d'investissement de départ	Choix papier restreint (mat ou brillant)
Meilleure stabilité des couleurs dans le temps que les tirages jet d'encre bas de gamme	Taille limitée du papier
Gain de temps pour les grandes séries	Délai de 2 à 3 jours pour les labos Internet et déplacement pour les labos classiques

Imprimantes jet d'encre

Avantages	Inconvénients
Espace couleur proche d'Adobe RVB pour les imprimantes Wide Gamut	Plusieurs centaines d'euros d'investissement initial (à moins de sous-traiter à un laboratoire)
Taille des impressions	Coût de revient à la page élevé (coût des encres et du papier)
Choix du papier : mat ou brillant mais aussi baryté, Canson, canvas et papiers spéciaux	Apprentissage nécessaire (gestion de la couleur, choix du papier…)
Maîtrise totale de la chaîne de l'image, de la prise de vue à l'impression	Long pour les grandes séries ; nécessite un découpage du papier pour les petits formats
Obtention immédiate du tirage (si vous possédez votre propre imprimante)	
Bonne stabilité des couleurs dans le temps avec les encres pigmentaires	

Vous pouvez utiliser le minilab pour les usages courants et les grandes quantités, et réserver le tirage jet d'encre pour le grand format et quand une qualité irréprochable est nécessaire : exposition, book, concours, tirage d'art… Vous pouvez sous-traiter l'impression à des laboratoires professionnels ou à des tireurs expérimentés plutôt que d'acheter une imprimante si votre volume d'impression ne le justifie pas.

➤ *L'imprimante photo Epson Stylus Pro 3880.*

Les encres

Les encres standard sont constituées de colorants mélangés à un liquide neutre. Ces encres résistent mal à l'humidité ambiante et à la lumière du soleil : les couleurs ont tendance à pâlir et finissent pratiquement par disparaître après quelques années.

Les encres pigmentaires sont formées de matière solide (les pigments) en suspension dans un liquide. Elles sont beaucoup plus résistantes à l'humidité ambiante (et aux projections d'eau) ainsi qu'à la lumière. Certaines encres sont même supposées durer plus de cent ans.

La piézographie est une technique d'impression qui utilise des encres à base de pigments de charbon. Elles sont surtout utilisées pour les impressions en noir et blanc et permettent d'obtenir des noirs particulièrement profonds.

Imprimer avec Photoshop

Options d'impression

Respecter la gestion des couleurs au moment de l'impression est simple avec Photoshop grâce à la fonction Fichier > Imprimer… Vous pouvez attribuer le profil adéquat et obtenir une impression fidèle à l'image écran.

1. Informations du fichier d'origine : cochez Document, l'espace entre parenthèses est l'espace de travail.
2. Choisissez le profil de votre imprimante.
3. Mode rendu : choisissez le Mode (Colorimétrie perceptive ou relative) qui donne les meilleurs résultats lors de la simulation d'impression.

Simulation d'impression

Deux options particulièrement utiles permettent d'anticiper les résultats de l'impression et d'éviter de gâcher trop d'encre et de papier :

- **Afficher les couleurs non imprimables (Affichage > Couleurs non imprimables).** Cette fonction est particulièrement utile si vous travaillez dans un espace de travail plus étendu que l'espace de l'imprimante. Cette dernière risque en effet de ne pas pouvoir imprimer les couleurs les plus vives. Vous pouvez réduire la saturation de l'image (ou uniquement des couleurs concernées) pour diminuer l'écrêtage des couleurs.

➤ *Les couleurs ne pouvant pas être imprimées pour une combinaison de papier-encres-imprimante donnée apparaissent très clairement. Ici avec une imprimante d'entrée de gamme et un papier mat.*

- **L'épreuvage (Affichage > Format d'épreuve > Personnalisé** puis choisissez le couple imprimante/papier). L'épreuvage permet de modifier une image (notamment le contraste et la saturation) en fonction des caractéristiques de l'imprimante, des encres et du papier utilisés.

Le profil imprimante

Le rendu de l'impression dépend de l'imprimante mais aussi des encres et du papier utilisés.

Les profils de certaines combinaisons imprimante/papier sont livrés avec le *driver* de l'imprimante. Les papiers utilisés sont ceux du fabricant de l'imprimante (papier HP, Epson) ou quelques papiers génériques. Ce qui est généralement suffisant.

Si vous utilisez un papier « exotique », des encres spécifiques ou si vous êtes particulièrement soucieux du respect des couleurs, il faudra créer le profil de la combinaison utilisée avec un spectrophotomètre. Il vaut mieux sous-traiter cette étape que de se lancer soi-même cette aventure coûteuse et technique : un site comme **www.cmp-color.com** effectue votre profil par correspondance.

Info

Il n'est pas nécessaire de convertir l'image dans le profil de l'imprimante car cette conversion est effectuée en arrière-plan et de manière réversible lors de l'impression. Le fichier image n'est pas modifié, vous pourrez imprimer la même image vers plusieurs imprimantes à partir du même fichier. La conversion est en revanche nécessaire pour les images destinées aux imprimantes offset (profil CMJN) utilisées dans le monde de l'édition.

Format et support d'impression

Les technologies d'impression numériques, en particulier jet d'encre, ont permis la multiplication des supports et des formats d'impression.

Le papier photo se décline en plusieurs centaines de références (mat/brillant, Canson, baryté, métallisé, adhésif, transparent, imperméable, etc.). Vous pouvez imprimer des cartes postales et des cartes de vœux personnalisées, de véritables livres photo, et pourquoi pas (après tout) imprimer vos images sur des tasses et des tee-shirts, tapis de souris, des timbres-poste… et même des rideaux, du papier peint ou encore des housses de couette !

➤ *Une de mes photos a été utilisée par l'équipe de l'émission Déco sur M6 sous forme de rideaux, de draps et de papier peint !*

La technologie jet d'encre a également rendu possible les impressions de grand format (les formats A4 et A3 sont beaucoup plus répandus qu'autrefois) et surtout de très grande taille : les rouleaux de papier (ou bâches) jet d'encre existent jusqu'en 5 mètres de large, ce qui permet de réaliser des tirages géants que l'on peut utiliser pour recouvrir l'échafaudage d'un immeuble en travaux par exemple.

Les supports de qualité exposition se sont démocratisés. Voici les plus utilisés :

- **Le Dibond.** Il est constitué d'une plaque de polyéthylène (d'épaisseur variable) collée entre deux plaques d'aluminium de 0,3 mm d'épaisseur. Le Dibond est disponible en 2, 3, 4 ou 6 mm d'épaisseur totale. La photo est contrecollée sur la plaque d'aluminium et éventuellement plastifiée.
- **Le Diasec.** La photo est contrecollée à l'arrière d'une plaque de Plexiglas transparente. Le procédé est censé renforcer le contraste des couleurs et mieux rendre les détails qu'avec une plaque de verre grâce à l'indice de réfraction du Plexiglas.

- **La toile canvas.** Comparable aux toiles utilisées par les peintres, la toile canvas est traitée pour supporter l'impression jet d'encre. Une fois imprimée, la toile est tendue sur un cadre en bois.

Info

La Digigraphie, un label technique développé par Epson, permet de reproduire une image en série limitée et numérotée. Pour vos tirages d'art.

FAIRE CONNAÎTRE VOS IMAGES

Diffuser sur Internet

Internet foisonne de sites et de forums orientés photo : excellents lieux d'échange, de partage et parfois véritables communautés, ils sont incontournables pour qui veut diffuser ses images et recueillir l'avis des internautes. On distingue :

➤ *Le groupe Frédéric Lefebvre - Landscape Photography vous attend sur Facebook !*

- les forums de discussion photo : Chassimages.com, BeneluxNaturePhoto.com, Eos-numerique.com ou Pixelistes.com) ;
- les galeries en ligne : Photo.net, Flickr.com ou Trekearth.com ;
- les webzines : Naturapics.com, Photovore .fr, ReportagesPhotos.fr, Actuphoto.com ;
- les réseaux sociaux : Facebook, MySpace, LinkedIn ou encore Viadeo.

➤ *Les webzines (magazines sur le Web) se sont développés avec Internet et constituent une source d'information abondante et flexible, et offrent une plate-forme facilement accessible aux photographes professionnels et amateurs. Vous pouvez écrire des articles ou proposer un portfolio.*

Exposer vos photos

Exposer est une expérience enrichissante, un moyen de rentrer en contact avec le public et/ou vos fans. Festival photo, espaces publics (mairie, centre culturel) ou commerciaux (restaurant, hôtel) : les lieux ne manquent pas pour montrer vos images.

Le budget pour une exposition peut être important : de quelques centaines à quelques milliers d'euros en fonction du nombre d'images, de la dimension et du support. Même si vos finances vous permettent d'assumer ce coût, essayez plutôt de trouver des partenaires et faites en sorte de rentabiliser votre investissement :

- **Recherchez un sponsor.** Les fabricants de papier photo, les imprimeurs, les distributeurs et les fabricants de matériel photo sont eux aussi à la recherche de visibilité. Votre projet peut les intéresser.
- **Vendez des produits.** Tirages soignés en plusieurs dimensions, cartes postales, calendriers, livres et pourquoi pas les tirages de l'exposition eux-mêmes.
- **Établissez des contacts.** Rencontrez les éditeurs, les agences photo…
- **Recueillez l'avis du public.** Installez un livre d'or et récupérez les adresses électroniques des visiteurs pour constituer une liste de distribution.

Participer aux concours photo

Participer aux concours photo est un excellent moyen d'obtenir de la visibilité : gagner un prix au Wildlife Photographer of the Year, plus grand concours de photo nature au monde, garantit une exposition mondiale instantanée et un sacré coup de pouce si vous voulez faire de la photo votre métier. Vincent Munier et Bence Maté, tous deux photographes animaliers, en savent quelque chose.

Les concours les plus prestigieux éditent un catalogue des images primées ou sélectionnées et font l'objet d'une couverture médiatique abondante (articles, reportages, numéros spéciaux, promotion Internet…).

Astuce

Lisez attentivement le règlement des concours pour éviter d'être recalé sans avoir eu la chance de participer. Soyez sûr d'avoir compris le thème de la catégorie et les conditions d'envoi : nombre de photos, dimensions, format... et la date de clôture.

Évitez de participer à des concours aux clauses abusives et dont le seul but est de faire de l'argent sur le dos du candidat. Évitez en particulier les concours qui utilisent vos photos (gagnantes ou pas) pour illustrer les publications appartenant aux organisateurs et ce sans lien direct avec la promotion du concours, et évitez ceux (plus rares) qui alimentent leur banque d'images et commercialisent à des tiers sans rémunérer l'auteur. Les concours payants sont acceptables s'ils sont prestigieux (BBC Wildlife, Landscape Photographer of the Year), si le prix en vaut la peine… et si vous estimez avoir une chance de le gagner.

Créer votre propre site/galerie web : des logiciels pour tous les niveaux

Il est aujourd'hui difficile de se passer d'une présence sur Internet. Si vous avez déjà une galerie sur Photo.net, une page sur Facebook, vous voudrez certainement exposer vos photos sur des pages plus personnelles et créer votre propre site.

Vous avez le choix entre deux grands types de site Internet :

- **Le blog.** Simple et rapide à mettre en œuvre, il prend la forme d'une longue page sur laquelle vous pouvez ouvrir un billet et y « poster » des images, des vidéos, diaporamas ou des articles. Les internautes sont généralement invités à laisser un commentaire. Des menus permettent de présenter des liens, d'accéder aux billets antérieurs, etc.

  Un blog se crée en quelques minutes grâce à des sites comme MySpace ou en quelques heures avec des logiciels gratuits comme Dotclear ou WordPress. Vous pouvez personnaliser de nombreux paramètres, mais vous serez limité quant à l'aspect général du site qui a toutes les chances de ressembler à des sites créés avec les mêmes logiciels. Cela dit, c'est peut-être la seule alternative pour quelqu'un qui veut créer son site sans avoir de connaissances techniques particulières.

- **Le site complet.** Il offre une personnalisation totale. À condition d'être bien exécuté, un site complet donne les résultats les plus professionnels. Vous avez entièrement la main sur le design, l'architecture, les subtilités techniques… Vous obtiendrez avec beaucoup de travail un site unique et à vos couleurs.

  Si vous avez des connaissances en la matière, vous savez déjà que Dreamweaver, Expression Web (anciennement FrontPage) ou KompoZer (un équivalent gratuit) sont des éditeurs de pages web qui permettent de créer un site web de A à Z… et en partant de zéro.

  Vous pouvez cependant échapper à l'angoisse de la page (et des nuits) blanche grâce à des éditeurs de contenu (CMS) comme Joomla et Spip. Ils permettent de créer et de gérer simplement et rapidement un site Internet à l'aspect professionnel et très complet possédant des fonctionnalités comme les flux RSS, les news, une version imprimable des pages, un blog, des sondages, etc.

Quelle que soit l'option choisie, vous devez réfléchir au concept, au design et au contenu *avant* de vous lancer dans la construction du site. Pensez également à intégrer dès le début les règles du marketing Internet (adresse des pages et nom des photos explicites, légendes, métadonnées, etc.).

Une fois que vous avez créé votre site, vous devrez :

1. Choisir et enregistrer une adresse Internet. Le nom du domaine doit être facile à retenir ; il peut contenir votre nom ou le thème du site. Une adresse coûte moins de 10 € par an.
2. Trouver un hébergeur. Il héberge votre site sur ses serveurs et gère les aspects techniques de l'accès au Web pour moins de 30 € par an (nom de domaine inclus).